Note sur le temps

THÉOLOGIQUES

COLLECTION DIRIGÉE PAR RÉMI BRAGUE
ET JEAN-YVES LACOSTE

NOTE
SUR LE TEMPS

Essai sur les raisons de la mémoire
et de l'espérance

JEAN-YVES LACOSTE

Presses Universitaires de France

ISBN 2 13 042752 9

Dépôt légal — 1re édition : 1990, février

Sommaire

Liminaire 9

PREMIÈRE PARTIE

L'ESPRIT DANS L'APORIE DU TEMPS

  1 - Présent et présence................................. 13
  2 - Temporalisation 15
  3 - La constitution du temps, activité et passivité.............. 17
  4 - Temps et corps..................................... 18
  5 - Le corps et la mort................................. 20
  6 - L'avenir 22
  7 - Du monde comme lieu de l'esprit...................... 23
  8 - Préoccupation, souci................................ 25
  9 - Mémoire et projet................................... 27
 10 - L'être et l'horizon du temps......................... 30
 11 - Continuité de l'ego dans la discontinuité des temps......... 32
 12 - Liberté et temporalité............................... 33
 13 - L'esprit mortel en son temps 35
 14 - Le sursis... 37
 15 - Le divertissement................................... 39
 16 - Mort et inaccomplissement........................... 41
 17 - Connaissance et récollection......................... 43
 18 - Expérience et avenir................................ 44
 19 - Expérience matutinale............................... 45
 20 - Non-possession de soi-même.......................... 47
 21 - Etre et manière d'être............................... 49
 22 - L'ontologie et le fondement.......................... 52
 23 - Requête d'infini : l'atotalité......................... 53
 24 - La mort et l'autre................................... 55
 25 - *Homo homine major*................................ 59
 26 - Un malheur de la conscience......................... 61
 27 - Corporéité et liberté 62

28 - L'extase 65
29 - L'enjeu et la condition................................. 66
30 - L'aporie du temps...................................... 68

DEUXIÈME PARTIE

LE TEMPS ENTRE CRÉATION ET MONDE

31 - Une thèse sur le contenu du savoir théologique............. 73
32 - Pâques : ombre de la mort et lumière de la vie.............. 75
33 - Le temps hors-monde, le corps hors-monde............... 77
34 - *Analogia entis concreta*............................... 78
35 - *Analogia temporis et aeternitatis*........................ 80
36 - L'origine comme interprète des réalités originées........... 82
37 - Création et christologie comme interprètes de l'humanité de
     l'homme 82
38 - La création comme horizon herméneutique de toute christo-
     logie du temps....................................... 84
39 - La création comme alliance............................. 86
40 - Le temps de l'homme à distance de Dieu.................. 87
41 - Création/monde : *distinctio realis*........................ 89
42 - *Kosmos, bios, thanatos* : l'histoire....................... 91
43 - Statut théologique de la facticité........................ 94
44 - De l'inquiétude....................................... 96
45 - Le souci rejaillissant sur l'inquiétude.................... 98
46 - Aporie théologique de la temporalité.................... 100
47 - Ma mort entre Dieu et moi 102
48 - Dieu entre ma mort et moi............................. 104
49 - L'éternité pensée à partir du temps : inadéquation des modèles 106
50 - La pérennité de l'esprit à partir du don et comme don....... 108
51 - La loi, et encore le présent............................. 110
52 - Premiers éléments d'une critique théologique du souci...... 113
53 - Vocation : l'homme exposé à la Parole.................... 115
54 - Promesse et inaccomplissement.......................... 117
55 - Sens eschatologique de l'ipséité 119
56 - Sens christologique de l'*eschaton*....................... 121
57 - Etre-dans-le-monde et authenticité....................... 122
58 - Le danseur de corde................................... 124
59 - Le présent et la présence à l'origine...................... 127
60 - Théologique de l'inchoation : l'alliance comme historicité fon-
     damentale de la présence de Dieu........................ 128
61 - Jamais le définitif sans le provisoire.................... 129
62 - Jamais plus le provisoire sans le définitif................. 131
63 - Sens théologique du temps et topique de l'incurvation...... 133
64 - L'ambiguïté (pour moi) première......................... 135
65 - Sens et temps retrouvés................................ 137

TROISIÈME PARTIE

ENTRE MÉMOIRE ET ESPÉRANCE

66 - *Memorabilis Deus*....................................... 143
67 - Par-delà l'immanence................................... 146
68 - Mémoire comme intersubjectivité....................... 149
69 - Malheur et bonheur de la mémoire...................... 150
70 - Une constitution théologique de l'historialité............... 152
71 - Les délais de la parousie............................... 155
72 - Existence et histoire................................... 158
73 - Démessianisation du temps............................. 161
74 - Moi hors de moi : sens christologique de l'expérience....... 165
75 - Conscience et mission................................. 169
76 - Nescience messianique................................. 172
77 - L'urgence, l'insouciance et la joie....................... 174
78 - Dépossession messianique............................... 177
79 - Dieu et sa mort, la relation dans l'abolition de la relation.... 180
80 - *Analogia entis* concrète et temporalité préeschatologique de
     Dieu 183
81 - La mémoire comme espérance........................... 185
82 - Le présent dans l'histoire accomplie.................... 187
83 - Temps et don... 189
84 - L'espace ecclésial de la mémoire........................ 190
85 - La proximité et la limite................................ 192
86 - Histoire et Esprit..................................... 195
87 - Histoire et sacrement.................................. 197
88 - Histoire et eucharistie................................. 199
89 - Temporalité et eschatologie (reprise)................... 201
90 - De la volonté de puissance à la filialité.................. 202
91 - Filialité et insouciance, nouveaux éléments d'une critique
     théologique du souci.................................. 205
92 - De l'être-vers-la-mort à l'horizon de la croix.............. 207
93 - Nouveaux éléments d'une critique de l'être-dans-le-monde.. 209
94 - Violence et eschatologie............................... 212
95 - Par-delà les apories................................... 214

Index des noms propres 217

Index des passages bibliques 219

Index des concepts 221

Liminaire

Je publie aujourd'hui des recherches qui remontent, pour l'essentiel, aux années 1980-1983. Les raisons de ce retard ne sont nullement théoriques, et n'intéressent pas le lecteur. Et je ne crois pas qu'il se soit rien publié entre-temps qui m'aurait conduit à modifier mes positions. La littérature consacrée à la question du temps, dans la philosophie et la théologie, est considérable. Une précédente rédaction de ces pages lui accordait une large place, ce qui alourdissait jusqu'à l'ennui, ou à la manifestation d'un goût frivole pour la Literatur, *le corps de la discussion. J'ai finalement choisi de réduire débats et références au plus strict minimum. Mes amis allemands en seront choqués, mes amis britanniques ravis, le lecteur français comprendra, je l'espère, cette décision.*

J'ai écrit ces pages seul, voire tout seul, et porte seul la responsabilité de leurs choix, et le cas échéant de leurs erreurs. Il me sera toutefois permis de nommer une des nombreuses dettes qui diminuent si dangereusement la petite part d'originalité de ces pages : quoi qu'il y ait en ce livre qui parvienne à être théologique, c'est avant tout à l'influence de Hans Urs von Balthasar que je le dois.

La première partie fit l'objet d'une publication anticipée dans la Revue Philosophique de Louvain, *85 (1987), 22-79.*

Ce m'est enfin le plus agréable des devoirs que de remercier la Fondation Alexander von Humboldt pour l'aide multiforme, inventive et amicale dont elle m'a permis de bénéficier pendant deux années passées à l'Université de Tübingen.

Rémi Brague a pris sur lui d'effectuer une dernière lecture des épreuves et de composer des index. Qu'il en soit remercié.

Première partie

L'esprit dans l'aporie du temps

Parmi les réalités dont il n'est pas simple de fournir le concept, le *présent* figure en bon rang.

Pour l'expérience qui tente de rendre compte d'elle-même, le présent est la dimension immédiate du temps, ou encore le temps qui est. L'instant présent est le lieu de toute conscience. Nous avons un passé et aurons (peut-être...) un avenir. Mais c'est maintenant que notre temporalité vient en question, et que nous nous révélons à nous-mêmes comme essentiellement liés à la diachronie. Ce qui est diffère de ce qui a été (et n'est plus), et de ce qui sera (et n'est pas encore) : l'instant présent, dit Aristote, est la limite qui sépare deux non-êtres[1]. Le privilège ontologique du présent est peu contestable ; et il semble s'assortir d'un égal privilège phénoménologique. L'expérience habite nécessairement cette limite de l'être et du non-être : la certitude expérimentale, de soi-même et du monde, est certitude de soi comme existant maintenant, et du monde comme nous faisant maintenant face. La réalité a part liée avec l'*actualité* ; la conscience actuelle, en acte présent, est la condition élémentaire de toute expérience et de tout savoir. Ce qui est plus, ou qui n'est pas encore, est concevable. Mais son statut ontologique exclut qu'il soit le lieu d'une conscience. Il n'y a de conscience que présente ; rien ne se présente à elle que maintenant, et elle n'est évidente à elle-même que dans cette même mesure. Le présent est l'horizon de l'être, et de l'expérience.

Dans son interprétation de l'instant, Aristote remarque qu'il assure, ou

---

1. *Physique*, IV, 218 a 24.

qu'il est, la continuité du temps, συνέχεια τοῦ χρόνου². Le présent peut
certes se définir négativement : il nie la double absence du passé et de
l'avenir. Mais le transit du passé vers l'avenir constitue plus qu'une limite,
et il appartient au présent de conclure le passé (il en est la τελευτή) et d'inau-
gurer l'avenir (il en est l'ἀρχή)³. Cette conclusion et cette inauguration sont
aristotéliciennement atomiques : la réalité du temps réside dans l'instant
et dans lui seul, le temps est interprété par le Philosophe comme séquence
d'instants discrets. Or, le temps pâti ou éprouvé par la conscience (Aristote
parle ici de perception, αἰσθάνομαι) ne peut s'accommoder d'une telle
non-dimensionnalité. Le présent de la conscience, que Husserl nomme
« vivant », peut être réduit à une succession d'atomes temporels. Mais cela
n'est évidemment possible qu'en une philosophie pour laquelle le temps,
qui n'est certes pas étranger à la conscience qui le « mesure », n'entretient
pourtant avec elle qu'un rapport secondaire. Aristote sait bien que même
une conscience abstraite du monde, et empêchée d'en percevoir les « mouvements », ne cesse pas de percevoir le temps, en se percevant elle-même
comme lieu d'une activité temporelle⁴. Le dogme de la discontinuité des
présents lui interdit pourtant d'aller plus loin. En revanche, si le propre
du présent est, pour la conscience, de posséder une épaisseur, l'instant ne
saura valoir comme autre nom du présent. On sait qu'Aristote n'utilise qu'un
mot, et n'a besoin que d'un mot : τὸ νῦν. Mais si la continuité du temps,
dans la discontinuité des instants, figure à l'origine d'une recherche guidée
par l'expérience de la conscience, alors l'instant ne peut être tout le présent :
le présent cesse d'être l'horizon instantané de l'être.

Une entrée phénoménologique dans la question du temps suggère donc
que la réalité problématique du présent soit fondée sur la *présence* de l'ego
qui, dans le temps, fait l'expérience de soi et du monde, et assure ainsi la
continuité vécue du temps. Le propre de cette présence est certainement
de se déployer originairement selon les trois extases de la temporalité. Il
n'est en effet nulle expérience dont le présent soit unique horizon, nul
présent qui soit purement à notre disposition (sinon comme présent fossile
dont nous tenons les archives et faisons mémoire). La plus simple intentionnalité dans laquelle nous nous intéressons à nous-mêmes, ou à l'autre que
nous, advient toujours selon un tel déploiement, où passé et avenir contri-

---

2. *Ibid.*, 222 a 10.
3. *Ibid.*, 220 a 11.
4. *Ibid.*, 219 a 4-6.

buent intrinsèquement à la constitution du présent. La pathologie du temps connaît peut-être des états de morcellement dans lesquels l'instantané semble dispenser la conscience d'avoir un passé et un avenir, et d'assurer elle-même la cohésion de son temps. L'on ne peut toutefois élucider la présence d'un moi, à lui-même et au monde, sans avoir à rendre compte du surplomb par la conscience présente de son passé et de son avenir. Il est possible, en toute théorie pour laquelle les mouvements mesurés, et non la conscience qui les mesure, constituent le temps[5], de ne pas penser le débordement du présent par la présence. Mais la nécessité phénoménologique de penser l'un par la médiation de l'autre nous est incontournable.

2 - TEMPORALISATION

Il appartient ontiquement au moi d'avoir un passé (quelle phénoménologie pourrait-elle se donner accès au premier geste par lequel l'être humain se manifeste comme être de conscience ?), et d'avoir un avenir — sauf à l'heure de sa mort. Et description et interprétation du temps nous contraignent à dire de tout présent, pour autant qu'y soit présente une conscience, et non un chronomètre, non seulement qu'il « a » du passé et de l'avenir, mais encore qu'il *est* bel et bien leur synthèse et le lieu de leur rencontre. La réalité subjective du présent inclut en effet le passé, ou le presque-passé, qui y est « retenu », et l'avenir auquel il est ouverture, ou dont il est l'attente. Nulle conscience n'est concevable (sauf pathologie extrême) dans laquelle la *rétention* (le *souvenir primaire*) n'assure la survie du passé proche dans le présent, et la *protension* une certaine préexistence de l'avenir dans le présent. Je ne pourrais entendre une phrase musicale (paradigme de l' « objet temporel ») si je n'avais la pratique native de la rétention et de la protension ; en un temps discontinu que gouvernerait seule, pour la conscience, l'*impression originaire* des sons perçus, la séquence abstraite des perceptions ne permettrait pas que la phrase elle-même soit perçue comme telle ; seuls le souvenir et l'anticipation permettent d'entendre plus qu'une série de sons. — Nous en devons la démonstration à Husserl[6]. Notre présence simultanée au presque-passé, au présent de la perception instantanée, et au presque-

---

5. *E.g.* Aristote, *ibid.*, 219 *b* 5-9.
6. Cf. *Vorlesungen zur Phänomenologie des inneren Zeitbewusstseins*, Husserliana, X, Den Haag, 1966.

avenir, est le mode sur lequel nous sommes conscience et temps. Elle est la condition de toute intelligence, puisqu'elle nous autorise seule à prendre connaissance des totalités ; elle détient la raison de toute expérience, en permettant la cohérence diachronique de notre monde ; et elle est même la condition sous laquelle, abstraction faite de toute connaissance d'objet, nous avons accès à nous-mêmes.

La réalité subjective du temps dépend donc d'une *réalisation*. Le temps est sans doute réel hors de la conscience, et pensable comme tel — l'histoire philosophique de son concept l'enseigne avec assez d'évidence[7]. Mais entre le temps « objectif » et sans témoin qui mesure, dans le monde, le « mouvement » des choses, et le temps subjectif qui mesure la présence de l'homme à soi-même et au monde, est l'espace d'une activité : espace de la synthèse temporelle, de la *temporalisation*. La phénoménologie nous a appris qu'il n'y a de conscience qu'en acte et en intention. Notre présence dans le monde et le temps est, certes, de fait : l'homme est une conscience qui existe ici et maintenant. Mais ce fait nous engage, parce que nous sommes des êtres de conscience, en ce qu'il conviendrait de nommer un *acte de présence*. Dans l'usage commun de la langue, celui qui « fait acte de présence » est soupçonné de ne rien faire d'autre que d'être là. De même, notre présence à nous-mêmes et au monde n'engage immédiatement à rien de spectaculaire. A la différence, toutefois, de l'inscription des choses en leur lieu, notre inscription dans le temps, parce que nous y existons sur le mode de la conscience de soi, est indissolublement fait et acte ; et dût le moi qui est là pâtir plus qu'il ne le « fait », être spectateur bien plus qu'il n'est acteur, l'activité intentionnelle est la condition insubstituable de toute conscience. De cet exercice intentionnel, la temporalisation doit nous apparaître comme mode originaire et fondamental. Nul ne se contente de faire acte de présence : toute conscience a ses contenus, est conscience de ceci ou de cela, intéressée à ceci ou à cela, affectée par ceci ou cela. L'idée d'une conscience dont le seul acte serait d'assurer abstraitement une présence serait absurde — il n'y a pas de temporalisation possible qui n'engage qu'un « moi pur » et le temps qu'il constitue, car le temps est l'horizon dans lequel les choses nous sont données, dans lequel nous nous rencontrons nous-mêmes, et dont la constitution ne peut être que concrète. Cela étant, l'on ne peut oublier que la synthèse temporalisante par laquelle le moi assure la continuité de sa

---

7. Voir la doxographie de R. Sorabji, *Time, Creation and the Continuum. Theories in Antiquity and the Early Middle Ages*, London, 1983.

présence, si elle ne se peut hypostasier à part, sous-tend toute la vie intentionnelle de la conscience. La constitution du présent est le sol sur lequel
s'organisent toute existence, et toute expérience. Il y a là un acte d'être
primitif.

3 - LA CONSTITUTION DU TEMPS, ACTIVITÉ ET PASSIVITÉ

L'expérience du temps est originairement expérience de soi comme
étant « dans » le temps[8] : même à celui qui, s'il est possible, ne perçoit pas
la temporalité par la médiation de son corps, et qui n'existe que comme
âme, le temps est immédiatement donné, avec la conscience. L'on ne saurait
pourtant abstraire le moi du monde où il existe, et par rapport auquel il
a temps, ou est temps. La constitution du temps est l'acte d'une conscience,
mais il n'y a pas de conscience désintéressée du monde ; et même celle qui
tente de se livrer purement à l'exercice du *cogito* cartésien ou post-cartésien,
et de n'exister que comme chose pensante, seulement égale à sa réalité
spirituelle, ne peut annuler l'existence des choses étendues parmi lesquelles
elle se trouve, et dont la perception intervient continuellement dans l'édification de son présent. La temporalisation est sans doute une activité
transcendantale du moi, au sens kantien : elle déploie une condition de
possibilité de toute expérience possible. Et elle est d'autre part une activité
du *moi transcendantal*, au sens husserlien : activité pour laquelle le monde
n'a principiellement d'autre réalité que relative. Le monde est d'abord
mon monde. La conscience temporalisante ne déréalise certes pas ce dont
elle met l'existence entre parenthèses pour n'en prendre en compte que
l'apparition ; le moi transcendantal n'entretient pas de doute sérieux sur
l'existence du monde. — Il est toutefois cette figure du moi pour laquelle
il y va d'abord, dans le temps, d'un rapport de soi-même à soi-même.
Admise par Aristote dans l'examen d'un cas limite, l'intériorité est phénoménologiquement une évidence première. Le moi transcendantal, d'autre
part, n'est pas le tout de la conscience, mais un premier concept sous lequel
la comprendre. Il est en tout cas ce moi pour qui l'extériorité est problème.

Il convient alors d'indiquer plus précisément que la conscience « en
acte de présence » est inséparablement activité et passivité. Les synthèses

---

8. Voir le dossier de M. Steinhoff, *Zeitbewusstsein und Selbsterfahrung*, Würzburg,
1983, 2 vol.

temporalisantes sont solidairement synthèses actives (travail intentionnel de la conscience) et *synthèses passives*. Par l' « impression » que les choses font sur la conscience, la passivité révèle l'ouverture apriorique du moi sur son monde, et l'inscription de son temps dans le temps du monde. Nous pouvons peut-être former la notion d'une conscience sans monde, d'une pure intériorité : le concept augustinien du temps comme *distentio animi* n'est pas un pseudo-concept[9]. Mais par-delà la découverte de la dimension subjective du temps, à partir de Plotin et jusqu'à Husserl, la passivité « impressionnée » du moi dans l'édification de son présent ne peut pas ne pas nous reconduire à la réalité objective du temps du monde, auquel l'ego participe comme y participe tout ce qui est dans le monde. L'interprétation du temps demande une herméneutique de notre présence au monde. Passé, présent et avenir s'élucident d'abord par rapport à la conscience qui « maintient » le temps (la συνέχεια aristotélicienne) et y affirme sa présence. Mais la temporalisation n'institue pas un solipsisme. Présence intentionnelle, le temps suppose toujours une altérité : celle du monde, celle de l'autre que moi-même que je suis aussi à moi-même dans la réflexivité. L'entrelacs des synthèses intentionnelles et des synthèses passives révèle ainsi que je ne suis pas l'origine absolue du temps que je constitue — donc, que je ne suis pas l'origine de mon monde.

4 - TEMPS ET CORPS

Je suis une conscience présente en un monde. A l'esprit présent parmi les choses, il revient d'y manifester sa différence dans la manifestation conjointe d'une identité : il est aussi corps, ou chair. Et notre commerce avec l'extériorité dépend intégralement de notre corporéité. Entre conscience et monde, le corps est en effet terme médiateur. Mon corps, d'une part, est moi-même. Il est mon objectivité, ou moi comme objectivité. Et il est surtout — ce qui importe au plus haut point à l'intelligence du temps — la seule objectivité qui n'offre prise à aucune *réduction*. Le corps en effet n'est pas un phénomène parmi tous ceux qui apparaissent à la conscience, ou un étant parmi tous ceux qui peuplent notre monde. La phénoménologie bute sur lui comme sur une extériorité qui est nôtre et nous-mêmes, et qui

---

9. Sur le livre XI des *Confessions*, voir F. W. von Herrmann, *Bewusstsein, Zeit und Seinsverständnis*, Philosophische Abhandlungen, 35, Frankfurt, 1971.

nous prouve, si nous ne voulons pas nous condamner à l'incohérence, que nous n'existons pas dans le seul élément de la certitude subjective. Le moi qui constitue son temps est sans doute en situation transcendantale. Mais il ne peut s'affranchir lui-même, ni être affranchi par la théorie, du moi empirique, qui est indissolublement conscience et corps.

Notre corps n'est pas une région de notre être. Et malgré tous les efforts que l'on puisse développer pour isoler un « moi pur » qui soit le centre uniquement spirituel de l'expérience, nous ne nous connaissons nous-mêmes (de manière « focale » comme de manière « subsidiaire »[10]) qu'en reconnaissant que nous sommes corps autant que nous sommes conscience, ou esprit : il ne suffit pas de faire régner l'ombre pour que nous ne percevions pas de « mouvement » autre que spirituel... Nous n'édifions pas notre temps en l'absence du monde, ni surtout en l'absence de notre corps : la subjectivité est mondainement sous condition, et son temps est indissociable de son *lieu*. De la sorte, son objectivité ne manque pas d'être rappelée au moi partout où il se connaît soi-même comme sujet : qu'il en soit fait mémoire implicitement, en toute expérience où nous prenons connaissance du monde sur la seule modalité qui nous soit possible, par la médiation de la chair qui nous expose à lui, ou explicitement, lorsque nous prenons connaissance de nous-mêmes comme êtres de chair. Cela fonde l'inter-dépendance herméneutique du « temps du monde » et du « temps du sujet » : puisque nous sommes conscience et corps, nulle alternative (temps physique et temps phénoménologique) ne saurait valoir, et ne saurait être rencontrée par la conscience alertée sur les modes de son expérience.

Nous ne pouvons donc interrompre le trajet qui nous conduit de l'appréhension de nous-mêmes comme sujets à l'appréhension de nous-mêmes comme « objets », et notre temps s'édifie en vérité en ce trajet. Notre objectivité n'est pas tout notre être, et nous en fournissons la preuve dans l'acte de transcendance où nous constituons notre présent. Notre subjectivité, réciproquement, ne nous autorise pas à condamner le corps à l'inessentialité : l'expérience de soi comme corps est originaire, et ne nous cantonne pas en un domaine d'expériences provisoires que surpasserait finalement l'expérience de soi comme conscience (ou esprit, ou âme). La reconnaissance en soi d'un être d'esprit est toujours coexpérience de soi comme corps. Cela

---

10. « Focal awareness », « subsidiary awareness » : j'emprunte le couple notionnel à M. Polanyi. Cf. *Personal Knowledge, towards a Post-Critical Philosophy*, London, 1958, p. 55-57.

ne décide peut-être pas de toute expérience possible en tout monde possible. Mais cela décide d'une intelligibilité : ce n'est qu'à la croisée, par notre chair, du temps du monde et du temps de la conscience, que le sens humain du temps se décèle à nous. L'interprétation du temps requiert philosophie du corps et philosophie de l'esprit.

5 - LE CORPS ET LA MORT

Il doit s'ensuivre une conséquence lourde de sens. Notre corporéité est une mesure de notre temporalité. Or, nul ne peut dire de l'homme qu'il est corps, ou a corps, sans lui reconnaître la qualité de *mortel*. Faut-il alors que la réalité de notre temps s'élucide par rapport à la réalité de notre mort, et son sens par rapport au sien — ou à son non-sens ? L'on peut après tout négliger que l'ombre de la mort est portée sur tout présent, et l'on peut le nier. La phénoménologie husserlienne de la conscience intime du temps manifeste purement la possibilité d'un tel oubli. Tout présent met phénoménologiquement en jeu, dans la « distension » qui le constitue, un passé et un avenir. Mais pour la naïveté reconquise qui compose l'expérience phénoménologique, ce passé et cet avenir peuvent indifféremment être n'importe quel passé et n'importe quel avenir. Les *intenta*, d'une part, n'importent pas à la signification revêtue par l'activité intentionnelle de la conscience. Et l'expérience phénoménologique, d'autre part, ne nous révèle pas les limites empiriques de toute expérience. Est maintenant en cause le procès de « souvenir primaire » qui me permet de percevoir un son ou une mélodie, ou le procès de « souvenir secondaire » — de ressouvenir — par lequel je fais mémoire d'un passé, ou encore la protension selon laquelle les notes déjà jouées d'une phrase musicale appellent les notes non encore jouées dont leur organisation dépend. Mais rien ne me prévient, dans la thématisation husserlienne de l'expérience présente, que ce présent est celui d'un mortel. Nous savons que nous avons eu un commencement, et que nous avons un terme empirique absolu. Et entre naissance et mort, notre temps est celui d'une *existence* irréfragablement liée à une *vie*. Nous savons pourtant nous dispenser de porter à la conscience la finitude mortelle qui nous définit ontiquement. Les conditions auxquelles nous existons sont celles auxquelles nous mourrons. Une expérience et une théorie de l'expérience demeurent possibles, où notre mort ne préoccupe pas radicalement notre présent.

L'objection formulée ici par Heidegger à l'encontre de la phénoménologie husserlienne n'est donc pas tout à fait une protestation du bon sens ;
la mesure de tout être-temps à un être vers la mort n'est pas exigée en tout
acte de conscience que nous posions : nous faisons communément l'expérience d'une temporalité que n'obsède pas la certitude de notre mort. Sans
doute savons-nous depuis Augustin que la mort (celle de l'autre homme et
notre propre mort) met notre être en question[11], et nous ôte à la certitude
sans problème de notre être. Mais telle n'est pas la seule question dont nous
soyons le lieu, même s'il peut y avoir là une dernière question. Il y a assez
de réalité et de sens dans le champ présent de l'expérience pour que nous y
trouvions joie, satisfaction, et quelque chose comme une plénitude. Et si le
souvenir de la mort fait partie des conseils ascétiques donnés par la philosophie ou la religion, cela nous dit probablement que l'homme ne se souvient
pas spontanément qu'il est né mortel... L'expérience, toutefois, sait aussi
révéler à la conscience qu'elle n'est dans le monde que de passage, et que cet
être de transit lui est fondamental. La joie d'être ne peut se prévaloir d'aucun
privilège existentiel, ou existential, à l'encontre de l'angoisse. Le fait que
nous *soyons*, et qu'un présent puisse se constituer autour de cette seule
affirmation, ou de cette seule certitude, n'est pas un argument qui réfute
les prétentions eschatologiques de notre mort. Mais l'angoisse elle-même,
lorsqu'elle nous manifeste que nous sommes ceux qui pourraient tout aussi
bien ne pas être, et dont le non-être est empiriquement l'unique avenir
absolu vérifiable, ne décèle pas une « tonalité » (*Stimmung*, dans le lexique
heideggerien) présente à toute expérience. Nous sommes intéressés, radicalement, à ce qui est — nous-mêmes, le monde. Faut-il que nous mesurions
cet intéressement à la précarité mortelle de notre être ? Ou bien, comme le
dira Spinoza, l'oubli de la mort est-il seul digne du philosophe, donc de
l'homme qui existe en accord avec ce qu'il est[12] ? Contre l'oubli de la mort,
un argument vaut : il ne s'agit pas en elle d'une limite, mais de ce que nous
sommes. Entre maintenant et l'heure de notre mort, la distance est peut-être
assez grande pour que la phénoménologie puisse, lorsqu'elle interprète la
constitution du temps dans la conscience, laisser à l'écart les interrogations
suscitées par notre contingence et notre mort : et nous bâtissons à peu près
notre temps, de fait, *velut si mors non daretur*. Mais la conscience qui ne
s'avoue pas mortelle, et la théorie qui ne laisse pas la mort inquiéter le

---

11. *Confessions*, IV, 4-9.
12. *Éthique*, IV, proposition LXVII.

présent, demeurent certainement à la superficie de l'expérience. Celui qui mourra (un jour) *est* mortel. Et la mort pose moins une dernière question (auquel cas nous pourrions nous cantonner dans l'ordre des certitudes pénultièmes) qu'un préalable philosophique[13]. Elle n'est évidemment pas l'objet philosophique par excellence. Son horizon existentiel n'est peut-être pas insurpassable. Mais nous ne pouvons pas ne pas exister, et nous ne pouvons pas ne pas penser, en un tel horizon. — Notre temps passe par notre corps, et la menace d'une fin de notre être est présente partout où nous faisons acte d'être. Il nous suffit de ne pas rester, à l'égard de nous-mêmes, dans un anonymat théorique peut-être confortable, mais ultimement ruineux. Nous ne pouvons pas faire moins que de penser la mort, et sa présence à tout temps.

6 - L'AVENIR

L'oubli de la mort est un des secrets « inauthentiques » de la temporalisation. Dans le paradigme qu'en fournit la phénoménologie husserlienne, il convient d'en remarquer une cause : elle s'avérera capitale lorsqu'on envisagera le traitement heideggerien de la question du temps.

L'on ne peut lire les *Leçons sur la conscience intime du temps* sans y être frappé par un privilège du passé dans la temporalisation. L'étirement qui intéresse la conscience à ce qui n'est plus et à ce qui n'est pas encore est en effet dissymétrique : le passé « retenu » et le présent « impressionné » suffisent à édifier le temps dont rend compte le diagramme célèbre du paragraphe 10. La protension n'y intervient pas. Il y a à cela de bonnes raisons. L'impression originaire autour de laquelle, ou en provenance de laquelle, le temps s'organise, est présente, et pose purement le problème du présent, qui est celui d'une conscience affectée par des objets, de quelque nature qu'ils soient. Or, il serait ardu de produire un objet, de quelque nature qu'il soit, purement à venir. Les êtres et les choses investissent maintenant la conscience ; la phrase entendue, le son perçu, la fleur aperçue sur une table fournissent l'exemple parfait d'un contenu (présent) de la conscience. Husserl sait sans doute, et ne peut pas ne pas savoir, qu'il n'y a pas de conscience pour laquelle l'avenir n'existe pas. Mais l'attente, ou la crainte,

---

13. Voir F. Wiplinger, *Der personal verstandene Tod*, Freiburg, 1970, et E. Fink, *Metaphysik und Tod*, Stuttgart, 1969.

si on les interprète en termes d'impression (et nul ne doute qu'elles ne soient interprétables ainsi, même si Husserl ne semble pas s'intéresser à une telle tentative), s'y trouveront annexées au présent : pour la conscience à qui la perception des choses fournit son modèle de la temporalisation, l'ouverture à l'avenir n'est pas investissement du présent par cet avenir, mais une modalité de ce présent comme tel. Le présent met des futuribles en jeu — non pas toujours (l'*Urimpression* peut ne susciter aucune attente), mais souvent. Or, la phénoménologie husserlienne ne reconnaît d'autre statut à ces futuribles que leur préexistence présente dans la conscience. Mais comment une phénoménologie du futur comme tel saurait-elle être tentée ?

Une objection est évidemment licite. Le passé lui-même n'a pas d'autre statut phénoménologique, dans les *Leçons*, que celui d'une survivance : seule sa postexistence comme contenu de conscience appelle l'analyse. Et ce n'est pas à une priorité du passé que les *Leçons* donnent agrément, mais à une prévalence du présent. Il demeure toutefois (et ceci marque la limite de l'objection) que la rétention est totalement nécessaire à la temporalisation : nul présent n'est sans passé. En revanche, tout se passe comme si la protension ne possédait pas une égale nécessité ; et cela aura les conséquences ontologiques que l'on devine. L'avenir ne peut inquiéter un présent dont la tâche fondamentale est la « retenue » du passé. Et, du coup, la phénoménologie husserlienne se trouvera étrangement incapable de penser ensemble le temps et la mort. Cette incapacité est étrange, car le corps n'est pas adventice en cette philosophie. L'homme peut-il savoir qu'il est corps et chair, et néanmoins ignorer qu'il est mortel, non à la limite de son être mais en tout présent ? La phénoménologie husserlienne abrite un tel paradoxe. La constitution du temps s'y fait en l'absence d'avenir : le corps peut alors n'être pas l'index angoissant de la mort de l'homme.

7 - DU MONDE COMME LIEU DE L'ESPRIT

Nous pouvons alors préciser, en première approximation, ce que le temps met en jeu pour l'homme. Ni une ontologie de l'objet, ni une ontologie du sujet, ne peuvent en annexer l'interprétation ; et entre esprit et monde, le corps s'impose comme terme médiateur. Il s'agit de moi en mon corps ; je ne puis me prouver à moi-même que je suis sujet, conscience, esprit, qu'en ratifiant ma corporéité : le corps est l'objectivité essentielle de l'esprit. Le présent, dont nous notions qu'il reçoit d'une présence sa clef herméneutique, peut alors être compris comme dialectique d'intériorité et d'extériorité. Le propre de la conscience est de constituer son temps, le propre de toute objectivité est parallèlement d'être prise dans le temps du monde. A la conscience qui existe objectivement dans le monde — à l'esprit qui est-là —, l'un et l'autre appartiennent donc. — Aristote lui-même, dont la théorie marque l'évident privilège du temps « physique », sait que les mouvements dont le temps est mesure peuvent aussi avoir lieu dans l'âme... Je suis, comme être de temps, mesure mesurante et mesure mesurée. La temporalisation est une transcendance : non seulement une sortie hors de soi-même (ce qui est le cas de toute intentionnalité, sans que sa dimension temporelle ait à être prise en considération), mais une sortie hors du présent, un excès de la « présence du présent ». Auteurs de notre temps, nous n'en sommes pourtant pas le principe, et n'avons de temps qu'en ayant corps et monde. La question d'un « temps » de l'esprit en tant qu'il n'est qu'esprit est théoriquement très respectable[14]. Mais tel qu'il se déploie de fait dans et à partir de la conscience, notre temps est toujours celui d'un esprit présent dans le monde, et qui ne peut faire la preuve de sa dignité ontologique de conscience qu'en rendant manifeste sa présence objective parmi les choses étendues. L'extériorité nous est aussi essentielle que l'intériorité : ce n'est pas secondairement, accidentellement, que nous sommes corps et présents dans un monde. La philosophie qui, quant au problème du temps, assume le plus nettement l'héritage augustinien — la phénoménologie husserlienne — en fournit constamment la leçon : la constitution du temps implique toujours des « objets temporels » ; le moi qu'elle met en cause est une conscience percevante ; les intentionnalités qui, dans l'exercice de son être, et dans l'édification de son temps, le conduisent *ad extra*, reposent sur sa corporéité.

Je suis objectivement sis au milieu d'un monde, et de cette immanence ontique il me revient de faire une présence. Le monde est toujours déjà-là, et j'y suis toujours déjà. Plus encore, j'y suis toujours déjà en acte de présence : non pas dans la passion de ma mondanité, mais dans cet intéressement natif aux choses et aux êtres sans lequel il n'y a pas de conscience. Cet intéressement n'est pas une donnée de fait, et à ce que nous sommes de fait, à notre *facticité*, il revient d'abord d'être sur le mode de l'événement

---

14. La théorie médiévale connaît ce « temps » sous le nom d'*aevum*. Voir par exemple Thomas d'Aquin, *S.T.*, I, q. 10, art. 5 (« De differentia aevi et temporis ») et art. 6 (« Utrum sit aevum tantum »).

et de l'appropriation. Je suis-là, et suis-maintenant. Mais la constitution d'un présent implique la transcendance de l'esprit, surplombant son objectivité dans l'acte où il « maintient » ensemble passé, présent et avenir. L'esprit présent dans le monde ne prouve pas son existence en se contre-distinguant abstraitement de son objectivité, et de toute, mais en la faisant sienne. Notre temps est — de fait — la rencontre de l'esprit et du monde. Le cercle qui unit intériorité et extériorité est la structure fondamentale de notre temporalité. Le monde est le lieu de l'esprit : nous n'en connaissons pas d'autre, car en nulle expérience nous ne sommes affranchis d'extériorité.

8 - PRÉOCCUPATION, SOUCI

Le fait de notre temps est celui de notre présence à nous-mêmes et au monde. Nous avons distingué « présent » et « présence » et postulé une fondation du présent dans la conscience qui, en quelque sorte, s'y présente. Il faut prendre acte de plus. La conscience ne mesure son présent que dans la mesure où le temps se déploie pour elle comme passé (survivant dans la rétention), présent (déterminé ponctuellement par ce que Husserl nomme « impression originaire ») et avenir (anticipé, attendu ou accueilli dans la protension). Or, le problème rencontré ici déborde toute psychologie du temps, et manifeste une structure primitive de notre expérience : l'investissement du présent par passé et avenir ou, ce qui revient au même, l'intégration au présent du passé et de l'avenir. A la conscience qui est-là, et qui est-maintenant, il revient d'être *préoccupée* par ce qui n'est plus, et par ce qui n'est pas encore. Cette préoccupation mérite son nom. Antérieure à tout intérêt thématique que nous portions à tel passé ou à tel avenir, s'attestant dans la conscience sous forme de spontanéité, son ordre est celui de l'existential heideggerien : celui d'une détermination de fond qui précède l'existence empirique et la guide. L'ontologie traite par principe, ou par définition, de ce qui est — l'étant — et de ce qu'être veut dire. L'égalité du présent et de la présence y serait évidemment bienvenue : elle dispenserait de demander si l'horizon du temps n'est pas premier par rapport à celui de l'être. Mais une telle égalité contreviendrait à la tournure même de notre être. Nous ne pouvons ni être, ni nous connaître, hors de l'horizon du temps. Cela peut se préciser. Nous sommes maintenant ceux pour qui, et en qui, leur passé et leur avenir sont en cause, de telle manière que, si le temps est réel, ce que nous avons cessé d'être et ce que nous ne sommes pas encore détermine purement et simplement notre être. Cette mise en *cause* n'est pas l'activité thématique d'une mise en *question*. Elle est la plus élémentaire logique de la temporalisation. Nous préoccupant « avant » que nous ne nous en occupions, passé et avenir nous interdisent d'oublier que le temps mesure notre être. Nous ne possédons donc pas l'être (et le temps) comme Dieu, selon la définition de Boèce, possède l'éternité[15]. Le *souci* qui nous déjette hors du présent en exprime le problème. Seul pourrait goûter à l'insouciance celui dont l'être mesurerait le temps. Définitivement égal à lui-même dans la seule mesure où il serait, il pourrait faire licitement (et en toute « authenticité ») de son temps cette expérience qualifiée par Heidegger de « vulgaire », et que détermine le primat du présent sur passé et avenir[16]. Mais c'est à bon droit qu'une telle expérience paraît n'être pas habile à rendre compte de la structure de notre temps. Le temps n'est pas seulement, il n'est pas d'abord, un présent qui dure, ou un instant étiré. La « distension » qui le constitue impose bel et bien que ce qui « est » y dépende radicalement de ce qui n'est plus, ou n'est pas encore. Il est très possible que la question du temps dérange l'ontologie classique parce que celle-ci a en fait l'éternité comme paradigme de l'être, et pense le présent, ou l'instant, comme image de l'éternité. La pensée n'est pourtant fidèle à ce que nous sommes qu'en enregistrant le paradoxe qui interdit au présent de se clore sur lui-même, et nous fait exister à la frontière de l'être et du non-être, sans que nous puissions jamais définir notre être plus profondément que ne le définit notre temps.

Nous n'avons pas — tel est le problème du souci — de passé et d'avenir qui soient à notre disposition. Nous ne pouvons pas non plus habiter le seul présent : le transit qui mène de l'impression à la *modification*, l'oscillation du présent entre rétention et protension nous l'interdisent absolument. Et si le temps n'est pas accidentel à l'/notre être, nous ne pouvons alors esquiver une conclusion : notre temporalité nous révèle que nous ne nous appartenons pas. Nous sommes corps, existons dans un monde, à portée de main les uns des autres, entretenant ainsi l'illusion selon laquelle nous serions à notre propre disposition, et à la disposition les uns des autres. Or, le temps en réfute l'idée. L'être qui est donné dans l'horizon du temps, l'être de

---

15. L'éternité est, selon Boèce, « interminabilis vitae tota simul et perfecta possessio » (*De Cons. Philos.*, IV, 6).
16. *Sein und Zeit*, § 78-81.

temps, ne peut appartenir. Seul le présent peut être possédé ou maîtrisé, et le présent n'est intelligible que dans le jeu temporel de l'être et du non-être : notre temps dénonce notre non-appartenance à nous-mêmes.

9 - MÉMOIRE ET PROJET

A la question que pose l'investissement du présent par passé et avenir répondent toutefois les stratégies existentielles où le moi revendique comme *siens* le temps qui n'est plus et le temps qui n'est pas encore. Le jeu de l'impression et de ses modifications n'est pas, on le sait de banale expérience, le dernier secret de la temporalisation ; et le souci l'excède évidemment, pour autant que ce ne sont pas le presque-passé et le presque-avenir qui entrent en lui dans la constitution du présent, mais le passé comme tel et l'avenir comme tel qui inquiètent le présent en se présentant ou représentant à la conscience. L'inquiétude suscitée par passé et avenir n'est pourtant pas instauratrice d'une passivité sans recours. A l'égard de ce qui n'est plus, ou n'est pas encore, et qui nous manifeste notre non-possession de nous-mêmes, nous savons objecter spontanément les activités intentionnelles par lesquelles nous nous intéressons au passé et à l'avenir, et exerçons sur eux une certaine économie. Dans l'expérience de la conscience, le passé n'est pas d'abord ce qui n'est plus : il est ce dont la mémoire permet une remise en présence. Et notre avenir n'est pas absolument incertain et inconnaissable : il nous ouvre en fait l'espace du *projet*, et par lui d'une volonté d'appropriation. Nous savons qu'il n'y a pas de pure expérience du temps, mais toujours coexpérience du temps dans l'expérience de ce dont le temps mesure l'être, ou l'apparition à la conscience. Cela vaut, bien sûr, lorsque nous mettons en jeu « notre » passé et « notre » avenir. La mémoire est représentation d'un passé déterminé, et non prise de position à l'égard du passé en général. Et le projet n' « emploie » le temps à venir qu'en anticipant des gestes, ou des contenus de conscience. Mais à travers un passé ou un avenir, c'est tout notre rapport au temps qui vient en cause : il y a là une possibilité appartenant radicalement à notre être, et qui correspond, thématiquement, à l'investissement pré-thématique de notre présent par passé et avenir. D'avant toute mémoire faite (ἀνάμνησις), le souvenir est déjà présence du passé à la conscience (comme μνήμη)[17]. Et d'avant tout projet, l'avenir

---

17. La distinction est pensée chez Aristote, *De Memoria et Reminiscentia* (449 *b*-453 *b*). Voir le commentaire de R. Sorabji, *Aristotle on Memory*, London, 1972.

inquiète le présent qui lui est essentiellement ouvert. Il importe toutefois
de percevoir, à l'œuvre dans la mémoire et le projet, une constitution du
temps qui déborde les limites du présent spontanément édifié, ou purement
pâti comme souci, et dont les limites sont celles d'une décision qui nous
revient. Non dimensionnel, le pur présent instantané est comme tel dénué
de sens, ou ouvert à toute interprétation possible. Constitué entre rétention
et protension, il révèle formellement la présence transcendantale du moi.
Radicalement soucieuse du passé et de l'avenir, la conscience critique toute
réduction de sa temporalité au seul « présent vivant ». *Faire* mémoire et *se*
donner l'horizon d'un projet sont des gestes qui en disent encore un peu
plus sur elle.

a / Ni le choix d'être, ni le choix d'être dans/selon le temps ne nous
sont donnés. L'édification d'un présent, d'autre part, nous est réflexe et
spontanéité : l'art d'être à demeure dans le temps nous est inné, et n'engage
en aucune délibération. L'intervention de la liberté et le retour à son concept
dans l'interprétation du temps ne sont pourtant pas superflus[18]. La conscience, en son temps, n'est pas transparente à elle-même — l'inconscient
est, autant et peut-être plus que la conscience, le lieu de la présence du
passé. Nous faisons pourtant plus que subir notre passé. Les horizons qu'il
donne au temps présent sont assurément irrévocables ; et l'impossibilité
d'oublier fait partie des malheurs quotidiens de la conscience. L'anamnèse
nous autorise en tout cas à nous savoir chez nous en notre passé. Le souvenir
ne nous est pas un destin, le présent n'est pas uniquement hanté par son
passé, si nous pouvons reconnaître ce passé comme nôtre, et ratifier ce qui
a été par l'acte libre de sa re-présentation. La présence *du* passé *au* présent
est existentialement de fait. *Se* rendre présent *à* son passé n'en est pas tout
à fait l'expression pléonastique. De l'un à l'autre, la distance est celle d'une
appropriation.

b / L'écart du projet par rapport à la simple protension, et par rapport
au souci dans lequel l'avenir obsède le présent, n'est peut-être pas plus
grand que l'écart de l'acte de mémoire par rapport à la simple rétention, et
au souvenir. Mais il est plus patent encore. Entre souvenir et mémoire, la
différence nous est phénoménologiquement accessible à l'intérieur d'un
jeu de renvois et d'appels. Nous rencontrons peu souvent un souvenir

---

18. Cf. Husserl, *Vorlesungen...*, § 20, « Die "Freiheit" der Reproduktion ». On sait que la
rédaction des *Leçons* est due à E. Stein, à qui l'on doit aussi la division en paragraphes. Nulle
méprise n'est toutefois possible, ici, sur l'authenticité husserlienne du propos.

seulement pâti, et qui ne sollicite aucun acte de mémoire. Et nous rencontrons aussi peu souvent une mémoire absolument libre. L'acte de mémoire est empiriquement porté par le souvenir, et les deux sont parfois indémêlables. Nulle part un pur investissement du présent par le passé ne se propose vraiment à la description : et nulle part l'intérêt que nous portons à notre passé n'est intelligible, sinon comme suscité primitivement par l'emprise de ce passé sur le présent. Or, la spécificité du projet apparaît à l'analyse phénoménologique de façon totalement distincte. Il appartient à tout présent d'avoir un avenir, et d'être définissable en profondeur comme *passé d'un avenir*. L'objet qui apparaît maintenant à la conscience n'a pas besoin d'être un « objet temporel » (un son, une parole, une phrase musicale) pour que sa réception ait un horizon temporel : tout acte intentionnel de la conscience « promet » l'avenir auquel cette conscience s'intéresse instinctivement dans le dynamisme de la protension. Plus radicalement, le souci nous interdit tout renfermement du présent sur lui-même, et, comme souci *de* l'avenir, à propos de l'avenir et provenant de lui, il suspend tout sens à ce qui n'est pas encore : le présent, pour la conscience soucieuse, ne saurait être le lieu du sens. Cela étant, le projet contrevient rigoureusement à cette logique. Au lieu que l'avenir ne mette le présent en suspens, la conscience projetante tente, non seulement d'être maintenant à la mesure de son avenir, mais bel et bien d'être la mesure de cet avenir. Re-présenté comme on se re-présente le passé, l'avenir projeté, avenir en quelque sorte dont il est fait mémoire, avenir disponible dans le présent, est l'objet d'une donation de sens qui est une donation anticipée de réalité. Y étant par avance présent, je puis alors refouler l'inquiétude que le statut ontologique des futuribles suscite en tout présent : l'avenir projeté est déjà, et à ce titre paraît m'appartenir. Mais ce faisant, la conscience projetante maîtrise l'immaîtrisable, et telle est évidemment son aporie. Fondé par le souci et pour déjouer le souci, le projet ne peut annuler la revendication que celui-ci exerce sur le présent. Réciproquement, cependant, le souci ne peut s'imposer comme visage pur de notre rapport à l'avenir : car l'avenir qui en lui investit le présent est un avenir que nous ne pouvons en retour que « préoccuper ». La mise en cause du présent par l'avenir, et la réquisition de l'avenir par le présent, ne peuvent être abstraites l'une de l'autre. Le présent s'y bâtit dialectiquement ; et l'on ne saurait demander au seul souci, ni au seul projet, d'être le secret de notre rapport à l'avenir.

10 - L'ÊTRE ET L'HORIZON DU TEMPS

Les modalités complexes selon lesquelles nous assurons la cohérence de notre temps prouvent, de fait, que ni l'expérience ni le concept du présent ne recouvrent des évidences premières. Dans le présent dont une conscience est le lieu, l'être de cette conscience est en cause de façon radicale. Deux thèses négatives s'imposent : la conscience n'est pas préalable à son temps, et elle n'est pas maîtresse de son temps. L'expérience n'est pas emmurée dans le présent, même s'il appartient à ce présent de « vivre » et de durer. Elle est le fait d'une conscience dont la présence, à elle-même et au monde, déborde son présent. La constitution de son temps est peut-être pour l'homme l'acte d'être par excellence : l'existence se prouve dans la construction du temps. Il faut alors demander moins obliquement ce qu'il en « est », pour l'homme, du rapport qu'entretiennent son être et son temps.

Que le temps soit pensé primordialement comme extériorité ou comme intériorité, les interprétations se rejoignent ici pour autoriser une thèse liminaire : il y va pour l'homme, en son être, d'un devenir. Le temps est, selon la définition aristotélicienne, « nombre », ou mesure, du mouvement[19]. Et l'authentique révolution copernicienne accomplie, dans la discussion du temps, entre Plotin et Augustin, ne peut masquer le fait que, comme les corps, les âmes connaissent le mouvement, l'ὕστερον et le πρότερον. L'ontologie n'est pas nécessairement, ni par définition, connaissance de réalités éternelles. Et si elle l'était, il est peu douteux que le temps lui serait, par le fait même, inintéressant et inconnaissable. Or, le surplomb par lequel la conscience mesure et constitue son temps n'est pas celui du temps par une éternité. La conscience en acte de temporalisation est conscience temporelle, constituée de part en part par le temps qu'elle édifie en retour. Il est possible de penser l'être sans le temps — exercice bien connu de philosophie platonicienne, ou de « théologie » aristotélicienne, dont nulle pensée n'a intérêt à oublier les enjeux. Mais l'homme est l'étant dont l'être est toujours, et essentiellement, pris et manifesté dans l'horizon du temps. Nous existons « dans » ou « selon » le temps. Et cela n'est peut-être intelligible jusqu'au bout que si nous consentons à dire aussi que nous *sommes* temps — non exclusivement (l'on ne peut dire du corps qu'il soit purement et simplement

---

19. Aristote, *Physique*, IV, 219 *b*.

temps...), mais radicalement. Notre être est en devenir, ou est un devenir. Et de quelque manière que le moi se recueille en lui-même, pour n'être qu'avec soi-même et manifester purement qui il est, cette récollection dénoncera toujours sa temporalité. Les limites de notre être ne sont probablement pas les limites de l'être : il n'est rien en nous qui en suggère l'hypothèse. Mais il n'est rien en nous qui affranchisse l'être des conditions sous lesquelles il nous est donné, et s'il s'agit de notre être, la fidélité à l'expérience que nous faisons de nous-mêmes, et aux modes de son intelligibilité, est seule norme d'une réponse. Le temps donc n'est pas le mode sur lequel nous prendrions connaissance, en nous, d'un étant dont l'être serait distinct de sa temporalité, et la transcenderait. En étant expérience « transcendantale » (expérience des conditions de possibilité de toute expérience), l'expérience du temps nous conduit bel et bien à l'essence du moi. L'entrelacs de la question de l'être et de la question du temps est ici originaire, et il est (expérientiellement et théoriquement) irréfragable. Répondre sur nous-mêmes ne revient pas à épuiser le champ de l'ontologie ; nous ne pouvons affirmer trop brièvement que le devenir est le secret de l'être — nous ne pouvons cependant contester qu'il soit la condition essentielle de notre être.

Cela nous dit (au moins...) que, dans l'acte d'être paradigmatique où nous bâtissons notre temps, nul point de vue absolu ne nous est donné. Tout présent est dans le double horizon d'un passé et d'un avenir, qui en lui ont le lieu de leur interprétation, et qui symétriquement l'interprètent, détiennent son sens. Notre identité charnelle est assez certaine pour que l'on puisse croire nous avoir ici et maintenant « sous la main ». Or, notre temps effectue la critique de notre « lieu ». N' « ayant » l'être que sur le mode du devenir, nous ne sommes pas propriétaires de nous-mêmes, ni dans la théorie ni dans l'expérience. Nous pouvons décider de nous, jusqu'au cas limite du suicide, par lequel l'homme refuse d'être, ou de continuer à être. Nos décisions et nos refus ne prouvent pourtant pas que nous soyons notre propriété, et que notre être nous soit disponible tel quel. Si le temps nous était accidentel, il serait par simple définition possible d'accéder à ce que nous sommes (« essentiellement »), de façon définitive, ici et maintenant. Cela n'est pas le cas. Pour celui qui habite un devenir, nul présent ne peut valoir comme eschatologie, et donner la mesure définitive de son être. Cela fait alors entrevoir un remarquable paradoxe. Notre temporalité et notre corporéité sont l'index obvie d'une finitude — le temps et le corps sont vers la mort ; temps, corps et mort composent la topologie de l'expérience de

soi. Or, le temps est aussi pour la conscience condition de son inaccessibilité
à elle-même. A la question « qui suis-je ? », nous pouvons donner des
réponses. — Il n'est pas sérieusement possible de s'interdire de penser notre
nature au nom d'une priorité de l' « existence » sur l' « essence » dont la
proposition débouche sur des platitudes ou des contradictions. Le devenir
n'est pas pour nous une interdiction d'être, mais le style sur lequel nous
sommes. La logique de l'être dans l'horizon du temps ne dissout pas ce
que nous « sommes » en un devenir qui, comme l'histoire chez Marx, serait
un procès sans sujet. Mais elle permet seule de savoir ce qui se joue en son
temps pour la conscience.

II - CONTINUITÉ DE L'EGO DANS LA DISCONTINUITÉ DES TEMPS

Le déploiement de notre présence (à nous-mêmes et au monde) selon
les trois extases de la temporalité demande d'abord que soit pensée la
continuité de l'ego dans la discontinuité des temps.

Devant les menaces de l'oubli, et devant toutes les inquiétudes que la
succession suscite quant à l'être qui a été — quant au statut ontologique
du passé —, l'appropriation subjective du temps permet de thématiser une
présence qui ne se réduise pas à la passion d'un flux. Qu'en est-il de ce(lui)
que j'ai été, tout à l'heure, hier, ou en un passé plus lointain ? Ne *suis*-je
que dans l'unique mesure où je suis *maintenant*, en un acte d'être qui n'ait
ultimement d'autre réalité qu'instantanée, et dont la durée ne soit que
juxtaposition de présents discrets ? L'être donné dans l'horizon du temps
aurait-il comme seule effectivité l'être au présent ? La difficulté se formule
simplement, mais ne laisse pas d'être complexe. La structure synthétique
du présent lui fournit une réponse phénoménologique. Nous n'habitons
pas le monde et le temps selon la seule dimension du présent ; la conscience
qui a/est temps, à l'intérieur de la succession des moments, est essentiellement conscience remémorante et anticipante, à laquelle il revient nativement de constituer un présent qui « vit » ou dure parce que, et seulement
parce qu'il est fondé sur une habitation simultanée du passé et de l'avenir ;
un acte de conscience totalement instantané est impensable ; et une pure
« présence du présent » que n'accompagne pas, si peu que ce soit, une
co-présence du passé et de l'avenir, n'a lieu nulle part dans l'expérience.
Cela ne répond pas à toute question. Le présent est le foyer autour duquel
s'organise notre présence à nous-mêmes et au monde. Il revient donc à

cette présence d'être prise dans le jeu de l'être, de l'être qui n'est plus, et de l'être qui n'est pas encore. Cette mise en jeu ne pulvérise pas notre être. Le temps de la conscience n'est précisément pas discontinu : il est acquis en chaque synthèse temporelle que nous préexistons au présent, et lui postexisterons. Le moi présent en son temps, cependant, n'est pas intemporellement identique à lui-même : le temps étant l'horizon de son être, il ne saurait être substantiellement égal à soi, dans l'indifférence à son devenir, que sur un mode abstrait. Il est d'ailleurs possible que la pensée d'une identité en conscience que la diachronie ne détermine pas soit moins simple à former qu'il n'y paraît — comment construire le concept d'une conscience définitive de soi-même, totalement transparente à elle-même dans l'instant, et que seule une simultanéité régirait ? Il est en tout cas incontestable que l'ego maintenant présent ne peut faire expérience de soi-même sans entrevoir le rapport que sa présence entretient avec sa transitivité. La discontinuité n'est pas vraiment une propriété exclusive du temps du monde, la continuité n'est pas vraiment une propriété exclusive de la conscience. Nous savons que le temps est cosmiquement régularité et continuité. Et à l'intérieur du continuum, le devenir qu'est notre être doit être interprété comme permanence, mais aussi comme histoire. Et dans cette histoire, il reviendra au moi de répondre aussi de discontinuités.

12 - LIBERTÉ ET TEMPORALITÉ

Par rapport à celui qu'il était hier, et à celui qu'il sera demain, le mode temporel de son être impose à la conscience une relation d'identité et de différence. Toute synthèse temporelle est inédite : d'une part parce qu'elle est rencontre de l'homme et d'un monde dont la temporalité intrinsèque implique une nouveauté permanente, d'autre part parce que la présence de l'homme à son monde est événement, et non donnée de fait. Il est certes manifeste que nous sommes habitués à nous-mêmes et au monde. La conscience habituée, ou habituelle, est la modalité la plus commune de la conscience. Témoignant dans le présent pour un passé, laissant l'intelligence du présent être commandée par son archéologie, elle n'a pas le sens plénier de ses gestes en elle-même. L'habitude d'être ne nous voue pourtant pas à une routine ontologique et existentielle. Habituée, la conscience est simultanément habituante. Déterminée par les présents qui ne sont plus, et d'où elle tient une certaine qualité d'attention aux êtres et aux choses, un certain intéressement à soi-même et au monde, elle demeure, dans la constitution permanente de son présent, en acte de position et de détermination de soi. La temporalisation renvoie au passé comme à l'origine de toute manière d'être. Mais « entre » passé et avenir, le présent est espace où nouer, avec soi-même et avec le monde, de nouveaux pactes. Nous ne renaissons sans doute pas à chaque fois que nous nous éveillons. Le monde est toujours déjà-là, et nous y sommes toujours déjà présents. Notre passé (le passé que nous « avons », puisqu'il prouve sa réalité par la causalité qu'il exerce) est cette présence déjà instituée, ce lieu déjà nôtre parmi les êtres et les choses, en raison desquels la vie de la conscience n'est pas un perpétuel recommencement. Mais si nous avons immémorialement l'habitude d'être, et d'être dans le monde, le passé ne détient pas toutes les raisons de notre présent. L'ouverture à l'avenir, disait-on, est constitutive de notre présent — avenir qui fait effraction par le souci, et que le projet s'occupe à apprivoiser. Cette ouverture ne prouve pas notre liberté. Elle en est toutefois le lieu empirique.

De ce que nous sommes, pouvons-nous répondre ? Il est trop tôt sans doute pour en poser exactement la question. La transcendance qui, dans le projet, nous intéresse à l'avenir, ne nous promet que fallacieusement une maîtrise de notre être. Le temps qui n'est pas encore préoccupe le présent, et le projet tente d'en neutraliser l'inquiétude. A l'évidence, la conscience projetante postule sa liberté ; et par-delà les spontanéités de la constitution du présent, elle introduit la délibération au cœur du temps — fût-ce sous ses formes les plus ténues. Le seul avenir qui soit *nécessairement* mien est ma mort. Et entre aujourd'hui et l'heure de ma mort, la *possibilité* sollicite l'exercice de la décision libre. Cette sollicitation ne recèle nulle promesse d'une seigneurie sur notre être et notre temps : nul avenir ne sera purement et simplement le projet que nous en formons. Notre rapport à l'avenir, notre *futurité*, dévoile sa logique dans le double jeu du souci et du projet, de l'obsession du présent par l'avenir et de l'anticipation de l'avenir par le présent. Et nul projet, même le plus névrotiquement précis, ne mettra hors jeu le souci. — Une théorie peut nier ce que nous sommes de fait, mais l'expérience ne nous y autorise pas.

Cela n'annule pas toute ambition à avoir dans notre temps la forme de nos libertés — si liberté il y a pour l'homme, ce sera de toute façon dans l'élément de la diachronie. Nous ne pouvons pas décider d'être dans le monde ou non — sauf à choisir de ne plus être du tout. Le monde est toujours, cependant, *notre* monde : non point une objectivité avec laquelle nous n'ayons pas d'autre relation que notre situation d'esprits existant objectivement en leur chair, mais une demeure que nous habitons. Le premier exercice de la liberté est peut-être dissimulé dans les gestes par lesquels l'enfant se familiarise avec ce qui ne compose pas son « environnement » ou son « milieu », *Umwelt*, mais bel et bien son monde. Pour la conscience habituée, cette familiarité est de fait. Mais pour la conscience qui, au cœur de son habitude d'être et d'être en son monde, se ressaisit elle-même comme liberté existant dans l'élément du temps, le monde redevient sa possibilité. Son devenir lui apparaît alors comme l'histoire d'une liberté concrète ; et son temps s'interprète alors comme rencontre, par un ego aprioriquement libre, du monde qui conditionne l'exercice empirique de sa liberté. L'appropriation qui du monde fait notre monde est antérieure à toute décision spectaculaire. Mais elle est bien une structure élémentaire de notre responsabilité.

13 - L'ESPRIT MORTEL EN SON TEMPS

Liberté et responsabilité ne se comprennent que selon leur exercice concret ; elles ne sont pas pour nous un pur privilège de l'esprit, mais le fait de l'esprit présent dans le monde. Notre être ne se mesure pas qu'au libre devenir de l'esprit ; l'horizon du temps lui est indissociablement horizon d'un monde ; et nous ne saurions en cet horizon déchiffrer le sens de notre avenir, si nous ne nous rendions capables de penser le sens — ou le non-sens — de notre mort. La mort a-t-elle un sens radical pour l'esprit qui, en son temps, affirme sa liberté ? Nous savons que oui, parce que notre corps n'est pas autre chose que nous-mêmes. L'esprit peut se laisser définir, sans doute, par une « incorruptibilité » : par l'impossibilité, sitôt existant, de cesser d'être. L'existence, en son principe, peut surplomber la vie de telle manière que le terme empirique de l'une ne porte pas atteinte à la destinée de l'autre. La mort n'intervient pourtant pas, dans la logique de l'expérience, comme une péripétie biologique. Quoi qu'il en soit du mode sur lequel l'esprit tient son être, il s'agit de lui dans la mort de l'homme (sauf si notre dignité « spirituelle » est indifférente à notre ipséité, auquel cas l'ego peut mourir sans que ne meure l'esprit). Exister est mettre en lumière la différence, vie/existence, qui dans le monde représente la singularité ontologique de l'homme. La mort nous rappelle cependant que la vie est mondainement la condition insubstituable de l'existence, et le corps la condition de l'esprit.

Condition ne s'entend pas ici comme « condition de possibilité », ni à plus forte raison comme cause. La médiation du corps intervient en toute expérience. Mais nulle expérience ne nous dit que la médiation se médiatise elle-même, et que la corporéité est en intégralité notre être. Le corps est pour l'homme existant la condition de son esprit. Cela signifie d'abord que l'esprit ne saurait sans le corps avoir d'autre effectivité qu'abstraite, et ensuite que la mort est événement concernant aussi l'esprit comme esprit. Le mérite de la théorie thomasienne de l'âme réside sans doute dans la production éminemment paradoxale d'un concept selon lequel une *forme* (l'âme) pourrait, par droit ontologique, subsister sans la *matière* (le corps) à laquelle elle donne forme. L'on rencontre là une de ces absurdités apparentes que la théologie multiplie comme à plaisir, lorsqu'elle instrumentalise des catégories philosophiques, et qui sont peut-être sa contribution la plus surprenante au travail de la pensée. Notre mort nous met en jeu pour autant qu'il s'agit de nous en notre corps, et non d'un moi phénoménal dont le destin empirique nous serait en dernière instance indifférent. Le nom de *mortels* est notre premier nom philosophique. La contestation des prétentions eschatologiques de la mort figure certes en bonne place parmi les activités classiques de la philosophie. Mais il est remarquable que nulle philosophie n'ait jamais osé affirmer de l'homme qu'il était immortel : de l'immortalité de l'âme à l'immortalité de l'homme, le langage n'admet pas l'inférence[20]. Nulle éternité, ou nulle inchoation d'éternité, ne dispense du temps ; et le temps, pour toute conscience, est acheminement vers la mort. Faut-il alors supposer qu'à l'esprit, ou l'âme, alors même qu'une aptitude à toujours être devrait lui être reconnue, il appartienne néanmoins d'être mortel ? L'hypothèse n'en est pas absurde. Peut-être l'esprit, « en soi », demeure-t-il intact, alors que le moi empirique est annulé. L' « en soi » n'est pourtant pas tout l'être de l'esprit, si l'esprit doit se définir, aussi ou d'abord, comme « forme » d'un corps. Et nous ne pouvons pas ne pas concéder, alors, qu'*il revient à l'esprit d'être mortel dans la chair*. Il est possible, puisqu'un concept élaboré entre philosophie et théologie *(anima forma corporis)* semble assez bien faire justice à l'expérience que nous faisons de nous-mêmes comme esprits présents dans la chair, qu'une thèse propre-

---

20. Ainsi chez Thomas d'Aquin, où l' « immortalité » désigne toujours une situation protologique ou eschatologique, et où seule l'*incorruptibilité* (de l'âme) appartient à l'homme en histoire ; cf. *ST*, I, q. 97, art. 4 ; I, q. 76, art. 5, ad. 1 ; CG, 4, 82.

ment théologique soit ici éclairante : celle de la passibilité de Dieu « dans l'autre que lui »[21]. De quelque manière que le problème conceptuel de la passibilité de Dieu soit posé (et entre le théisme métaphysique classique et celui de Whitehead ou Hartshorne il en existe plus d'une position possible...), son problème théologique est fonction du sens de la mort de Jésus de Nazareth. Sur la croix, la christologie doit affirmer que Dieu lui-même meurt, ou perdre sa cohérence. Mais que signifie ici « mourir »? Non pas cesser d'être. Mais certainement faire l'expérience de la mort ; revendiquer radicalement pour sienne la mort d'un homme ; faire de la plus humaine des expériences une situation connue de Dieu et éprouvée par lui. Il en est peut-être de même de la mortalité de l'esprit. Nul ne peut s'absenter de sa mort et nier qu'il ne s'agisse en elle de tout son être. Sa réalité ontique ne peut d'aucune manière être régionalisée. L'esprit existe effectivement dans l'unité personnelle de l'homme concret, et la mort est toujours celle de quelqu'un, et non de quelque chose. Inscrite inoubliablement dans la logique du vivant, elle peut alors trouver place dans une logique de l'existence : elle y est le moment où, dans la chair qui n'est qu'abstraitement l'autre que l'esprit, l'esprit fait personnellement l'expérience de la plus haute négativité. L'esprit ne meurt peut-être pas « en lui-même ». Mais il serait vain de dire que nous ne mourons pas. Il est même probable que l'homme seul est un mortel, et que la mort est sa question : celle où il s'affronte à des enjeux qui ne sont que les siens. La théologie a les moyens d'affirmer que l'expérience de la mort peut trouver place en Dieu, non point en dépit de sa divinité, mais en raison même d'elle. La philosophie, qui ne peut jamais cesser d'être *cura et studium et sollicitudo mortis*[22], peut se donner les moyens de penser le rapport de l'esprit à sa mort. L'esprit est mortel en son corps et en son temps.

14 - LE SURSIS

Ni la certitude de notre mort ni la promesse d'une éternité ne font partie des données immédiates de la conscience. Nous n'existons pas, toutefois,

---

21. Voir H. U. v. Balthasar, *Theodramatik*, IV, Einsiedeln, 1983, p. 191-222 (bibl.).
22. Dominicus Gundissalinus (Gonzales), *De divisione philosophiae*, éd. L. Baur, Münster, 1903, p. 7.

dans l'élément de l'immédiateté, mais dans celui de l'expérience ressaisie et réfléchie ; et c'est à ce compte qu'il est question de notre mort en tout présent. L'immédiat est le monde de l'expérience antéprédicative, sur lequel nous n'avons pas eu encore le temps de rien préjuger, et qui tel quel est à lui-même son unique horizon. Et ce monde ne nous révèle pas que nous sommes mortels, sinon en des expériences qui ne composent pas la trame de toute expérience. Qu'en est-il alors du savoir inesquivable de notre mort ? L'immédiat s'offre à s'instituer et à nous suffire ; les certitudes qu'il propose peuvent paraître saturer de sens notre présent ; l'avenir empirique absolu de notre mort peut en cette mesure ne pas inquiéter le présent ; et nous savons faire la théorie d'un temps dont la mort ne détienne pas par avance le secret. Mais en maintenant à distance l'évidence de notre mort, l'expérience qui s'enfermerait — à supposer que la possibilité en existe — dans la sphère de l'évidence antéprédicative manquerait totalement à comprendre. Son accès à la connaissance demeurerait précieux : ce n'est pas peu que d'être témoin du monde tel qu'il apparaît à la conscience non prévenue. Il n'en serait pas moins pauvre, cette conscience ignorant précisément ce qu'il en est d'elle-même dès lors qu'elle s'interdit d'interpréter ce que son temps met médiatement en jeu par la relation du corps à la temporalité. L'immédiateté pure et simple n'est pas privée de sens. Elle est toutefois mesurée par, et ordonnée à, l'expérience médiatisée, seule capable de déceler les horizons implicites de son monde.

Quel sens notre contingence mortelle revêt-elle donc ? Nous sommes ceux pour qui, malgré toute joie d'être, leur être est en eux-mêmes en question. L'être et notre être ne nous apparaissent que dans l'horizon du temps. Nulle nécessité d'être n'affecte sous nos yeux ce qui est. Et nulle nécessité d'être ne revient à la conscience qui s'interroge sur ce qu'être veut dire. Aucune plénitude d'expérience ne nous donnera jamais raison d'oublier que nous existons sur le mode du *sursis*. La double finitude que manifestent notre naissance et notre mort est condition de toute interprétation de notre être ; et seul le monde dans lequel nous savons interpréter en ces termes notre présence est véritablement notre monde, monde auquel nous sommes présents comme hommes, et non lieu de consciences abstraites, désintéressées du fondement de leur être, ou ne s'y intéressant pas encore. La conscience de soi n'est pas seulement la conscience que la contingence aurait d'elle-même. Elle l'est pourtant de façon fondamentale. Le « je suis » du cogito cartésien posait à la racine du savoir une certitude encore incapable de dévoiler l'être de ce « je ». Il est peu douteux que nous ne pensions, de temps à autre. Mais la conscience qui s'éveille à la conscience de soi, ou simplement qui trouve dans la conscience de soi le premier moment d'un savoir ferme, n'atteint pas encore l'intime de son être lorsqu'elle se reconnaît comme capable de pensée. La pensée n'appartient pas en propre à l'homme — ce que Descartes savait. Les anges ne sont-ils pas eux aussi des « choses pensantes » ? Et le cartésianisme, fidèle ainsi au plus gros de la tradition métaphysique de l'Occident, ne doit-il pas en dire autant de Dieu ? Or, c'est seulement en l'homme que la conscience de soi parvient à la vérité de son être en achoppant sur la question d'une contingence mortelle. Celui qui pense fait acte d'être, mais qui est-il ? La conscience qui se prend elle-même pour thème est indiscutablement en acte de connaissance, mais qui/que connaît-elle ? L'horizon de sa mort assure seul à notre esprit qu'il est humain, et non celui d'un ange ou d'un Dieu...

15 - LE DIVERTISSEMENT

On peut alors s'interroger avec des précisions nouvelles sur la structure de la temporalité. La mort et le sens du présent seraient-ils liés ? Le sens de notre être ne nous serait-il patent qu'à partir de la menace du non-être ? Une objection pratique intervient ici : celle du *divertissement* dans lequel nous tentons d'oublier que nous sommes des consciences promises à la mort. La phénoménologie de la constitution du temps nous avertit assez de l'ouverture radicale du présent pour que nous ne thématisions pas le divertissement comme un (impossible) renfermement de l'homme sur son présent. La possibilité à laquelle la conscience divertie nous affronte est un peu autre : elle est celle d'une logique de l'expérience dans laquelle le projet neutralise le souci, de sorte que le présent détient absolument son sens, et le sens de son avenir. Nous ne sommes pas les maîtres de l'avenir qui, transcendantalement/existentialement, nous préoccupe ; en empêchant le présent d'avoir son centre en lui-même, et la conscience ici et maintenant présente de détenir intégralement le sens de son présent, le souci nous manifeste qu'en dernière instance la mort nous est un avenir absolu, ou en tout cas la mesure absolue de tout avenir — et le souci déborde tout projet, de quelque manière que nous nous appropriions l'avenir. Or, la ruse du divertissement est de ne pas en prendre acte. Avant que nous ne nous interrogions sur un avenir absolu, l'avenir est en nous question relative. Nous sommes projetés vers « l' » avenir d'avant tout projet que nous formions, inquiétés par le temps qui n'est pas encore d'avant tout intérêt thématique que nous ayons à son égard. Mais nous n'accueillons ce « projet » que nous sommes, et cette inquiétude, que dans les soucis et les projets concrets qui sont empiriquement notre rapport à « l' » avenir. Le projet est donc appropriation de notre préoccupation par l'avenir. La conscience divertie va, ici, un peu plus loin : elle est la subversion de cette préoccupation. L'avenir y est en effet mon avenir, et le présent mon présent. De la sorte, aucune inquiétude de ce qui est par ce qui n'est pas encore ne saurait trouver place dans l'expérience, sinon de manière superficielle, pour rappeler les canons que je veux donner à mon être. Une telle subversion du souci n'est évidemment praticable que si la « réserve eschatologique » de la mort par rapport à tout avenir projetable est ignorée, ou mise entre parenthèses. De la conscience à la conscience de soi, et de la conscience de soi à la conscience de notre finitude mortelle, est le chemin au long duquel l'ego s'informe de son humanité. La conscience divertie demeure ici à mi-chemin, donc à mi-chemin d'elle-même. Elle n'a les moyens de sa politique (réduire l'avenir, et donc le présent, à être son projet) qu'en négligeant le mode sur lequel son être est en elle-même en question. Refusant de savoir qu'elle est mortelle, et se contentant d' « avoir des soucis », elle passe à côté de l'essence du souci. Et donc du sens de son être.

La logique du divertissement est simple, ses enjeux sont capitaux. L'ouverture à l'avenir nous définit. Mais le soleil et la mort peuvent difficilement se regarder en face. Bloquant ainsi le rapport dialectique qui l'unit au souci, le projet dispense la conscience divertie de se savoir mortelle. Ne reconnaissant d'autre avenir que celui qu'elle se donne, elle peut trouver en son présent le lieu du sens, ou à tout le moins de ce qu'elle requiert de sens pour vivre. Elle ne nie pas qu'elle est temps, et que l'être de temps n'est intelligible que rétrospectivement, de l'avenir au présent. Elle nie, en revanche, que le sens de son devenir ait partie liée avec la fin empirique absolue que sa mort représente. Peut-on protéger la vie et le sens contre l'abîmement dont la mort les menace ? Peut-on protéger l'être contre le néant ? En poser la question, dans la théorie ou dans l'expérience, est tout sauf vain. Ne se ressaisissant pas elle-même comme mortelle, la conscience divertie ne peut pourtant rien faire d'autre que de se contenter, en quelque sorte, d'être. Du coup, l'insouciance à laquelle elle paraît prétendre est insouciance fausse, qui n'est pas passée véritablement par l'épreuve du souci, et qui en esquive irréalistement les mises en cause. — Ce qui est probablement sa grande faute, existentiellement et philosophiquement.

16 - MORT ET INACCOMPLISSEMENT

Le contresens du divertissement peut être interprété comme un morcellement du temps et du sens. L'expérience met constamment l'avenir en jeu sous sa modalité relative : tout à l'heure, demain. Et d'autre part, l'avenir absolu, tel que la mort le représente empiriquement, paraît ne recéler aucune promesse de sens. La partie doit se comprendre dans l'horizon du tout, et le présent dans celui de l'avenir. Or, ces axiomes d'herméneutique élémentaire ne sont guère évidents, lorsqu'il s'agit d'interpréter l'homme et son temps. Quel est l'avenir de l'homme en tant qu'il est homme, esprit présent au monde dans la chair ? A quelle dernière *possibilité* prendre la mesure de notre *actualité* ? L'on connaît ici la paradoxale réponse de Heidegger, dans les paragraphes 43 à 53 de *Sein und Zeit* : la mort serait en fait l'*eschatologie du sens*. La mort incontestablement achève notre vie — au sens où l'on parle d' « achever » un animal blessé. Mais à la notion d'une fin empirique il n'appartient pas qu'elle soit aussi un accomplissement ontologique. Le primat herméneutique du tout sur la partie pourrait-il valoir, là où n'est en jeu qu'une facticité ? La totalité de fait peut-elle valoir comme totalité de sens, et sa clôture comme totalisation du sens ? Donner une réponse affirmative à ces questions suppose mieux qu'une confusion de la fin et de l'accomplissement, que l'on ne saurait imputer à Heidegger sans négliger les prudences selon lesquelles s'institue sa phénoménologie de la mort comme « fin ». Notre finitude est de fait, et notre mort la scelle. Mais à la différence de tout trépas, notre mort est celle de l'étant en qui et pour qui le sens de l'être est en question. Cette question est radicale, ou n'est pas : ou bien elle interroge l'étant en son ensemble sur son être, ou bien elle ne se hausse qu'à la dignité de curiosité régionale. Or, notre mort est le dernier *interpretandum* d'une herméneutique de la facticité *et* la condition (empirique) à laquelle notre être s'affronte à la question institutrice de la philosophie, « pourquoi y a-t-il l'étant et non pas rien ? ». Une pensée pour laquelle seule serait pensable l'égalité parménidienne de l'être avec l'être n'aurait évidemment pas à penser la mort. Mais la certitude que l'être est ne répond pas à ce qui en nous est en question. Notre être est dans l'horizon du temps. Son « histoire » ne peut alors être assumée que dans l'anticipation d'une eschatologie, si le dernier mot doit y revenir à un *logos*. Or, ce qui n'est pas encore, le *noch nicht* qui interdit à la totalité de notre être d'être disponible ici et maintenant, n'est

pas position, mais annulation : ce n'est pas à partir de l'être qui n'est pas
encore (comme ce sera le cas chez Bloch)[23], mais à partir du néant qui
n' « est » pas encore, que le *Dasein* heideggerien se trahit comme inachevé.
Il demeure qu'en termes heideggeriens seul *est*, dans la vérité de son être,
« authentiquement », celui qui assume proleptiquement les limites exactes
de tout acte d'être — et qui interprétant sa mort comme *dernière possibilité* y discerne la condition métaphysique par excellence, celle par qui se
précise définitivement le sens de tout temps.

L'ampleur et la cohérence du projet sont évidentes. Une fin qui ne
correspondrait à aucun achèvement, événement ontique ontologiquement
insignifiant, serait insensée, et la totalité qu'elle délimite ne saurait être
pensée. La phénoménologie de l'être vers la mort fonde bel et bien chez
Heidegger la possibilité de la philosophie. L'homme est chez Heidegger
celui en qui le fait est sens, ou fait sens. Et cette thèse ne peut pas ne pas
se vérifier lorsque, à la limite de son être, l'homme envisage sa mort : la
philosophie ne serait autrement qu'un savoir régional... Le passage qualifie
fondamentalement notre humanité. De la sorte, la certitude présente d'être
ne permet pas d'interpréter intégralement le sens de notre être, et ne nous
permet pas d'approprier ce que nous sommes. Le présent nous propose
sans doute une *totalité phénoménologique* : nous y sommes réellement présents en un monde irrécusablement réel, dont nous pouvons organiser
systématiquement la connaissance ; et l'ignorance de la mort, exemplairement chez Husserl, ne ruine évidemment pas toute cohérence ni toute
pertinence. Mais cette totalité phénoménologique est abstraite, car oublieuse
de l'avenir qui juge tout présent. Pour l'être qui est temps, le sens de son
devenir peut-il alors se révéler ailleurs que dans la totalisation eschatologique où l'être cesse enfin d'être fragment, non-totalité *(Unganzheit)*[24],
inachèvement ? Si notre humanité a/est sens, et si la mort est la conclusion
de notre être, alors celle-ci doit être dès maintenant la condition du sens.
La *décision* dans laquelle le *Dasein* heideggerien se résout à exister « vers »
et « pour » sa mort n'est pas une attitude romantique. Elle est nécessité
ontologique : il n'est possible qu'ainsi d'exister tel que l'on est.

Un problème majeur n'est pourtant pas résolu, sinon de façon axioma-

---

23. Cf. *e.g.* Zur Ontologie des Noch-Nicht-Seins. Ein Vortrag, in *Philosophische Grund-
fragen*, I, Francfort, 1961, repris dans la *Tübinger Einleitung in die Philosophie*, GA 13,
Francfort, 1970, p. 210-300.
24. *Sein und Zeit*, § 48 (éd. Niemeyer, p. 242).

tique : le plein droit de la mort à être l'eschatologie. La fin est dans *Sein und Zeit* le lieu de l'accomplissement. Or, il est moins question en notre être d'un accomplissement que d'une transitivité. L'appropriation de sa mort est, pour le *Dasein*, appropriation « authentique » de son être — tout ce que je suis peut donc être mien, si même ma mort peut être mienne. Mais l'eschatologie vers laquelle toute histoire tend comme vers une apocalypse de ses significations nous est-elle appréhendable ici et maintenant ? La fin de notre être est de fait, et l'accomplissement est, selon Heidegger, à notre disposition, si nous acceptons de réaliser l'ajointement du fait et du sens. Est-il toutefois évident que sa fin empirique promette à l'homme un accès au tout de son être, ou à la thématisation claire et distincte d'un tel tout ? Les soucis eschatologiques qui meuvent la pensée peuvent-ils être apaisés par l'annulation empirique du devenir que nous sommes ? A côté de la logique de l'accomplissement, et de l'eschatologie existentielle qu'elle promeut, il est possible qu'il faille aussi développer une logique du *commencement*. On en tentera l'esquisse.

17 - CONNAISSANCE ET RÉCOLLECTION

Nous ne renaissons pas chaque fois que nous nous réveillons à la conscience. Le monde est toujours déjà-là, nous y sommes toujours déjà présents. Toute connaissance revêt ainsi pour nous le caractère d'une reconnaissance et d'une récollection. Cela vaut du monde : immémorialement nôtre, il n'est pas l'horizon du seul présent, mais celui de tout notre être, et dans le présent renvoie au passé comme à son interprète. Et cela vaut du moi : l'investissement de notre présent par notre passé prouve que nous sommes à distance de notre origine, et que la connaissance de soi emprunte nécessairement les chemins d'une mémoire de soi-même. Il n'y a sans doute pas d'expérience sans immédiateté, sans que le présent ne puisse être aussi à lui-même sa propre mesure, sans que le monde ne nous soit rencontrable et connaissable tel quel, comme il se présente maintenant à la conscience. La passé intervient toutefois, à titre de médiation, au cœur de l'expérience présente. Hegel nomme anamnèse, *Erinnerung*, la référence dialectique du présent au passé dont il est l'achèvement, et qu'il ne peut nier sans en intégrer la réalité, ou la vérité[25]. La mémoire du passé dans le présent condi-

___

25. Cf. *Phänomenologie des Geistes*, éd. Hoffmeister, p. 563-564.

tionne de fait toute expérience, et sa signification. L'immédiateté n'est pas un pseudo-concept. Mais elle n'est pas aujourd'hui le fait d'une conscience naissante : elle est immédiateté seconde ou secondaire, mettant en jeu un moi riche d'un passé, habitué à être et habitué au monde, et que ces habitudes maintiennent à distance de toute naïveté. L'enfant nous révèle ce qu'il en est de l'homme comme pur commencement, et nous pouvons tenter d'appréhender en lui, à l'origine de toute expérience, les premiers gestes qui attestent la rencontre de l'homme et de soi-même, et de l'homme et du monde. Mais l'enfant lui-même a bien vite un passé. Où discerner alors une immédiateté radicale, un présent qui ne soit que pur commencement, une connaissance sans pré-connaissance, une expérience sans pré-expérience ? Nous ne rencontrons jamais que des choses commencées, c'est-à-dire de premières conclusions. Nous nous précédons nous-mêmes et sommes toujours, à l'égard de nous-mêmes, en acte de mémoire. Il n'y a d'expérience qu'à ce prix, pour celui dont l'être est temps.

18 - EXPÉRIENCE ET AVENIR

Toute expérience porte en elle ses horizons temporels et les conditions de son herméneutique — et la première de ces conditions est le passé dont tout présent est en acte de mémoire. La conscience, toutefois, est solidairement habituelle et habituante. Chaque nouvelle perception ou chaque nouvelle volition ne nous ouvrent certes pas un monde nouveau. Mais elles mettent en jeu notre rapport au monde dans le double élément de l'effectivité et de la possibilité. Nous vivons assurément de répétitions plus que de nouveautés : parcourant quotidiennement les mêmes chemins, rencontrant les mêmes visages, environnés des mêmes objets familiers, nous faisons rarement la pure expérience de l'inédit. L'expérience répétée, ou répétitive, est-elle pour autant capable de nous manifester tout ce qui est en question dans notre aptitude à l'expérience ? On perçoit instinctivement que non, et on a les moyens de rendre compte d'un tel refus. Nous sommes/ existons sur le mode du devenir. Le « nous » ici impliqué est le fondement de notre être. Le devenir ne nous affecte pas secondairement ou par accident. Il ne concerne pas non plus (par invraisemblable) une intimité, une histoire de l'âme avec elle-même, qui se déroulerait à l'écart de l'expérience concrète que la conscience fait d'elle-même en situation d'extériorité, comme habitant le monde. Notre temps se constitue entre intériorité et extériorité, et il en est ainsi de toute expérience. Or, cela ne peut s'élucider que selon le jeu déjà entrevu de la facticité et de la responsabilité, de la continuité et de la discontinuité (§ 11-12). Et cela demande donc que l'expérience, par-delà toute répétition, et par-delà la mémoire qu'elle fait du passé, ouvre le champ d'un recommencement. Le phénomène qui apparaît maintenant à la conscience lui est donné dans l'horizon d'un monde préexistant, déjà constitué et connu : le monde nous est donné avec la conscience, et demeure. La connaissance ne fait pourtant pas, on s'en doute, que sanctionner l'existence du monde. Et le phénomène s'interprète moins dans l'horizon préconstitué du monde qu'il ne nous propose un monde : c'est-à-dire une organisation du monde autour de son apparition. De façon symétrique, son aptitude à l'expérience, en exposant le moi à ce qui survient maintenant à la conscience, l'invite à un avenir. Le monde ne revêt jamais devant nous le caractère de l'évidence définitivement acquise ; jamais il ne nous est totalement manifeste ; jamais l'expérience ne peut cesser d'être l'événement où, par-delà toute confirmation de ce que nous savions déjà, la constitution d'un monde nous est proposée comme tâche. Le monde et son appréhension ne ressortissent pas au seul ordre du donné. Le monde certes est toujours-déjà-là. Mais si nous y sommes « toujours déjà présents », ce n'est pas pour nous dispenser du travail permanent d'appropriation sans lequel nous ne pouvons exercer cet acte de présence. Survenant sur fond de monde, tout objet d'expérience possible m'est la proposition d'un monde : le réel se déploie en effet autour de lui de façon unique. Nous ne cessons donc pas, parce que nous avons un passé, et un monde, d'être immédiatement exposés aux êtres et aux choses. Connaître est (aussi) toujours commencer — entrer en connaissance, ou en expérience.

19 - EXPÉRIENCE MATUTINALE

Nous avons toujours déjà décidé de ce qu'être veut dire : avoir un monde est pour nous fait et interprétation, donnée et acte de constitution ; un sens est en question en toute expérience, et faire expérience est répondre de/sur ce sens. Or, la pertinence existentielle de l'expérience, dans son présent, réside aussi dans la position nouvelle des questions que nos habitudes ont déjà tranchées. Etre dans le monde comme ceux qui ont un monde ne nous rend pas facultative la rencontre, en tout lieu d'expérience, des mêmes questions primitives que nul savoir ne tranche définitivement, et qui trahis-

sent le retrait critique de la question par rapport à la réponse. En un monde
toujours-déjà-là, et où nous sommes toujours déjà nous-mêmes, la *reprise*
est le mode sur lequel nous comprenons que l'être est en question, en nous
et devant nous. Une histoire nous a faits ce que nous sommes aujourd'hui,
et le jeu dialectique d'expériences révolues a rendu possible l'expérience
présente. — Nous rencontrons cependant aujourd'hui comme hier, partout où nous prenons au sérieux les enjeux proposés par toute situation
de connaissance, de semblables rappels de l'originaire. Nous sommes à
l'écart de notre origine. Mais toute expérience nous y reconduit de façon
indubitable. Avant théories et idéologies, avant habitudes et préjugés,
nous pouvons, partout où le monde se présente à nous, partout où l'étant
nous apparaît, ressaisir les interrogations primitives qu'aucune dialectique
de l'expérience ne peut surmonter et laisser derrière elle. Il existe des savoirs
définitivement acquis, qui n'appellent plus la question : nous n'avons pas à
remettre en cause la rotondité de la terre (« We are satisfied that the earth
is round », dit Wittgenstein[26]) ou le théorème de Pythagore. La phénoménologie, en son dynamisme husserlien, doit pourtant nous apprendre que
l'expérience ramène aussi la conscience à ses premiers gestes et à ses premiers problèmes.

A l'expérience *vespérale*, instruite dans le parcours de l' « expérience de
la conscience » de (tout) ce qu'il en est de l'homme et du monde, il convient
peut-être, donc, d'objecter l'expérience *matutinale* qui, préalablement
à toute dialectisation et à toute histoire, affronte immédiatement et insur-
montablement aux plus hautes questions. Est philosophique, plus encore
que la conscience qui parvient au savoir au terme d'une histoire de l'expérience, celle qui à l'origine de toute expérience peut en poser exactement le
problème. Seul l'enfant est homme sur le seul mode du commencement.
Il y a cependant une enfance restituée, et c'est en elle que la philosophie
prouve son existence. De quel savoir pourra-t-on se *prévaloir*, face à
l'étonnement suscité par l'existence du monde, et notre présence en ce
monde ? Dans la *Phénoménologie de l'Esprit* l'orée de la connaissance, la
« certitude sensible », est expérience rudimentaire, incapable de distance
par rapport à son objet, et ne recueillant que la superficie du sens. Sa
vérité n'est pas abolie par le savoir qui la surpasse. — Mais c'est en lui,
et non en elle-même, qu'elle a son poids de signification. Or, l'immédiateté
seconde à laquelle, antérieurement au jugement, l'apparition du monde à

---

26. *Über Gewissheit*, § 299.

la conscience nous propose un inannulable accès, nous apprend que nos premières questions ne sont jamais surpassées. A côté du sage hégélien qui, après l'accomplissement de toute histoire, connaît les pensées de Dieu avant la création du monde, la philosophie qui élucide les données immédiates de la conscience, et les interrogations qu'elles font naître, paraît savoir bien peu, et semble s'obstiner à représenter une figure révolue de la conscience. Pourquoi se replier sur une origine, lorsqu'un accomplissement est à notre disposition? Ce retrait vers l'originaire par lequel la phénoménologie, au sens husserlien, prend toute distance possible par rapport à la phénoménologie hégélienne, est cependant le secret de notre commerce quotidien avec le monde. Le commencement du savoir critique l'idée de son achèvement ; les premières questions posées, ou les premières questions que nous sommes, ne cessent jamais d'inquiéter toute certitude acquise et d'en déceler les limites. La philosophie est ici l'art de ressaisir un premier mot.

20 - NON-POSSESSION DE SOI-MÊME

Qu'en est-il de l'être et de notre être? A chaque fois que, en deçà de nos savoirs, de nos précompréhensions et de nos habitudes ontologiques, nous laissons affleurer l'interrogation primordiale qui nous définit, nous percevons qu'il n'y a ici nulle connaissance que ne mesure une inconnaissance plus grande encore. La logique de la connaissance est une logique de l'existence. La question dont nous sommes le lieu, « qu'en est-il de l'être? », nous met nous-mêmes en question. Elle n'est pas destinée à demeurer sans réponse : nous ne sommes pas qu'une énigme pour nous-mêmes. Ramenés toutefois à l'origine de tout questionnement, et de toute affirmation, lorsque nous percevons les enjeux immanents à toute expérience, à toute rencontre d'un homme et d'un monde, nous y sommes aussi ramenés à l'origine de notre être. « Pourquoi y a-t-il l'étant et non pas rien? » La question nous parle de nous : nous sommes ceux qui pourraient aussi bien ne pas être. Dans l'angoisse qui rend patente la menace du néant sur l'être, dans l'émerveillement qui trouve beau et bon qu'il y ait être, nous apprenons que nous ne sommes pas extérieurs à ce qui nous pose question. La contingence est notre fait comme elle est celui des choses. Et avant de revêtir pour nous le visage de notre mort, notre finitude a celui de notre venue à l'être. Le sens d'un devenir est dans la chose devenue. Mais il est annoncé et promis dans les commencements — et pour qui met l'origine en question, l'être apparaît moins comme menacé par un non-être à venir que comme gagné sur lui. La dignité la plus haute de l'expérience est d'être inchoative. Et il est possible que nous percevions au mieux le sens de notre être en nous interdisant de mesurer les commencements à un achèvement que nous ne possédons pas, et dont nous ne pouvons qu'interpréter la suggestion, telle qu'inscrite en nous. L'être ne nous est pas donné autrement que sur le mode d'une précarité ou d'une transitivité. La mort cependant ne règne pas seule sur le sens. Et pour qui s'interroge sur lui-même à partir du commencement de son être, l'idée d'une fin empirique qui soit un accomplissement, et d'une existence envisageable en sa totalité, peut perdre le caractère de presque évidence que les analyses de Heidegger lui confèrent. Nous ne pouvons refuser ni éviter que la mort n'obombre notre présent. Elle est le seul avenir absolu que nous puissions vérifier, pour autant que la vérification soit ici une instance décisive. Mais pouvons-nous pour autant faire expérience de nous-mêmes, en son horizon, comme d'êtres capables d'accomplissement? La conscience dont la *Phénoménologie de l'Esprit* tient les archives, et qui dans l'accès au savoir absolu réalise toutes les potentialités de son être, existe donc « absolument », définitivement : sa mort ne saurait donc lui poser question. La conscience dont le *Dasein* heideggerien déploie la logique, non seulement doit se mesurer à sa mort (ce qui n'est pas original...), mais surtout ne peut pas être elle-même en vérité, si la totalité empirique de sa vie n'est aussi totalité appropriée du sens de son être. Or, la conscience qui se laisse reconduire à l'origine de toute expérience, et ainsi de son être, est moins prompte à anticiper un accomplissement. L'habitude d'être et, le cas échéant, la lassitude d'être composent communément la trame de toute existence. L'immédiateté absolue n'est plus, nous vivons en un monde interprété, et non au matin de l'être et de la connaissance. Et la pensée de la fin, l'eschatologie philosophique, nous tente peut-être d'autant plus que le commencement nous semble définitivement forclos. L'expérience cependant, lorsqu'elle nous alerte sur ses mises en causes ultimes, révèle que nous n'existons jamais dans la possession définitive de notre être, et que notre rapport à notre origine établit notre identité dans l'élément du provisoire, et de la question qui ne détient pas sa réponse. — Et de cela l'on peut rendre compte, sauf à mettre entre parenthèses l'idée d'un accomplissement dont la fin empirique soit le lieu. Instruits des fautes du divertissement, convient-il néanmoins de refuser que temps et existence soient pensés sous le chiffre d'une totalité? L'inachèvement, l'*Unganzheit*, serait-il proprement indépassable ? Elle non plus, cette hypothèse ne peut se réclamer d'aucune évidence. Comment prouver d'un étant qu'il n'est que commencé, ou qu'il n'est qu'un commencement, alors qu'il nous apparaît comme radicalement ordonné à une fin, et que cette fin appartient à sa définition ? L'existence définitive, ou eschatologique, ne nous appartient pas, malgré Hegel, et malgré Heidegger. La mort ne serait-elle alors que la défaite du sens ? Et le regard qui croit discerner dans l'origine la surabondance d'un sens seulement promis ne se leurre-t-il pas ? Celui qui sait l'esprit capable même de mourir, et qui recueille en son être un commencement, l'exposant à l'être, ou à être, en une ouverture qui n'est à la mesure d'aucune fin, sera peut-être capable d'avancer une réponse.

21 - ÊTRE ET MANIÈRE D'ÊTRE

Posée dans le seul cadre d'une phénoménologie de la constitution du temps présent, la question sur homme et temps demeure abstraite : exemplairement chez Husserl. Posée, chez Heidegger, dans le champ d'une herméneutique de l'être dans le monde, elle évite à l'évidence l'abstraction et le repli non critiqué sur le présent qui sont la faute de la théorie husserlienne. Etre (dans le) temps n'est pas le fait d'une pure conscience, mais celui d'un moi à demeure en un monde, du *Dasein* qui est le « là » de l'être. Mais suffit-il que notre mondanité soit reconnue pour que notre humanité et notre temporalité cessent de poser question ? En fait, non. La raison en apparaît assez clairement. Il est toujours question, en notre être, d'une manière d'être, d'un τρόπος — au fond de tous les gestes de la conscience bâtisseuse de son temps se révèle le site que, dans l'être, tel homme a et se donne en propre. Etre nous est temps, devenir. Le nom de l'être n'est pourtant pas le seul que, pour autant que nous sommes, nous mettions en jeu. Etre nous est manière d'être, τρόπος et ἦθος. Et l'on ne peut interpréter l'acte dans lequel nous sommes, et prouvons notre humanité, sans apprendre qu'il est posé aussi dans l'horizon du bien. Non seulement il nous appartient d'avoir des mœurs, ce que tout animal possède, mais encore il nous revient d'y engager un sens absolu. Il est apparemment possible de penser notre rapport à l'être, et à notre être, sans penser une référence au bien, ou une revendication par le bien. Mais l'ontologie qui s'organise « avant » l'éthique est-elle fondamentale ? Et si elle l'est, faudra-t-il en conclure, par élémentaire fidélité à la logique, que nous ne sommes que superficiellement en

situation morale dans le monde ? Telle est la question posée par Levinas à
Heidegger[27]. L'impératif éthique est chez Levinas une donnée immédiate
de la conscience. Pour l'homme tel quel, présent dans le monde face à
d'autres hommes, il n'existe nul préalable à l'éthique, et nulle fondation
qui lui soit extérieure ; le bien nous requiert en quelque sorte sitôt que nous
ouvrons les yeux ; et c'est illicitement que le philosophe prétendrait à
prononcer le nom de l'être sans prononcer celui du bien. Certes, contre-
distinguer une philosophie qui pense l'être dans l'oubli du bien d'une
philosophie qui pense le bien sans l'être, ou plus fondamentalement que
l'être, serait un exercice un peu stérile. D'autre part, il est trivialement
évident que l'éthique n'est pas le seul cas de notre relation à ce qui est :
le regard qui prend connaissance du monde, la main qui d'une chose fait
un outil, l'angoisse qui perçoit que l'étant pourrait tout aussi bien ne pas
être, l'ennui qui reconnaît l'étant en son ensemble comme ne suffisant pas
à nous satisfaire, n'entretiennent pas de rapport immédiat avec notre connaissance du bien. Reste qu'il y va bel et bien dans l'éthique du plus précisément humain de notre habitation dans le monde, et qu'il n'est pas de réponse
possible sur notre être qui ne prenne en compte en dernière instance, *et*
comme mesure de toute instance préalable, notre réquisition par le bien.
Nous sommes nous-mêmes sur le mode d'un devenir et d'un accès à soi-
même dans l'élément de la temporalité. De ce « nous-mêmes » nous ne
pouvons rien abstraire licitement : ni le corps ni l'esprit, ni la subjectivité
ni l'objectivité, ni la liberté ni la facticité. Nous n'existons pas dans l'avènement pur et simple d'une nature, en un don d'être fait une fois pour
toutes, nous enfermant définitivement en notre origine. Notre humanité
n'est sans doute pas une fonction de notre liberté et le terme de son devenir.
— Elle est cependant impensable si, dans le devenir qu'est notre être, l'intervention de la liberté n'est pensée. La liberté, bien certainement, peut elle-
même prouver son existence sans vouloir le bien, et en s'ordonnant au terme
de son désir — à un bien. Mais toute preuve phénoménologique et métaphysique de l'existence de l'homme au cours de laquelle la liberté omet
de prouver sa moralité reste en deçà d'une conclusion, et en suspens. Nous
ne savons vraiment pourquoi, et pour quoi, la liberté est libre, qu'en y
discernant une ouverture apriorique au bien moral — donc à l'absolu du
bien, au bien qui vaut indépendamment de tout désir.

27. Cf. *e.g. Autrement qu'être ou au-delà de l'essence*, Phaenomenologica, 59, Leiden,
1974, p. 3-25, 167-218.

Condition de toute conscience d'homme, le temps est condition de la conscience morale. Les mœurs, l'habitude de vouloir et de faire le bien, le sens éthique de la liberté sont essentiellement pris dans l'ordre de la durée. L'absolu dont la conscience morale se saisit (ou qui la saisit), ou dont au moins elle se réclame, n'est pas le cas comme l'être est le cas dans le monde. Il nous est proposé de vouloir le bien, ou nous nous proposons au bien, en un monde où le mal aussi, et peut-être d'abord, *est*. Les « valeurs » ne sont pas objectives comme le sont les choses. L'éthique veut ce qui n'est pas encore, et dont le droit inconditionnel à être n'a qu'une seule garantie empirique, celle que nous lui donnons. L'éthique relève alors du domaine du souci, et de celui du projet. Elle est souci, en tant que le bien se propose à nous et inquiète notre présent. Et elle est projet, en tant que nous consentons à nous mettre à la disposition du bien (dans le risque toujours présent de mettre le bien à notre disposition). Son temps reçoit donc son sens d'un avenir. Et à la question qui nous préoccupe ici, « l'homme peut-il parvenir à son accomplissement ? », la réponse passe par l'examen d'un tel avenir. Le sens qui investit éthiquement le présent est, dans la relativité des situations, un sens absolu ; le bien est norme normante, et que nulle ne norme ; et le projet d'une existence qu'il régisse ne concerne pas une région de notre être, mais la totalité de ce que nous sommes, selon la double dimension du réel et du possible. Nul n'a le droit de vouloir le bien sans le vouloir absolument. Il peut advenir que nous ne le voulions qu'en partie, en nous réservant de pactiser par ailleurs avec le mal, ou avec le moindre mal — mais nous révélons par là même une profonde immoralité. Je ne pourrais prétendre à être homme « authentiquement », en plénitude, que si je voulais le bien radicalement. Mais tout autant que l'expérience en nous de la mauvaise volonté (du « mal radical »), la possibilité pour toute logique de l'expérience d'avoir à compter avec des situations qui semblent ne pas mettre le bien en cause nous avertit qu'une telle authenticité ne nous appartient pas. Le domaine de l'être et celui de l'éthique ne se recoupent pas évidemment : l'éthique doit compter avec les ἀδιάφορα qui paraissent limiter son ambition. Et la logique de l'être semble en conflit avec celle du bien, s'il est vrai que le mal lui aussi peut être. L'une et l'autre question sont liées.

22 - L'ONTOLOGIE ET LE FONDEMENT

A la question de Levinas, « l'ontologie est-elle fondamentale ? », l'on ne peut donc répondre sans penser l'écart qui nous maintient nativement à distance d'un consentement sans réserve au bien, d'une mesure intégrale de notre être par le bien, et ainsi de la vérité de notre être. Notre ouverture au monde et à l'être nous définit sans substitution possible. Et, en revanche, nous pouvons exister, connaître, désirer, sans trahir en tous nos gestes une connivence primitive avec l'éthique. L'on peut évidemment en esquiver le problème : une ontologie pour laquelle le bien (*i.e.* le *désirable*) est un nom de l'être n'y verra pas une vraie question. Le bien n'est pourtant pas en question, en nous, comme l'être est en question. Car s'il est doublement vrai (platement et spéculativement) que nous sommes, le bien vient d'abord en question pour contester ce que nous sommes. Nous *sommes*, comme tels, éloignés de notre « authenticité ». Cela ne constitue pas notre être en amoralisme pur et simple, l'immédiateté de notre ouverture à l'être et au monde n'est pas une indifférence transcendantale au bien. D'ailleurs, l'usage le plus commun que nous fassions des choses, le regard le plus superficiel que nous posions sur elles, ne seront jamais francs d'un sens éthique implicite — qui ne perçoit par exemple les enjeux moraux de la raison technicienne, instituée pourtant pour comprendre, et prendre, ce que l'éthique peut croire totalement étranger à son domaine de pertinence ? La grammaire du devoir n'est pas celle de l'être de fait. Elles ne sont pourtant pas sans lien. Etre nous est manière d'être, et seule une abstraction illégitime pourrait ne pas apercevoir que l'éthique est le mode sur lequel ce mode d'être se déploie le plus précisément. L'herméneutique de la facticité ne peut donc être que *pré-éthique*. Non comme méthodologiquement ignorante de l'horizon du bien. Mais peut-être comme condition heuristique d'une thématisation du bien. Notre ouverture au monde et à l'être est patente : et l'interprétation des données immédiates de la conscience est son interprétation. Notre ouverture au bien, à l'inverse, est prise dans l'ambiguïté de *notre* être. Celui dont le bien ne pourrait mesurer l'être existerait pauvrement, perdant en vérité ce qu'il est parce qu'il se contenterait d'être... Mais celui qui veut vouloir le bien absolument ne saurait ignorer que l'ordre éthique des fins et des moyens vient surdéterminer l'expérience immédiate, arrache l'homme à ce qu'il est primitivement (même si c'est, ainsi chez Levinas, pour honorer le sens le plus primitif de l'expérience), et construit un monde qui n'est pas celui des premières certitudes. La tension selon laquelle nous habitons simultanément le champ de l'ontologie et celui de l'éthique n'est certainement pas à durcir. Elle ne peut pas plus être abolie, et nous y rencontrons un des secrets de notre existence. Retranchée en son être et se satisfaisant de l'égalité selon laquelle « l'être est », la conscience pré-éthique n'est ni privée de savoir ni dépourvue d'humanité. Mais découvrant la merveille de l'être à l'aurore de toute expérience, elle n'y entre pas en possession d'une réponse définitive aux questions qu'elle est pour elle-même. — Peut-être même n'atteint-elle que la formulation provisoire d'une question...

23 - REQUÊTE D'INFINI : L'ATOTALITÉ

Paradoxalement, il apparaît ici plus précisément encore qu'ailleurs que l'expérience de soi est celle d'un commencement, et que l'ordre de l'accomplissement est hors de prise. La bienveillance éthique n'est pas modalité immédiate de notre être. Mais la responsabilité assumée du bien ne cesse pas pour autant d'être toujours inchoative. « Entre ontologie et éthique », entre affirmation de l'être et consentement au bien, nous ne découvrons pas que nous sommes, mais que nous manquons à être, hommes. L'expérience morale est une découverte du temps, selon ses trois extases : découverte du présent de l'obligation, du passé de la faute, de l'avenir comme lieu d'une fidélité à soi-même. L'avenir, incontestablement, mesure ici le présent. Et il le fait de telle sorte que la possibilité dont vit la conscience morale (le consentement radical au bien) lui interdit d'être instituée ici et maintenant en perfection. Les philosophies n'ont certainement pas manqué de penser et nommer les conditions auxquelles l'absolu du bien nous est accessible, donc auxquelles l'accomplissement éthique de l'homme peut avoir lieu aujourd'hui : il suffit pour cela de penser l'instauration, ou la restauration, d'une *bonne volonté* plénière, libérée de toute aliénation ou de toute déchéance, et nous mettant en situation d'exister définitivement (ce qui évidemment n'est pas peu...). Or, l'intelligibilité du bien et la rationalité du choix moral ne garantissent pas la *disponibilité* de la bonne volonté, malgré toute accessibilité. Au fond de toute éthique gît toujours une eschatologie : à quelque histoire qu'elle soit liée, et par quelque modestie théorique qu'elle puisse refuser de valoir universellement, la bonne volonté est digne absolument de l'homme, et prouve son humanité de façon définitive en y révélant un homme définitivement égal à lui-même. La manière d'être en cause en notre être et en notre temps nous prévient toutefois contre toute tentation de nous croire humains une fois pour toutes, même si l'espace d'un geste nous l'avons été. L'acte bon est toujours plénièrement humain. Mais la plénitude qu'il manifeste se dérobe sitôt que l'on tente de la saisir. A l'absolu du bien, quelle volonté correspondra-t-elle de façon absolument bonne? Notre revendication par le bien assure en dernière instance le sens de notre être et de notre temps. Mais la bonne volonté n'est empiriquement ni tout notre être, ni tout notre vouloir. Et entre le moi eschatologique que l'éthique porte au thème et le moi empirique dont l'être se joue dans l'éthique, mais qui demeure radicalement capable d'immoralité ou d'amoralité, aucune théorie ne peut masquer l'irrésorbable écart, ni qu'il appartient à ce que nous sommes de fait. Nous ne faisons pas le bien, s'il nous arrive de bien faire, pour la pure joie de devenir nous-mêmes : elle s'en trouverait quelque peu suspecte, et l'ascèse morale, se muant en une sorte d'égotisme, marquerait l'affolement de la volonté se croyant bonne. Nous sommes néanmoins en jeu en nos actes : l'éthique implique indissolublement le soi et l'autre que soi. Et devant nos réticences à vouloir le bien pour l'amour du bien, nous ne pouvons pas ne pas discerner en nous quelque chose comme une promesse non tenue. Le devenir détient le sens de notre être, et nulle onto-logie de l'être de fait ne peut rendre raison de nos actes. L'absolu du bien, auquel nous sommes essentiellement exposés ou promis, nous ouvre l'ho-rizon d'une existence définitive, d'un avenir absolu. Mais à un tel avenir, il est indubitable que nous maîtrisons l'art de nous dérober : nous sommes, aussi, de fait, ceux qui peuvent exister dans l'ignorance du bien, ou dans son oubli. Et Kant a raison, sur ce point, de former l'hypothèse d'un « infini éthique » et d'une « éternité éthique ». Le paradoxe temporel de la morale ne peut être exprimé autrement.

La finitude définit notre être, mais elle abrite dans le monde et le temps une requête d'infinité. A celui qui se laisse persuader que l'homme est le cas, comme est le cas la mondanité du monde, cette requête est inapparente et impensable, comme est insignifiante la postulation d'un avenir absolu dont dépend l'intelligibilité de notre présent. L'être de l'homme met pourtant plus en jeu que ce qui est de fait ici et maintenant. Il nous « appar-tient » d' « avoir » un avenir. — L'on est désormais un peu moins incapable de préciser comment un tel avenir se propose à la pensée. Le temps nous engage éthiquement à exister dans le double horizon d'une finitude empi-rique et d'une absoluité de sens. Notre présence au monde n'est pas close, et notre ouverture à l'être doit s'interpréter ultimement à la lumière de notre ouverture au bien. Réciproquement, notre ouverture au bien ne peut être abstraite du monde dans lequel elle a son lieu et les conditions de sa révélation : l'absolu qui, ici et maintenant, nous intéresse à lui ne nous délie pas des raisons qui permettent un tel intéressement. Notre temps n'est pas qu'infini désir du bien et infinie naissance éthique à nous-mêmes. Les histoires qui s'y nouent ne peuvent cependant offusquer l'eschatologie proposée à la conscience morale. Et elles ne peuvent alors nous cacher que cette eschatologie n'est pas à la mesure du temps qui nous mène à la mort. Aucune certitude disponible ne nous autorise ici à résoudre la contradiction qui gît dans l'expérience du sens. Nous sommes dans le monde promis au bien : exposés à sa requête, incompréhensibles hors des significations qu'il donne à notre être. Mais l'avenir absolu qui détient le sens de l'éthique n'annule pas le sens de notre mort ; l'éthique nous est une urgence, et l'ascèse de la bonne volonté ne peut compter sur nul autre temps que celui où la vie assigne ses limites à l'existence. Notre exposition au bien rompt la logique de l'être-dans-le-monde : elle est certainement la seule instance critique de notre facticité. Mais elle demeure pièce de cette logique qu'elle excède. L'immanence, encore une fois, autorise une transcendance, et la transcendance ne cesse de rendre témoignage à cette autorisation. La rationalité indispensable d'un avenir absolu ne saurait obnubiler la mesure empirique du sens par le fait. C'est en tant que mortels que nous sommes exposés au bien. Michael Theunissen fait remarquer que le « Royaume de Dieu » est, depuis Kant, devenu le dernier contenu de la philosophie[28]. Nul n'en est cependant citoyen que par prolepse, n'atteignant le définitif que sous les espèces et les conditions du provisoire. L'inconfort (théorique et existentiel) d'une telle expérience nous est essentiel.

24 - LA MORT ET L'AUTRE

L'*atotalité* est ontologiquement le mode sur lequel l'homme fait expérience de lui-même. Cela doit nous mener à poser à nouveau la question de la mort, désormais comme question de la mort de l'autre homme. Et ce ne sera pas une redondance.

---

28. In *Der Andere. Studien zur Sozialontologie der Gegenwart*, Berlin (2), 1977, p. 507.

Etre homme n'est pas le fait d'un moi monadique, ou d'un moi simplement à demeure en un monde, mais d'un homme existant parmi les hommes.
La « coexistence » des moi est de fait[29] ; l'intersubjectivité est une donnée
primitive. Non certes qu'elle ne pose pas de problème et qu'il ne puisse être
question, réflexivement, de sa genèse : alors même que nous sommes
nativement habitués à habiter le monde dans la compagnie d'autres hommes,
nous n'y rencontrons pas seulement un trait de notre facticité, mais aussi une
obligation, dont on connaît les enjeux théoriques. Ou, ce qui revient au
même, la facticité s'y révèle comme inclusive d'obligations. L'institution
de l'intersubjectivité n'attend toutefois nulle médiation théorique, même si
elle demande à être pensée. L'événement précède, banalement, sa thématisation ; et il nous est impossible, sauf mutilation extrême de l'expérience,
de penser un homme à qui d'autres hommes ne soient toujours déjà présents :
la réciprocité des consciences fait partie de ce à quoi nous ne pouvons nous
refuser sans déraison. Et s'il en est ainsi, il faut alors ajouter que les horizons
temporels de l'intersubjectivité appartiennent eux aussi aux couches primitives de l'expérience. Or, la plus courte phénoménologie de l'intersubjectivité nous affronte à la même mise en question du présent par la mort avec
laquelle toute interprétation du temps doit se mesurer. De même que nous
n'existons que comme vivants, destinés à ce titre à mourir, de même l'interpersonnalité a-t-elle fondamentalement lieu dans l'horizon de notre mort.
La communication, voire la communion, met l'autre homme en cause
comme esprit et comme chair, comme esprit en acte de révélation dans la
chair. J'ai peut-être la possibilité de prendre immédiatement connaissance
de moi-même comme être d'esprit — même si, à vrai dire, cette possibilité
implique une prise de connaissance tout aussi immédiate de soi-même
comme corps. Mais l'intersubjectivité ne connaît pas cette possibilité, elle
s'origine à l'objectivité de l'esprit dans la médiation de la chair, et rend ainsi
patente l'impropriété du terme même d' « intersubjectivité ». L'autre homme
est comme moi, et devant moi, un esprit qui est-là, une conscience présente
dans le monde. Et quand la phénoménologie s'essaie à (re)construire la
rencontre de l'homme par l'homme, elle ne peut qu'en percevoir avec
acuité le problème. Seule son objectivité autorise que je reconnaisse dans
l'autre homme un autre moi-même. Mais encore faut-il que je prenne acte
de sa transcendance par rapport à toute objectivité qui n'est pas celle de

---

29. Ainsi dans *Sein und Zeit*, § 26.

l'esprit. Ce dont toute expérience est capable. Ce dont toute philosophie n'est pas apte à rendre compte avec la même aisance...

L'*interobjectivité* est donc la condition de l'intersubjectivité. Or, avec l'objectivité charnelle des consciences, c'est aussi leur être vers la mort qui nous est objecté. Etre-*là* ne nous impose pas de ne reconnaître d'autre présence dans le monde que celle des choses, et de trouver dans l'objectivité la mesure de l'être. — L'objectivité nous ouvre en fait l'espace dans lequel se propose à nous la réalité inobjective, ou plus qu'objective, de l'esprit. Mais cet espace ne nous est accessible que par la médiation du corps, qui dans le monde est le lieu de l'esprit et la condition de sa connaissance. L'intersubjectivité ne peut masquer l'objectivité réciproque sur le fond de laquelle, et au travers de laquelle, elle s'institue. Et cela veut dire qu'elle ne peut masquer l'ombre de la mort portée sur toute vie. La mort du corps et l'expérience de sa mort par l'esprit n'annulent peut-être pas l'esprit. Mais elles annulent toute relation qui ait le monde pour lieu. Lorsque l'objectivité « chosale » du cadavre remplace ce qui était objectivité de l'esprit, nul substitut n'existe plus à une présence perdue. La mort ne règne pas nécessairement sur l'être. Mais elle est le secret négatif de la relation.

Encore une fois, l'expérience nous force à penser les conditions qui la permettent. La réciprocité des consciences n'a pas pour temps un présent que seules la reconnaissance (« intersubjective ») de l'homme par l'homme ou la « transcendance vers l'autre » informeraient. Et lorsque l'autre homme me fait face, et que je lui fais face, notre rencontre advient dans le temps qui règle tout devenir, et a empire sur tout événement, à l'intérieur du monde. Nous n'existons *en présence de* l'autre homme qu'en étant *présents dans* le monde. Nous le savions déjà : la « manière d'être », l'aptitude transcendantale à l'éthique, est indissociable des modes empiriques sur lesquels nous sommes ; et impliqué partout où l'homme se comprend lui-même (thématiquement ou pré-thématiquement) comme être de devenir, l'éthos n'est jamais indifférent à notre facticité et à notre mort. C'est ici qu'il convient de noter un important problème, rencontré dès que l'on tente d'interpréter la mort de l'autre homme, l'expérience de la mort en l'autre et non en soi-même. Nous avons appris à admettre, après les analyses de Heidegger dans *Sein und Zeit*, que la mort revêt toujours le caractère de la « mienneté ». Seule *ma* mort, dit Heidegger, me révèle ce qu'il en est de *la* mort. Et à la question qu'elle pose, il m'appartient de répondre, dans la « résolution anticipante » qui, de son fait ontique brut, fera un accomplissement ontologique. La mort de l'autre met pourtant en cause les conclusions et les propositions heideggeriennes. On a assez remarqué que c'est son expérience, et non celle de la « mort propre », qui met en mouvement la méditation augustinienne. A la mort de l'autre il revient, ce qui n'est pas tout à fait un truisme, de ne pouvoir en aucune façon être mienne. Son sens ne m'appartient pas. Et cela veut dire que je ne suis pas autorisé à en faire le sceau du sens en lieu et place de celui dont elle dit désormais l'absence : l'incomplétude qu'elle met à nu est immaîtrisable. Nous avons parlé et marché ensemble. J'ai reconnu en lui l'infinie dignité de l'esprit présent dans le monde. Notre confiance mutuelle en notre humanité rendait seule possible notre amitié. Sa mort manifeste aujourd'hui un inachèvement qu'aucune théorie ne peut masquer. Je puis tenter de dire de *ma* mort qu'elle décide de mon existence en son entier, et qu'elle est pour moi condition d'une totalité d'être. Mais la mort de l'autre n'est intégrable à aucune stratégie herméneutique. Le sens personnel de *ma* mort tient peut-être entre mes mains. Le sens personnel de *la* mort, en revanche, pour autant que l'interpersonnalité entre dans la définition de notre être, se décèle à partir de *sa* mort autant, et peut-être plus, qu'à partir de la mienne. L'échec de la relation, ici, n'est pas d'abord et simplement mon échec ; ce n'est pas en me révélant que je ne l'ai pas assez aimé que la mort de l'autre me blesse irrémédiablement : c'est en dénonçant un inaccomplissement, et en m'interdisant d'assimiler cette fin à un achèvement. La mort de l'autre n'est pas son affaire, puisque j'y suis moi-même en question, par ricochet, et qu'elle est pour moi l'occasion, selon les termes d'Augustin, de devenir pour moi-même « une grande question »[30]. Il est tout aussi important pour notre propos d'y découvrir la limite (et la part d'illusion) de toute eschatologie existentielle qui se bâtisse sous sa suggestion. Le sens n'est pas ici entre nos mains : nous ne pouvons le donner, ni en décider. Et pour autant que je suis moi-même l'autre de l'autre homme, je ne peux qu'apprendre, de la mort en l'autre, l'importance d'une critique de la *Jemeinigkeit* heideggerienne : c'est toujours l'autre qui meurt, ce qui n'est pas pour nous consoler, mais pour aviver notre intelligence de ce qui s'y passe, et qui est un abîmement du sens. Les chefs-d'œuvre existentiels que sont certaines vies — celle du saint, celle du héros — pourraient fournir la matière d'une objection. La fin empirique n'est-elle pas pour eux la sanction d'un accomplissement, voire son lieu ? L'argument ne vaut pourtant que ce que vaut tout intérêt esthétique. L'homme qui existe, pour moi, à la troisième personne du singulier,

30. Cf. n. 11.

peut mourir, dès lors qu'il m'apparaît comme définitivement humain. Mais l'existence de l'autre homme n'est pas plus que la mienne un objet que je puisse admirer, et dont j'aie en quelque sorte le droit de remarquer le « fini ». Je ne peux confondre l'existence et l'existant. Je ne peux donc laisser inaperçue la situation d'atotalité dans laquelle tout homme m'apparaît, face à la négation sans position représentée par « sa » mort. La thèse heideggerienne développe philosophiquement les paroles de Rilke, dans *Le Livre de la Pauvreté et de la Mort* :

> O Herr, gieb jedem seinen eignen Tod,
> Das Sterben, das aus jenem Leben geht,
> darin er Liebe hatte, Sinn und Not[31].

Mais ce que le poète demande à Dieu échappe à la logique mondaine du sens. Ces mots ne peuvent être que ceux de la prière.

25 - « HOMO HOMINE MAJOR »

L'interpersonnalité est événement de révélation survenant dans la dialectique de l'esprit et de la chair. A l'esprit il n'appartient pas seulement en l'homme d'être chair. Il lui revient de se rendre manifeste par la médiation de la chair : la philosophie du corps ne peut manquer d'être une philosophie du langage et du visage. Or, cette manifestation advient simultanément comme *don* et comme *promesse*. L'autre homme est devant moi esprit manifesté, ou manifeste. Mais il est surtout esprit en acte de manifestation — comme il peut être, s'il se refuse à la réciprocité des consciences, en acte de dissimulation. Une telle œuvre requiert le temps, et tout présent y est nécessairement le gage d'un avenir, ou en est l'exigence. L'on peut certes rêver de la communication totalement transparente dans laquelle rien ne resterait caché, où l'autre homme nous serait intégralement présent en sa vérité, et où nous lui serions accessibles sans aucune réserve. Mais à l'hypothèse d'un tel achèvement de la relation s'objectent les opacités qui, de l'interpersonnalité, font un travail, voire une ascèse. Si le dialogue doit être plus qu'un échange de mots et d'informations, s'il doit mettre en jeu ce que nous sommes dans ce que nous disons ou taisons, ouverture *sur* l'autre homme et ouverture à l'autre homme doivent s'y correspondre exac-

---

31. In *Das Stundenbuch, Sämtliche Werke*, I, Frankfurt, 1955, p. 347.

tement : nous devons nous y présenter à découvert. Nous savons pourtant, alors même que l'intersubjectivité revêt en notre expérience un caractère originaire, que son ambition contredit la situation fondamentale selon laquelle notre être est ici et maintenant manifeste *et* dissimulé, ensemble. Seule la chose est totalement manifeste : le livre, l'œuvre d'art. Et ce n'est que du cadavre que l'on peut prendre exhaustivement connaissance. L'homme vivant, ou existant, en revanche, nous affronte toujours à la réserve de l'esprit sur sa manifestation — à l'excès de l'esprit objectif par l'esprit subjectif. Cette réserve nous apprendrait, s'il était nécessaire, que l'inter-subjectivité peut décevoir. Et elle nous invite en tout cas à ne pas donner l'être-manifeste des choses comme mesure à la manifestation de l'esprit. Elle impose en effet de prendre une juste mesure de notre humanité, et dans le temps qui rythme toute communication, cette mesure est ultimement paradoxale. *Homo homine major*. Le problème de la connaissance inter-personnelle est d'être prise dans une inconnaissance. La condition à laquelle l'homme peut connaître l'homme est l'objectivité corporelle de l'esprit ; mais cette condition de possibilité interdit précisément à la connaissance de se clore, ou de s'achever en compréhension, sauf à ne prendre l'autre homme que comme objet. Tout homme est plus que ce qu'il nous a dit ou dévoilé de lui, et que ce qui nous est patent de son être. L'esprit révélé dans la chair nous demeure mystère.

Le souci que j'ai de l'autre homme — la préoccupation du moi par l'autre moi — et l'urgence du face à face tirent donc leur centralité (théorique et existentielle) de la mort qui, demain, sanctionnera le primat de l'incon-naissance sur la connaissance. Ils ne peuvent qu'en porter la marque. Quelque réussie que soit la communication, quelque extrême franchise qui préside au dialogue, l'enjeu ontologique de l'interpersonnalité manquerait à être perçu, si le présent devait être abstrait de l'avenir qui le met en question. Le divertissement, sans doute, sait intervenir ici aussi. Nous pouvons oublier que la parole échangée maintenant est pièce de l' « entretien infini » qui seul permettrait de montrer et dire qui nous sommes, et de laisser l'autre être qui il est. Et tout est oublié en cet oubli. Sans doute, le définitif aussi intervient dans la relation présente à l'autre homme, quand dans l'amitié ou dans l'amour révélation de soi et don de soi semblent lever toute réticence, et mettre les personnes à découvert, telles quelles. Mais nul présent ne peut s'affranchir d'avenir, même s'il nous paraît suspendre le temps et l'accom-plir. Et si nul ne peut détourner ses regards de sa mort sans se rendre inintelligible à lui-même, nul ne peut mettre l'avenir entre parenthèses au nom d'un présent qui assumerait en lui tout sens, et le déploiement de ce sens. La joie d'être ensemble ne saurait nous dissimuler la précarité de notre « coexistence ». J'ai du temps pour l'autre homme, il a du temps pour moi. A l'ombre de la mort, cette réciprocité ne peut pourtant instituer plus qu'un début. L'annulation de la relation est le seul accomplissement empirique que connaisse la relation.

26 - UN MALHEUR DE LA CONSCIENCE

Il découle des précédentes remarques que nous sommes ontologiquement voués à jouer dans le monde le rôle, indépassable par quelque dialectique que ce soit, d'une *conscience malheureuse*. Nous ne pouvons pas habiter le présent, et nous satisfaire de ses bonheurs, car la temporalité gouverne notre être, et l'avenir y détient les raisons du présent. Mais nous ne pouvons pas non plus, dans l'horizon de notre mort, réaliser la coïncidence du fait et du sens qui permettrait seule la conciliation du présent et de l'avenir. Nous avons eu un commencement, et aurons une fin. Il serait alors superficiellement raisonnable que nous sachions inventer un art d'exister qui nous permette de mourir, et de laisser l'autre homme mourir, dans la certitude de l'expérience accomplie. Or, nous ne le pourrions (ou nous ne le pouvons, dans le divertissement) sans contredire la rationalité qui préside profondément à notre être. « L'homme plus grand que l'homme. » L'apparence de la rhétorique recèle en fait, ici, l'unique possibilité selon laquelle penser notre humanité dans la logique de son essence. *Nous sommes à nous-mêmes le commencement de notre être.* Ni de notre accomplissement, ni de celui de quiconque, nous ne pouvons être témoins. L'on dira sans doute que seul l'accomplissement permet d'appréhender distinctement le commencement comme commencement, et l'on aura décidément raison — mais en tout cas, sauf ici. Car le commencement nous est rendu patent, en notre relation à nous-mêmes et à l'autre homme, alors même que tout accomplissement se dérobe, s'indique et s'esquisse peut-être, mais jamais ne nous est disponible comme donnée de fait. Ce qui est dans l'ordre du commencement, d'autre part, ne cesse pas d'être parce qu'il n'est pas en plénitude : les réalités inchoatives sont réelles. Nous ne pouvons cependant, dans le temps qui nous mène à la mort, exister définitivement — la prétention en serait illogique, et démesurée. Il nous faut donc apprendre à exister dans l'élément du provisoire ; et il le faut alors même que la mort représente la seule eschatologie — le seul ordre définitif — vérifiable. D'où ce malheur de la conscience, qui ne réside pas comme chez Hegel dans l'ignorance que le monde nous est une patrie[32], mais par lequel nous prenons en compte la réalité ironique du temps qui fait vivre et fait mourir, qui nous promet (à) l'Absolu et nous maintient hors d'atteinte de lui. Le malheur de la conscience est anachronique chez Hegel, car nul ne peut raisonnablement s'entêter à refuser la paix qu'offre le savoir absolu, et par lui le droit à une existence définitivement égale à elle-même. Comparée à l'achèvement hégélien de l'histoire, l'expérience de la mort peut sembler modeste — comme est mince l'expérience du *temps*, pour la philosophie qui pense l'expérience dans l'élément de l'*histoire*. Nulle histoire ne nous dispense toutefois d'interpréter le temps, et nul accomplissement historique ne nous décharge du souci de notre inachèvement. Nous sommes, très exactement, ce souci. Le sens de notre temps passe par le sens de notre mort, sans être un sens qu'elle donne, sans être non plus un sens qu'elle nous permette de donner. Agissant « comme si » une vie éternelle était à notre disposition, et « comme si » ses projets se déroulaient face à Dieu, la conscience morale construite par Kant en fournit la preuve de façon assez parfaite. Son temps n'est pas celui de l'expérience mystique, dans lequel une transcendance extatique ou « épectatique »[33] vers l'Absolu, le Bien, ou Dieu, suffit à donner forme et sens à une durée. Il est temps éthique, temps mondain imposant comme tel l'interprétation de la mort. L'on peut exister dans le temps et en direction d'une éternité, face à la mort et face à Dieu — ce ne peut être, à l'évidence, qu'un mode provisoire de l'identité. Notre temps ne suffit pas à son interprétation.

27 - CORPORÉITÉ ET LIBERTÉ

L'on ne peut affirmer que notre mort accomplit notre vie, et notre existence, sans s'engager dans d'indénouables contradictions. L'empirie n'exerce pas sur le sens un droit absolu de maîtrise. Et l'excès — irrécusable autant que fragile — de l'existence sur la vie, ou de l'humanité de l'homme sur le phénomène humain, détient assurément les raisons de notre être.

---

32. Cf. *Phänomenologie des Geistes*, Hoffmeister, p. 157-171.

33. Le terme d'*épektasis*, familier à Grégoire de Nysse dans ses *Homélies sur le Cantique des Cantiques*, nomme la transascendance infinie de l'âme vers Dieu ; l'âme en voie d'*épektasis* est donc toujours (re)commençante ; la logique du commencement se réinstitue dans l'*eschaton* accompli.

Y va-t-il dans notre mort de tout ce que nous sommes ? Selon toute évidence. Mais notre mort est-elle l'horizon indépassable de toute existence ? Cela est peut-être moins certain qu'il n'y paraît, et les deux questions ne s'équivalent surtout pas. L'avenir qui en toute expérience dicte ses conditions au présent n'est pensable que par qui thématise l'identité empirique de l'être et de l'être vers la mort. Nous sommes temps, et sommes dans le monde. Notre temps ne mesurerait-il donc que notre présence et notre ouverture au monde ? Nous sommes autorisés à ne pas le concéder trop brièvement, dès lors que notre être-dans-le-monde nous rend accessible un sens qui en demeure totalement indéductible et met en jeu plus que les conditions de notre mondanité. Les limites de notre monde sont les limites de toute vérification. Il n'est pas apodictiquement certain qu'elles soient les limites pures et simples de notre être.

Nous ne pouvons rendre raison du temps en faisant abstraction de l'extériorité — du monde — ni mettre entre parenthèses la médiation de notre extériorité — le corps — dans l'expérience que nous en faisons. Mais la médiation ne peut offusquer son propre statut. Et si nous ne pouvons prétendre à une expérience de l'esprit (en nous, en l'autre homme) sans donner agrément à l'objectivité qui est la condition mondaine de l'esprit, s'il n'y a pas d'intériorité dans le monde qui ne possède une extériorité, l'objectivité n'est pas le sens ultime du temps. La philosophie grecque en avait déjà refusé la thèse, en découvrant la temporalité intrinsèque de la conscience. Nous ne pouvons sans doute pas décrire un temps que nulle perception ne concoure à édifier, et où une pure intériorité régisse la diachronie, sans que le moi ne manifeste son objectivité, comme réalité et comme problème. Le temps sans monde, ou sans corps, n'est l'objet d'aucune expérience. Temporalité et corporéité ne sont pourtant pas convertibles ; et le chemin qui conduit de l'intériorité (constitution du temps dans la conscience) à l'extériorité (temps et chair) n'épuise pas pour nous toute question. Il est utile ici de demander à la *liberté* quel rapport elle entretient avec temps et corps.

La liberté a besoin de temps, elle n'est en tout cas intelligible qu'en son ordre : elle n'est pas en l'homme une faculté divine ou angélique. Il lui revient en effet d'ouvrir un avenir, et d'être dans le présent sa possibilité. Est libre la conscience pour laquelle ce qui n'est pas encore n'est pas la conséquence objectivement nécessaire d'un passé et d'un présent, mais engage, totalement ou partiellement, une responsabilité. Cette responsabilité a elle-même réalité durative, et non instantanée. Les actes dont nous répondons, dont nous confirmons *a posteriori* qu'ils étaient bien nôtres, voulus et non pâtis, sont dotés d'une histoire, essentiellement diachroniques. Etant *en acte*, la liberté exige l'extériorité, le monde, le corps. Il y va toujours, là où nous nous affirmons libres, d'une manière d'être dans le monde — même pour celui qui décide librement de la relation, mondainement oiseuse, qu'il entretient avec un dieu. Le secret métaphysique de notre être affleure toujours empiriquement, et se prouve de même. La liberté faite acte, ou faite œuvre, nous renvoie cependant, comme à sa condition et à son origine, à la liberté, abstraite mais réelle, dont l'intériorité est le lieu. Je ne suis pas liberté pure et pure conscience de moi-même comme libre arbitre. Mais dans l'exercice de la liberté, j'apprends plus que le lien irré-fragable de l'intérieur et de l'extérieur : j'apprends aussi que ma temporalité surplombe ma corporéité. Pourrions-nous mettre en jeu l'essentiel de ce que nous sommes sans avouer que nous sommes corps ? La logique *concrète* de l'acte libre en interdit la suggestion. La certitude *abstraite* d'être libre, « préalablement » à toute manifestation de cette liberté, « en amont » des preuves empiriques qu'elle donne à son poids d'être, n'insinue pourtant pas de façon illusoire que nous sommes temps plus radicalement encore que nous ne sommes chair. Nous ne pouvons hypostasier un sujet privé d'objectivité (et surtout nous ne pouvons pas le représenter), et nous ne connaissons pas de temps dont seule la réalité subjective sollicite l'inter-prétation ; notre temps est événement mondain, qui phénoménologiquement se trahit toujours comme tel ; notre liberté a lieu dans le monde ; nulle priorité *ontique* du temps sur le « lieu » n'est concevable. Il y a toutefois, manifeste dans le jeu des libertés, une priorité *ontologique* de la temporalité. Temps et corps nous sont co-originaires ; et l'expérience de soi-même comme d'un être de liberté, capable à ce titre d'établir une césure entre passé et avenir, ne peut autoriser nul oubli du corps. Mais, ni antérieur ni postérieur à notre corporéité, le temps dans lequel la liberté se révèle à nous et à elle-même est de toute façon l'être de l'esprit comme tel. Notre corporéité n'est pas un mode de notre temporalité, et résiste certainement à toute interpré-tation de notre être dans laquelle être ne serait qu'être-temps. Le corps, d'autre part, n'est pas privé d'esprit. La liberté nous apprend toutefois que l'esprit, en son temps, n'est jamais identique au corps où il apparaît.

Définissant l'esprit dans sa relation (pure/abstraite) à lui-même, son temps ne l'emmure pas en soi : il lui permet en fait d'avoir part à, ou lieu dans, la temporalité universelle et objective du monde. En pâtissant et en édifiant son temps, l'ego montre qu'il lui revient d'avoir un monde et d'être pris en son temps. En découvrant, à la racine de son être, une temporalité qui domine sa corporéité, il dévoile symétriquement une certaine distance de son être par rapport à son être au monde. Entre esprit et monde, le temps doit nous apparaître comme terme médiateur. Notre temporalité radicale rend possible notre mondanité. Mais notre mondanité n'en détient pas toutes les raisons.

28 - L'EXTASE

Le temps est la rencontre de l'esprit et du monde. Plus profondément, il convient aussi d'entrevoir qu'il se constitue toujours, dans le monde, à l'intérieur d'une relation : que l'autre que moi intervient dans la constitution de mon temps. L'ipséité ne suffit pas à rendre compte du temps. Nous sommes certes de temps, comme nous sommes de chair, tels quels. Et l'expérience du temps peut être réduite à l'abstraction d'un solipsisme : expérience de soi faite par un moi oubliant qu'il est corps et demeure en un monde, et où le temps ne prend plus mesure que d'une réflexivité. Or, la phénoménologie de l'édification du temps dans la conscience nous rappellera toujours que le temps ne se bâtit qu'en un jeu de transcendances intentionnelles, et que l'extériorité, sous tous ses modes (le corps, le monde, les autres moi), nourrit perpétuellement le temps. La solitude transcendantale est probablement une des tentations les plus récurrentes de la conscience occupée à penser sa réalité. Elle ne saurait cependant masquer que l'esprit, en son temps, peut *être* de façon solitaire, et y être pris dans le devenir qui constitue son être, mais que la vérité « authentique » de son être lui y échappe décisivement. Qu'advient-il de l'esprit, dans le devenir qui constitue son être ? L'autotranscendance selon laquelle l'homme est « plus grand que l'homme » fournit une réponse formelle : l'identité immobile à soi-même n'est pas humaine, et n'est peut-être pas pensable, même comme est pensable une attitude ruineuse. Il y a plus. L'excès par lequel l'être se manifeste, dans l'horizon du temps, comme devenir, n'est intelligible que si la temporalité, qui est de toute façon la forme d'une relation à soi-même, est aussi une sortie hors de soi-même. A celui qui est temps, disait-on, il revient presque par définition de ne pas être en possession de son être. N'être pas le seigneur de son être, voilà qui veut dire ici : être essentiellement tourné vers l'autre que soi. Il n'y a pas de temps monadique, sinon par abstraction. Cela vaut du présent, cela vaut de l'avenir, cela vaudra aussi de toute notion cohérente que nous puissions former d'un avenir absolu. Nous ne pourrions sans contresens penser un accomplissement qui dispense l'homme d'être intéressé à l'autre que lui, et ce sur le mode du besoin. « L'autre que soi » revêt certes plus d'un visage. La perception des choses, le dialogue engagé avec des personnes, ou la prière adressée à Dieu, n'interviennent pas uniformément dans la façon de notre temps. Connumérer ces relations nous permet toutefois de souligner encore que le sens de tout avenir nous est donné, ou imposé, ou proposé, plus qu'il ne naît de nos projets. Nous ne sommes égaux à nous-mêmes qu'en étant tournés vers l'autre que nous-mêmes : telle est la modalité originaire de notre existence. L'intérêt pour l'autre est condition de notre accès au sens, et plus profondément encore condition de notre accès à nous-mêmes. L'homme ne serait pas plus grand que lui-même, si un avenir ne lui était ouvert de l'extérieur. Son intéressement radical à l'autre que soi médiatise pour lui tout retour vers soi. En nous intéressant à lui, l'autre que nous se révèle détenteur du sens de notre diachronie. L'extase prime temporellement l'enstase.

29 - L'ENJEU ET LA CONDITION

Nous existons de fait sur le mode d'une finitude dont notre naissance et notre mort balisent le champ. Le paradoxe ontologique de l'esprit est toutefois d'être requis de façon non finie par le bien, dont le commerce est sa situation la plus humaine, et la plus humanisante. L'infini n'est pas notre projet, et la proposition nous en est faite, pour peu que nous sachions déchiffrer les enjeux de l'expérience. Nous n'en détenons pas les raisons en nous-mêmes ; et c'est dans la mesure où notre être et notre temps nous sont relation et transcendance que la finitude de tout projet formé à l'ombre de la mort, et tentant d'en déjouer le souci, peut être mise en question lorsque s'ouvre devant nous l'horizon absolu du bien. L'esprit est radicalement en son temps dans son exposition à un tel absolu. Nous ne pouvons toutefois isoler une région de l'expérience dans laquelle seul l'/un absolu soit en cause. En toute expérience se dévoile et s'impose à nous la médiation du monde. Et transparaissant dans la relativité des situations, notre revendication par l'absolu du bien ne nous délie donc pas de l'écart auquel notre être dans le monde nous maintient par rapport à une telle revendication. Seuls le relatif et le contingent sont à notre disposition, et nous ne sommes à notre propre disposition que dans le temps qui nous mène à la mort. Les gestes conditionnés qui nous affrontent à l'inconditionné demandent nécessairement une difficile herméneutique. Nous ne sommes pas maîtres des promesses que recèle notre être, et qu'il nous arrive d'entendre lorsque nous tentons d'exister en donnant agrément à ce que nous sommes. Nous ne saurions en effet nous promettre l'absolu — même s'il existe certainement un art de s'exposer à ses revendications. Ce n'est pourtant pas dans les marges de notre être que le relatif nous y promet. Le Bien qui juge tous les biens, en inquiétant toute expérience que nous faisions, est mesure eschatologique de l'/notre être. Nous ne pouvons déduire de cette inquiétude la figure que prendrait pour nous une pure relation à l'absolu que le relatif ne médiatise pas, une pure transcendance vers le Bien que des biens ne guident et ne limitent pas. Mais nous pouvons en apercevoir la signification. Un infini dont nous nous donnerions la mesure serait probablement un « mauvais infini »[34] dans lequel le fini se répète à perte de vue — ici, à perte de temps... — sans cesser de trahir sa finitude. Et si l'étant qui existe sur la modalité insurmontable du commencement voulait se donner à lui-même les conditions de son accomplissement, peut-être n'aurait-il le choix qu'en un consentement sans réserve à sa mort et la postulation insatisfaisante d'une *mauvaise éternité* où il finirait par se lasser d'être, s'y mettant par-delà le monde en situation d'éprouver encore l'ennui qui, plus encore que l'angoisse, manifeste les dernières questions de notre présence au monde[35]. Or, l'avenir absolu qui se propose à nous comme unique hypothèse consistante d'un accomplissement de notre être n'est pas notre plus beau projet. Il est en question en nous. Il peut être aussi notre question : l'avenir est en jeu en tout présent, et nous connaissons assez bien les règles du jeu. Or, l'enjeu lui-même nous demeure, paradoxalement, inconnaissable : nous ne pouvons mettre la main sur l'homme définitivement sis en son humanité. Qu'est-ce qui se trame en son temps pour l'étant qui, dans le monde, est présence de l'esprit ? Il est prudent de ne pas recourir incritiquement au concept d'éternité, ou à *un* concept d'éternité. La non-univocité du temps est après Plotin et Augustin la première thèse sur laquelle bâtir une interprétation de notre diachronie : autre est la réalité objective du temps, autre sa réalité subjective. Mais de ce que nous existons à la croisée du temps du monde et du temps de la conscience il ne suit pas que nous soyons ce qu'affirmait Kierkegaard, une synthèse de temps et d'éternité[36]. En nulle expérience l'esprit n'est affranchi de son objectivité, nulle part notre être ne cesse de se déployer

---

34. Cf. Hegel, *Logik*, § 91-95 (*Jubiläumausgabe*, t. 8, p. 218-227).
35. Cf. M. Heidegger, *Die Grundbegriffe der Metaphysik*, GA, 29/30, Frankfurt, 1983, p. 89-272.
36. Voir la première section de *La maladie jusqu'à la mort*, OC, t. 16, p. 171-181.

comme temps. Comment penser par-delà la logique temporelle de l'/notre être ? Et, d'ailleurs, le faut-il ?

30 - L'APORIE DU TEMPS

La question sur le temps est transcendantale : il n'y est pas débattu d'une région de l'expérience, mais d'une condition faite à toute expérience. Il n'est donc pas surprenant qu'une philosophie du temps (dont les précédents paragraphes ne contiennent pas plus que l'épure) mette en question tout ce qui vient humainement à l'expérience. Nous faisons en toute expérience l'expérience « transcendantale » de ses conditions de possibilité. Nulle condition de possibilité n'est évidemment perceptible hors des réalités qu'elle possibilise : et cela explique que la question du temps appelle, pour recevoir à défaut de réponse une formulation claire, l'esquisse d'une logique de l'expérience. Cette logique de l'expérience mène elle-même à, ou se révèle identique à, une logique du sens. Et cette logique, à son tour, se présente sous la forme d'un conflit des significations — sous la forme d'une logique de la contradiction du fait par le sens. La dialectique fondamentale de toute intelligence de l'homme, selon laquelle l'esprit exige le corps comme condition irremplaçable, non seulement de sa manifestation, mais encore de sa subsistance personnelle, alors que le corps renvoie à l'esprit comme au secret de son objectivité, est le lieu herméneutique de la philosophie du temps. Sans l'esprit, le temps de l'homme ne pose plus qu'un problème de physique (nous posant pour l'heure, au reste, les plus fascinantes questions de physique subatomique...). Et sans le corps, l'homme cesse en son temps d'habiter le monde (et la philosophie ne lui connaît que cette demeure), et ne peut même habiter sa propre existence. Mais cela ne cesse d'impliquer que la mort est l'horizon dans lequel se décide tout appel que nous fassions à un sens. La philosophie a pu longtemps refuser une telle problématique : si l'humain en l'homme est et n'est que son esprit, et s'il revient essentiellement/axiomatiquement à l'esprit d'être pour toujours, préservé de toute « corruption » en sa seule égalité avec lui-même, alors la mort n'est qu'un incident biologique. Inversement, la philosophie contemporaine est très capable de penser la seigneurie de la mort sur l'/notre être : la totalité empirique qu'elle enclôt peut être reçue comme totalité de sens — ou, si l'on veut, la seconde loi de la thermodynamique peut être élevée au rang de premier axiome ontologique. Y a-t-il dilemme ? Il ne faudrait pas mettre trop de hâte à l'affirmer. Il faudrait en effet, en cas de dilemme, ou bien concéder à la mort qu'elle a statut eschatologique, ou bien oublier que nous sommes mortels. Mais ni l'oubli de la mort ni l'ontologie de l'être vers/pour la mort ne peuvent trancher les antinomies de l'expérience du temps, et de soi-même comme être de temps. Nous sommes corps et sommes dans le/un monde. Lieu de toute expérience, donc de l'expérience de soi-même comme esprit, le corps n'est pas uniquement notre ouverture au monde. Exister « ici et maintenant » nous rend en fait disponibles à un absolu qui nous requiert, mesure notre accès à nous-mêmes, et n'est pas une fonction de notre monde. Qui dit homme dit corporéité. En découle-t-il de façon claire et distincte que notre être-dans-*le*-monde décide définitivement de tout être en *un* monde? L'extériorité est essentielle à la construction du temps : notre temps ne peut pas être réduit à l'acte réflexif de la conscience demeurant avec elle-même, satisfaite d'être conscience de soi. Mais l'extériorité ne consacre pas non plus l'identité de notre être et de notre être-dans-le-monde. Notre mondanité est de fait. Elle est même le premier fait. Mais notre humanité n'est pensable qu'en référence à un avenir que nous ne pouvons pas maîtriser, que nous ne pouvons même pas représenter exactement, mais d'où dépend de part en part le sens de notre présent. La dialectique du corps et de l'esprit ne se vérifie qu'à l'ombre de la mort. L'absolu qui se donne accès à nous, partout où notre être est sérieusement en cause, ne nous est-il alors promis que dans cette limite? Ou faudra-t-il tenter de concevoir que les limites du monde ne sont pas celles de tout monde possible, et que la mort et la totalité inaccomplie qu'elle scelle n'ont pas de statut eschatologique? A l'évidence, la philosophie et l'expérience dont elle interprète la rationalité sont contraintes ici au silence : seule une relance de l'expérience pourrait relancer le travail de la pensée.

Préoccupée à la racine de notre être par le temps qui n'est pas encore et par l'être qui n'est pas encore, en quelle expérience saurons-nous que nous vivons le présent en sa vérité? La fin détient le sens du commencement, et l'idée d'accomplissement critique la réalité empirique de la fin. Mais s'il nous est possible de connaître ce que nous sommes comme *inchoatio humanitatis*, le lien de la fin et de l'accomplissement demeure en et pour nous énigmatique. Projet et souci butent sur la mort comme la mémoire bute sur la naissance. Est-ce à dire que notre être ne réside qu'en un intervalle, et que l'*étirement* qui le constitue n'est que le trajet de celui qui naît pour mourir? Nous restons ici en question. Notre être ne nous appartient pas, et il ne nous appartient pas de répondre de/sur nous en dernière instance. Nous devons habiter l'aporie du temps.

Deuxième partie

Le temps
entre création et monde

Il y a plus d'une manière de mettre en lumière la frontière qui sépare la philosophie de la théologie. On en retiendra une : la théologie est seule à savoir positivement, et à affirmer dans cette même mesure, que la mort n'a pas et n'est pas le dernier mot.

L'on ne prétend pas ainsi que la mort soit nécessairement une dernière instance philosophique, tant s'en faut. Contourner ou critiquer la mort est même une des occupations favorites du philosophe, et l'hypothèse d'une éternité à la mesure de l'homme (cristallisée dans le concept d' « immortalité de l'âme ») est classiquement une de ses hypothèses chéries. L'hypothèse ne vaut toutefois que ce que vaut son champ d'application. Or, la corporéité est exclue de ce champ. Et pour qui considère la relation essentielle que le corps entretient avec ipséité et temporalité, l'idée d'une immortalité réservée à une dimension non charnelle du moi peut apparaître comme l'oubli de la mort, et non comme sa critique. Qui survit en effet à la mort ? L'ego. Mais l'ego n'est-il pas aussi sa chair et celle-ci, incontestablement, n'est-elle pas vouée à se résoudre intégralement dans la mort ? Il serait vain et prétentieux d'abattre un pan entier de philosophie en quelques lignes. Mais il n'est jamais vain d'apercevoir les problèmes de fondation, et pour avoir thématisé la logique d'aporie qui gouverne la temporalisation, nous pouvons discerner un tel problème. Il ne s'agit pas en ma chair de quelque chose que j'aurais, mais de quelque chose que je suis, d'un corps qui est un sujet. Il ne s'agit pas dans ma présence objective au monde d'une détermination inessentielle ou seconde, adventice, de mon être, mais d'un foyer autour duquel se déploie ce que je suis, d'une extériorité conditionnant toute intériorité. Il ne s'agit pas en notre temps de l'esquisse mondaine d'une éternité non mondaine (le monde ne saurait être le « lieu » que du temps), mais de l'horizon présent de ce que nous sommes, et que nous sommes dans le devenir qui nous conduit à la mort. Que l'interprétation de cet horizon n'ait nul garant d'univocité, voilà ce qui apparaît clairement : la contradiction du fait par les appels du sens contraint (au moins dans l'ordre de la raison pratique prise en son sens large, dans l'ordre de la raison qui pense la pratique par l'homme de son humanité) à mettre en question les prétentions eschatologiques de la mort ; la thématisation du temps comme être-vers-la-mort ne nous démasque pas toutes les raisons qui doivent mouvoir la philosophie. Il importe cependant d'entrevoir et de nommer notre incapacité à en finir conceptuellement et expérientiellement avec l'être-vers-la-mort, dès lors que nous savons la temporalité essentielle à notre être, et pour autant que notre être se dévoile à partir d'une présence diachronique au monde. La mort n'est pas seulement le propre du corps, mais le propre de l'homme. Nous ne savons plus, d'autre part, penser avec conviction un homme privé de corps, une âme séparée. La philosophie peut sécréter des espérances et les penser. Il n'est plus certain que celles-ci aient encore assez de force pour dissiper l'ombre de la mort.

La philosophie n'est pas intégralement constituée en aporétique : son élément est d'abord celui du savoir. Une telle constitution appartient en revanche à la logique temporelle de l'existence — et la philosophie qui pense cette logique est donc une aporétique. Il est alors permis de demander si un discours autre que celui du philosophe ne peut pas contrevenir à cette impasse rationnelle, et en trouver les raisons dans ce que nous avons nommé une *relance* de l'expérience (cf. p. 69). Or, de fait et peut-être de droit, la théologie représente un tel discours et un tel savoir. Le temps nous est essentiel et la mort est l'horizon du temps, son dernier mot. Mais c'est bel et bien depuis un au-delà de la mort — depuis Pâques — que s'organise la théologie. L'espérance y est toujours déjà accomplie, et sa réalisation précède en quelque sorte sa formulation subjective. L'accomplissement — la résurrection de Jésus de Nazareth — possède certes le caractère distinctif de l'anticipation : j'habite aujourd'hui un temps qui me mène à la mort, et non un tout nouvel éon dans lequel la mort n'occuperait plus de fonction centrale, pour la théorie comme pour l'expérience. L'anticipation permet toutefois à une autre logique du pensable de s'organiser dans le champ traditionnel de la philosophie. Celle-ci n'a pas plus le dernier mot que la mort ne le détient. Son domaine de validité (dans l'ordre des significations existentielles) est celui des réalités provisoires — et même le concept d'immortalité de l'âme ne sert pas à plus qu'à penser le provisoire, s'il est vrai que c'est corps et âme que l'homme existera définitivement, peut-être. Et la philosophie viendrait donc trop tard, si elle s'organisait postérieurement à la certitude théologique, ou si elle refusait que celle-ci ne lui donne à penser. Qu'y a-t-il alors qu'il nous faille penser, et comment importe-t-il de le penser? Deux points concourent à une interprétation théologique du temps de l'homme : l'entrée de l'Absolu lui-même dans l'horizon du temps, et l'institution (pascale, christologique) d'une temporalité qui ne soit pas prise intégralement dans la logique de l'être-vers-la-mort. C'est en posant ces questions, et elles seules, que la pensée peut trouver prise sur un dernier mot, et le prononcer.

32 - PÂQUES : OMBRE DE LA MORT ET LUMIÈRE DE LA VIE

Temps et mort sont (mondainement) liés de manière irréfragable. La théologie en ratifie l'évidence : si d'aventure Dieu prend sur lui d'avoir du temps, si Dieu se donne du temps pour l'homme, il prend simultanément sur lui d'avoir une mort. De la certitude de notre mort, d'autre part, rien ne peut vraiment nous distraire ou nous divertir jusqu'au bout. Dès les premiers mots de la foi, l'affirmation théologique de Dieu sert aussi à confirmer ce que nous savions de toute façon par avance. A l'acheminement de l'homme vers sa mort répond théologiquement la mort humaine de Dieu. Et même si la *quaestio de homine* se déplace entre philosophie et théologie (puisqu'il devient théologiquement question de l'humanité de Dieu, et que toute définition et redéfinition de l'humanité de l'homme y prend racine), ce ne sera certainement pas pour obnubiler la facticité. Ce n'est pas aux seuls yeux du philosophe que l'homme est un mortel. La théologie aussi est affaire de vie et de mort. Si Dieu est capable d'humanité, il est aussi capable de mourir ; la parole théologique s'origine (« kérygmatiquement ») à la Parole de la Croix. Il faut sans doute la foi pour affirmer qu'un temps humain sanctionné par une mort a bel et bien été le temps de Dieu, et qu'une mort, la mort de Jésus de Nazareth, a été la mort-même de Dieu. Et ce que la foi affirme est indéductible de toute prémisse non théologique ou pré-théologique. La foi toutefois doit rendre compte d'elle-même, à l'égard d'elle-même, comme à l'égard de toute raison et de tout savoir. On donnera donc raison à la foi, et à la théologie après elle, à une condition : cette mort est la mort humaine de Dieu si, et seulement si, Dieu la revendique pour sienne ;

et Dieu ne revendique comme sienne la mort de Jésus de Nazareth, en dernière instance, que dans l'acte où il ressuscite celui-ci d'entre les morts et instaure en lui la modalité définitive, c'est-à-dire eschatologique, de la vie. Vit-on pour vivre ou pour mourir? Le sentiment immédiat de la vie nous laisse ici dans l'ambiguïté — ce qui est vécu dans le seul élément du présent est évidemment incapable de prendre la mesure des prétentions eschatologiques de la mort, comme de tout autre avenir absolu. Et réciproquement, toute requête métaphysique d'éternité peut être fallacieuse, en masquant le lien aporétique de l'esprit à la chair qui meurt, et dans laquelle il meurt. On disait que seule une relance de l'expérience pourrait permettre de résoudre l'aporie du temps. Cela dit donc que le problème n'est pas d'abord celui de la production des concepts, mais celui des faits à concevoir. Penser un salut à la dimension de notre corps est évidemment mieux que de ne sauver que des âmes. Mais encore faut-il que la pensée ait pour elle cette légitimité que le sens ne confirme qu'en passant par l'épreuve des faits. Pour que le dilemme de la temporalité et de la corporéité soit dénoué, et pour que la vie elle-même ne soit plus vécue à l'ombre de la mort, mais dans l'horizon ultime d'une ipséité qui survive à la mort, et à laquelle la chair de l'homme participe, il faut donc la violence d'un fait — tant il est vrai que l'on ne peut parler du corps, alors que l'on peut très bien parler de l'âme, sans tenir le langage du fait. L'hapax historique constitué par la résurrection d'un juif palestinien pendant le principat de Tibère est ainsi le fait par excellence. Il s'agit là d'abord d'un événement proprement théologique : il instaure et ratifie la seigneurie du crucifié. Il s'agit aussi d'un événement anthropologique : il infirme en effet toute eschatologie où la mort ait le dernier mot. On comprend alors que des significations universelles soient en jeu dans sa particularité, et qu'il s'agisse là d'une nouvelle donne dans l'organisation du pensable. La biologie détient ici et maintenant les mesures (empiriques) de la vie. La métaphysique de l'esprit, d'autre part, détient les seules conditions, éminemment paradoxales, auxquelles avant Pâques, ou en faisant s'il est possible abstraction de l'événement de Pâques, quelque chose de l'homme peut survivre à sa mort. Or, une double transgression, de l'empirique et du métaphysique, advient à Pâques. Il est vrai que je mourrai, et il est vrai que ceux qui sont morts avant moi ne sont pas ressuscités ; la réalité empirique n'est pas plus volatilisée à Pâques que n'y sont abolis les droits de la raison spéculative. Mais la *disputatio de homine* n'est pas laissée intacte par la résurrection de celui en qui Dieu s'était donné une mort humaine (et y a-t-il de mort autre qu'humaine ?). Il ne s'agit pas là du sort d'un autre, mais de mon sort dans le sort d'un autre. La vie y rompt ses limites biologiques. L'ego y transgresse toute assignation de son être à l'esprit seul, en sa pure différence d'avec toute chair et toute matière. La croix et la résurrection ne laissent tels quels ni l'ordre des choses ni l'ordre des raisons.

33 - LE TEMPS HORS-MONDE, LE CORPS HORS-MONDE

L'on peut formuler en une thèse la réorganisation pascale des fondements de l'anthropologie : la corporéité cesse à Pâques d'être fonction et index de l'être-dans-le-monde et de lui seulement. Nul ne peut briser de sa propre initiative le renvoi circulaire du temps au corps et à la mort, jamais l'âme n'est l'intégralité du soi, le caractère essentiel de la corporéité contraint à affirmer la mortalité de l'esprit. L'événement de Pâques, d'autre part, est totalement indéductible, et totalement indû ; il n'y a de nouvelle topologie du pensable que sur la modalité d'une grâce. Mais les réalités indues ne cessent pas d'être, ni d'être pensables. Comment cette grâce-ci se déploie-t-elle ? La mesure n'en est peut-être pleinement perceptible que lorsque la théologie, après avoir confessé la résurrection de Jésus de Nazareth, médite son *exaltation*. On peut débattre à l'infini sur la théologie néo-testamentaire de la résurrection et de l'exaltation, c'est-à-dire sur les apparents paradoxes d'un événement double et unique à la fois. Mais, quelles que soient les conclusions de l'exégèse, il importera toujours de ne pas perdre de vue l'apport théorique propre à la théologie d'exaltation, ou de l'exaltation. Il ne nous préoccupe ici que fragmentairement, mais le fragment est d'importance. Sous les faux-semblants de la mythologie, les récits de l'Ascension imposent en effet une dissociation radicale qui ne transparaît encore qu'imparfaitement dans les récits de Pâques : la dissociation de l'être-corps et de l'être-là. A Pâques, le ressuscité n'appartient plus au monde (appartenir au monde revient à vivre dans l'horizon de la mort), mais ne cesse pas de posséder en ce monde une présence charnelle énigmatique, non encore sacramentelle mais déjà eschatologique. Il faudrait thématiser cette présence comme *concession* et *condescendance*, comme octroi de présence. Il demeure ici que, même de façon exténuée, le Christ de Pâques possède encore un « là » dans le monde, et que ce lieu n'est pas encore celui que délimitent après Pentecôte anamnèse et épiclèse, mémoire du salut et don de l'Esprit, alors même qu'il n'est plus vraiment celui de la présence empirique. Lorsqu'elle

remet l'homme au seul régime de la présence sacramentelle, l'exaltation du
ressuscité contraint donc à avouer que le lieu précis du Christ manifesté
comme Seigneur n'est autre que le « ciel » — c'est-à-dire l'être-en-Dieu.
Dieu a été capable d'assumer un être-dans-le-monde. Voilà ce qui est
annulé au jour de l'exaltation ; et voilà d'autre part ce que la présence
sacramentelle ne va pas vraiment répéter, car elle n'est pas une présence
dans le monde, mais une présence dans l'Eglise. Mais cette annulation ne
nie pas (c'est ce qui en rend la pensée aussi urgente que malaisée) que temporalité et corporéité soient réellement abritées en Dieu, qu'il y ait place
dans l'Absolu pour un corps et du temps, que ceux-ci ne se volatilisent pas
au contact de sa divinité — elle l'affirme au contraire sans ambiguïté. Nous
ne pouvons probablement penser ce fait, sinon dans les termes d'une cohérence double, philosophique et théologique. Si la *quaestio de homine* doit
avoir une signification théologique, ce ne pourra être qu'en assumant dans
l'ordre théologique tout le poids qu'elle possède déjà comme question
philosophique. Il faut donc que le corps et le temps de l'homme aient une
dignité théologique. Or, qui dit dignité théologique dit, en dernière instance,
signification et réalité eschatologiques : la théologie est la science du définitif.
Le définitif n'est pas simplement ce qui contredit le provisoire : c'est aussi
ce qui s'entrevoit déjà par lui. L'hypothèse d'un salut pour le corps, et
pour le temps, est donc forcée par sa logique intime à distendre le lien de la
corporéité et de l'être-dans-le-monde. Elle est à prendre pour ce qu'elle
affirme, et avec la preuve christologique sur laquelle repose la seule vérification à laquelle elle puisse prétendre. Si l'homme doit jamais avoir une
existence définitive, et s'il lui est essentiel d'être fait de chair et de temps
autant que d'esprit, alors sa chair et son temps doivent pouvoir être assumés
dans le domaine des réalités qui ne passent pas. Si ni le monde ni la mort
ne sont l'*eschaton*, si l'homme doit avoir un destin qui excède toute eschatologie à la mesure du monde, alors temps et corps doivent être pensables
hors-monde et selon la seule proximité de Dieu. C'est ce que l'exaltation
du ressuscité permet à la théologie d'affirmer. Et c'est bien le fondement
que cette affirmation se trouve ici redistribuer.

34 - « ANALOGIA ENTIS CONCRETA »

Le sens dernier du temps et de la corporéité se décide à Pâques, il s'y
délivre de toute ambiguïté : l'un et l'autre peuvent donc détenir la profon-

deur eschatologique que le monde ne possède essentiellement pas, et qui est proximité définitive par rapport à l'Absolu de Dieu. On sait toutefois que Pâques n'est pas le premier jour de la connaissance théologique, que ce n'est même pas le premier jour de la théologie chrétienne, et que la christologie a ses origines pré-pascales — même si l'annonce pascale en est la forme concise et précise. Les enjeux les plus importants pour notre propos résident dans la personne même de celui qui échappe à Pâques à la seigneurie du monde et de la mort, et dont la théologie affirmera plus tard qu'il est Dieu et homme, dans l'unité personnelle d'une nature humaine et de la nature divine. On n'exagérera évidemment rien en disant du mystère christologique qu'il est la clef herméneutique de tout langage sur Dieu. Dieu et l'homme ne font pas nombre. Mais Dieu et l'homme peuvent entrer en relation (cette relation a pour nom canonique celui d'*alliance*), et l'alliance peut prendre, en un cas et un seul, la figure d'une union dans laquelle Dieu ne cesse jamais d'être aussi homme, ni l'homme d'être aussi Dieu. Dans une note importante de sa *Théologie de l'histoire*[1], H. U. v. Balthasar frappait sur ce point la formule d'*analogia entis concreta*. Dieu et l'homme, christologiquement soit dit, entrent en plus qu'une relation et une alliance. Ils entrent en analogie. Les noms divins deviennent des noms de l'homme. Et réciproquement le propre de l'homme (au premier plan la souffrance) s'y trouve approprié par Dieu, « sans confusion ni séparation ». Il est donc intelligible (mais non compréhensible !) que le « lieu » de Jésus de Nazareth ne soit pas le monde mais la gloire de Dieu, ou si l'on veut que l'être-dans-le-monde ne soit en lui qu'un mode de l'existence absolument tournée vers Dieu. Nul ne niera de Jésus qu'il soit dans le monde, jusqu'au Samedi saint, comme j'y suis moi-même. L'être-dans-le-monde n'est pourtant que la surface phénoménale de l'événement : d'une part parce qu'il s'agit de l'être-dans-le-monde de Dieu, d'autre part parce que l'homme en qui Dieu se donne chair et temps, et donc un monde, transgresse la logique de l'être-dans-le-monde en existant primordialement face à Dieu — ce qui est le problème de l'union hypostatique. L'analogie est effectivement concrète : des personnes y sont en rapport sans que des concepts ne servent à établir ce rapport. Et elle est posée avant Pâques, avant que l'humanité de Dieu ne soit déliée de son acheminement vers la mort. A la cime de sa manifestation, Dieu n'est l'autre que

1. *Theologie der Geschichte*, Einsiedeln, 1950, p. 35 ; Id., *neue Fassung*, Einsiedeln, 1959, p. 54.

l'homme qu'en prenant sur lui d'être homme ; et l'homme n'est l'autre
que Dieu qu'en ayant pour demeure la divinité de Dieu. Etre-homme n'est
pas être-dans, mais être-vers.

35 - « ANALOGIA TEMPORIS ET AETERNITATIS »

Tout cela implique donc que, l'homme et Dieu entrant christologiquement en analogie, le temps qui est le propre de l'homme entre en analogie avec l'éternité qui est le propre de Dieu (et dont nous ne soumettons
pas le concept à l'épreuve des questions dans le cadre des présentes recherches). Les définitions reçues du temps et de l'éternité ne suffiraient assurément pas à en permettre l'hypothèse. Le temps est « mesure du mouvement selon l'antérieur et le postérieur » et l'éternité, selon les termes
classiques de Boèce, est « possession totale et simultanée d'une vie qui n'a
pas de fin »[2]. Quelle analogie saurait-elle s'établir entre l'un et l'autre ? La
plénitude intemporelle de l'être ne contredit-elle pas le transit mondain
qu'est une existence d'homme ? L'événement christologique dicte cependant qu'un rapport de non-contradiction soit posé entre le mode propre
sur lequel l'homme est soi-même et le mode propre sur lequel Dieu est
lui-même. Déployons brièvement la logique selon laquelle un tel rapport
manifeste son intelligibilité. D'une part, la temporalité en ses dimensions
intégrales (inclusives du rapport charnel de l'homme à sa mort) n'exclut pas
en Jésus de Nazareth une relation rigoureusement extatique à Dieu (c'est-à-
dire une relation dans laquelle l'ipséité soit totalement subalternée à, ou
dévoilée dans, l'être-vers-l'autre). Et d'autre part l'éternité de Dieu, quoi
qu'il faille penser sous ce concept, n'est pas exclusive d'une expérience
divine de la temporalité, et parce que le temps humain de Jésus de Nazareth
est bel et bien le temps humain *de Dieu,* et parce que la relation christologique de Dieu et de l'homme affecte la forme d'une temporalisation et
d'une histoire, dans lesquelles l'avant et l'après trouvent un sens en Dieu
même — car il fut un « temps », pour les hommes comme pour Dieu, où
Dieu n'avait pas revêtu la condition de l'homme. L'alliance christologique
du temps et de l'éternité établit, à moins qu'elle ne rétablisse, la non-
contradiction mutuelle de la temporalité de l'homme et de l'éternité de

---

2. Cf. première partie, n. 15 et 19.

Dieu. Toute analogie bien thématisée implique théologiquement qu'il n'y a jamais de ressemblance, sinon dans l'horizon d'une dissemblance plus grande encore[3]. C'est vrai ici. Même en Christ, le temps ne peut qu'être à distance de l'éternité. Et même si l'union personnelle de Dieu et de l'homme est une intimité (comment saurait-il en être autrement ?), elle ne cesse pas d'unir dans le respect de cette distance. La temporalité, en Jésus de Nazareth, est authentique : nulle pulvérisation de l'humain au contact du divin n'y advient. Cette expérience du temps est donc connumérable à toute autre. Et cela contraint à admettre que le temps, selon sa structure mondaine et historique, n'enferme pas l'homme dans un athéisme. Il y a certes un athéisme principiel de la réflexivité et du solipsisme transcendantal de la conscience — tout comme il y a un athéisme dans le renvoi circulaire du temps au corps et du corps à la mort. Mais cet athéisme n'est pas le tout de notre facticité s'il est vrai qu'un temps d'homme, par grâce mais sans cesser d'être du temps humain, peut être au sens strict le temps de Dieu, et simultanément celui de la proximité absolue de l'homme par rapport à Dieu. Cette proximité n'annule pas l'aporie du temps, pour autant que le temps du Christ est aussi jusqu'au Vendredi saint un temps vécu à l'ombre de la mort, sur des modes qu'il conviendra d'élucider. Il est cependant permis de supposer qu'elle permet une nouvelle topologie des questions posées. Après Rahner, la théologie a appris à discerner (ou au moins à nommer) au fond de l'homme une « puissance obédientielle à l'union hypostatique »[4]. Cela vaut de la question du temps. La temporalité peut se refermer sur une corporéité elle-même prise intégralement dans les limites de l'être-dans-le-monde. Ce faisant, elle n'accomplit pourtant pas son essence : le temps au contraire doit être pensé comme ouverture indéterminée. Et cette indétermination doit permettre qu'il trouve sa forme plénière, quoique indéniablement paradoxale, dans la relation extatique qui autorise l'homme à demeurer dans l'Absolu. En entrant concrètement en analogie avec l'éternité qui est le mode de la présence de Dieu à Dieu, le temps de l'homme accomplit sa définition la plus inévidente, mais la plus radicale.

---

3. 4e concile du Latran (1215) ; *DS*, 806.
4. *E.g. :* Probleme der Christologie heute, *Schriften zur Theologie*, 1, Einsiedeln-Zürich-Cologne, 1954, p. 169-222.

36 - L'ORIGINE COMME INTERPRÈTE DES RÉALITÉS ORIGINÉES

L'aporie du temps a une solution christologique (disons-le pour éviter à ce stade d'affirmer qu'elle n'a de solution que christologique) : parce qu'une christologie du temps permet de dissiper l'ombre présente de la mort, et parce qu'elle fournit ou doit fournir le paradigme d'une temporalité accomplie, pleinement conforme à son essence. Il reste que, par ces prises de position, nous anticipons. Nous y concluons en effet le travail de la théologie, ce qui est bien. Mais ce faisant nous omettons peut-être, en ramenant le réel à sa fin ou son accomplissement, de nous interroger sur son origine. L'accomplissement récapitule toujours, certes, l'origine qui l'autorise et dont il fait mémoire. Mais il le fait en la présupposant. Cela signifie assurément que l'origine et la fin ne sont pas hétérogènes. Cela signifie cependant que la disponibilité des réalités accomplies, s'il arrive qu'un accomplissement soit à notre disposition, ne dispense pas de s'interroger sur le commencement et sur l'origine. L'origine porte théologiquement un nom : création. La théologie sait que la création n'est pas un événement non christologique ou pré-christologique : elle est d'ores et déjà création *en Christ*. Le sens christologique de l'origine et l'interprétation de l'alliance dans l'horizon de la christologie ne sont cependant patents qu'à partir de la fin, lorsque la re-création christologique se fait explicitement interprète de la création. C'est donc par abstraction, mais par abstraction légitime, que nous pouvons remonter de l'accomplissement à l'origine, et tenter d'appréhender dans l'origine l'interprétation des réalités originées. Il faut poser ici deux thèses : *a* / Création et christologie composent ensemble le lieu herméneutique dans lequel comprendre le temps de l'homme, et *b* / La création compose l'horizon herméneutique dans lequel, et dans lequel seulement, déployer une christologie du temps.

37 - CRÉATION ET CHRISTOLOGIE
COMME INTERPRÈTES DE L'HUMANITÉ DE L'HOMME

L'homme tel quel ne suffirait-il pas à l'interprétation de l'homme ? Si cela était, l'aporie du temps constituerait une dernière instance. Or, l'ultimité de l'aporie n'est tenable que si la philosophie et la mort détiennent chacune en son ordre le dernier mot, si la constitution moderne de la philosophie du corps rend problématique toute éternité pour l'homme qui ne s'accompagne pas d'un salut du corps, et enfin si la philosophie se dispense d'avoir accès aux événements de Pâques et de les penser. En revanche, il n'y a de sens théologique à l'humanité de l'homme que nous déportant de ce qui est le cas vers un commencement et une origine que la facticité oblitère, et vers un accomplissement qui ne peut se déduire d'elle. Comment saisir la fin, en effet, sinon en avouant la discontinuité qui la maintient à distance du tissu quotidien de l'expérience? Et comment appréhender l'origine et le commencement, sinon en concédant que les réalités originées ne sont pas telles ici et maintenant qu'à leur commencement, qu'elles oublient l'origine autant et plus qu'elles en font mémoire, et donc que l'histoire, le temps constitué en histoire, n'est ni protologie ni eschatologie? Une telle concession fait toutefois surgir un soupçon. On se propose de ramener l'homme à son origine et à sa fin. Ce faisant, ne se distrait-on pas de ce qui est ici et maintenant le cas et paraît comme tel porter tout le sens de ce que nous sommes? N'est-ce pas pour ce qu'il est, et non pour ce qu'il n'est plus ou pour ce qu'il n'est pas encore, que l'homme est intéressant? On répondra à la seconde partie de l'objection lorsqu'on montrera, en temps voulu, comment une temporalité proprement christique peut échoir en partage à l'homme. Comment répondre à la première partie? Peut-être en suggérant d'ores et déjà que l'origine — la création — n'est pas l'autre du monde (même si elle n'est pas le monde), mais un sens offusqué et néanmoins sous-jacent, et susceptible d'être partiellement réapproprié. Les objections, en tout cas, ne peuvent mettre en cause la dimension théologique stricte du recours à l'origine et à l'accomplissement. On dira que le monde est tel quel à l'écart de la création, et que la christologie d'autre part nous affronte à un accomplissement totalement singulier et irrépétable de l'humain. Mais il restera que la mesure de notre facticité par l'origine et par l'accomplissement n'est pas oiseuse. L'humanité de l'homme, en effet, est moins une donnée qu'un problème. Notre facticité abrite la double possibilité de l'athéisme et de la relation à Dieu, et en rigueur il nous est impossible d'assigner à l'une ou à l'autre la dignité de sens philosophiquement fondamental de notre être. Le renfermement athée du moi, l'ipséité réalisée comme relation de soi à soi — comme *adséité* — sont inscrits dans ce que nous sommes (on en précisera les termes : cf. § 63). Et leur contradiction par un sens théologal de l'expérience est également un possible que nous ne pouvons exclure transcendantalement. Au fondement est donc pour nous une ambiguïté, l'incapacité à trancher en faveur d'une position univoque dans l'être, une duplicité ontologique. Or, c'est bien une univocité qu'autorise selon sa logique propre le recours théologique à l'origine et à l'accomplissement. Qu'en est-il de nous en dernière instance? Et donc, à quelle instance concéder le privilège d'être la dernière? Science des réalités définitives, la théologie a pour heur et malheur la situation épistémologique de la dernière instance. Nul ne parle après elle. Cela ne l'autorise à aucun terrorisme. Mais cela lui concède le droit de requérir et de manifester des significations sises en amont, ou en aval, des ambiguïtés essentielles de notre être-dans-le-monde. Nous reconduisant à l'origine et nous permettant d'anticiper l'accomplissement, elle nous distrait certainement de la facticité. Mais la distance interprétative qu'elle prend et donne à l'égard de ce qui est de fait est la condition d'une intelligence droite : en dernière instance, la facticité n'est pas interprète d'elle-même. Création et christologie surplombent la facticité de l'existence. Ce surplomb est celui d'un sens plénier par rapport à un sens soit raturé soit seulement esquissé. Mais la rature n'est vraiment patente qu'à qui sait ce qu'elle biffe; et nul ne perçoit l'esquisse telle quelle, s'il ne sait ce dont elle est l'esquisse. C'est sur ce mode que création et christologie décèlent l'humanité de l'homme. Celle-ci est d'abord problème : car l'homme humain est moins ce qui est le cas que ce qui peut ou doit advenir, et la possibilité de cet avènement (dont l'éthique sait quelques raisons) n'est intégralement décodable qu'à partir d'une manifestation sans ambiguïté de notre être, ce qui veut dire : d'une manifestation qui transgresse notre duplicité historique. Ce n'est donc pas sans supposer un hiatus que christologie et théologie de la création proposent d'excéder les ambiguïtés constitutives de la facticité, et il faudra toujours prendre en compte cet hiatus — il n'est pas d'autre solution, pour qui veut penser l'homme plus radicalement encore que son être-dans-le-monde et donc son être-vers-la-mort n'en proposent la pensée.

38 - LA CRÉATION COMME HORIZON HERMÉNEUTIQUE DE TOUTE CHRISTOLOGIE DU TEMPS

Un second problème d'interprétation surgit lorsqu'on considère que création et christologie n'élucident pas identiquement l'humanité de l'homme : la christologie présuppose en effet une théologie de la création. Le temps qui entre christologiquement en alliance et en analogie avec l'éternité de Dieu, ou qui se dégage à Pâques de l'ombre portée par la mort, est à la fois notre temps (une diachronie prise dans la chair et le monde) et un temps chargé d'un sens plus originaire que le nôtre (libre de tout repli sur l'adséité, s'épuisant intégralement dans la relation). Ce temps doit et devra être thématisé comme récapitulation (eschatologique) de notre temps. Mais il ne saurait y avoir de récapitulation si la réalité récapitulée n'est pensable en elle-même. Le recours à l'accomplissement impose donc qu'origine et commencement soient pensables ; et même si le premier mot de la théologie est concrètement l'annonce d'une fin proche et déjà là (c'est-à-dire d'un dernier mot), il impose de façon pressante la méditation du commencement : faute de quoi le kérygme sera peut-être proclamable, mais ne sera pas évidemment pensable. Qu'est le temps de l'homme, s'il doit entrer en analogie avec la « surtemporalité »[5] propre à Dieu, et si de ce fait il doit transgresser les mesures de l'être-vers-la-mort ? On ne peut répondre à cette question si l'on ne tente d'appréhender à l'origine ce qu'il en est du temps. On aura l'occasion de préciser les difficultés herméneutiques d'une telle appréhension : nulle part nous n'avons l'origine sous la main, nulle part l'homme ne nous est accessible sinon dans l'élément ambigu de l'histoire, nulle part l'homme commencé ne cesse de s'interposer entre le commencement de l'homme et la pensée qui veut rendre compte du commencement. L'originaire n'est pourtant pas l'inaccessible ; et l'on sait les difficultés d'une théologie qui, satisfaite par la confession d'une alliance, ou d'un salut, omettrait de remarquer que le Dieu qui offre son alliance et sauve répondait dès l'origine de l'humanité de l'homme. La théologie s'organise après Pâques sur le fond d'une *nouvelle certitude,* sur Dieu et sur l'homme. — Celle-ci n'est pourtant intelligible que dans l'horizon des *certitudes préliminaires* acquises avant Pâques, et hors des limites historiques de l'événement Jésus-Christ. Ces certitudes préliminaires, d'autre part, ne sont pas celles d'un savoir pré-théologique, elles sont déjà celles d'une théologie, et il s'agit bien de la même : car la théologie de la création ne parle pas d'autre chose — ou plutôt de personne d'autre — que de ce(lui) dont parle la christologie. Il faut donc concevoir qu'entre théologie de la création et christologie (par la médiation exemplaire de la christologie paulinienne de la création[6]) règne une circularité. L'une sert alternativement d'horizon où déployer l'autre. Rien n'est extérieur à ce cercle. Tout peut s'organiser dans son jeu. C'est le lieu théologique du sens et la condition de son articulation.

5. Cf. Barth, *Kirchliche Dogmatik,* II/1, Zürich, 1940, § 31.1, « Gottes Ewigkeit und Herrlichkeit ».
6. Cf. Ephésiens 1, 3-14, et Colossiens 1, 3-20.

39 - LA CRÉATION COMME ALLIANCE

Le temps n'est pas inauguré le jour où Dieu se donne du temps, ni au jour — à Pâques — où la temporalité s'affranchit de l'être-vers-la-mort qui trame et trame toujours notre expérience. L'origine est restituée par l'accomplissement, par voie d'anticipation. Mais cette restitution ne peut être pensée, et ne peut être confessée, s'il n'est possible de penser origine et commencement en mettant en quelque sorte l'accomplissement entre parenthèses, pour régresser des dernières aux premières raisons. Ce pas en arrière ne risque pas d'être naïf, pour qui a reconnu par avance les mesures christologiques de son savoir : l'illusion de qui voudrait penser la création indépendamment de la christologie ne peut être le lot d'une pensée pour laquelle le dernier mot de Dieu est concrètement le premier transmis et compris. C'est de Barth qu'il faut apprendre, sur ce point, comment la christologie, sous forme de théologie de l'alliance, se préexiste dans la théorie de la création. Le paragraphe 41 de la *Dogmatique de l'Eglise* est un texte obliquement christologique, en ce sens que l'alliance, qui n'y est pas encore thématisée comme salut, y médiatise toute connaissance christologique. L'alliance n'est pas une réalité christologique anonyme. Mais elle est une réalité christologique préliminaire. Le point important est que la théorie de la création, sans cesser d'être prise dans la dialectique dont la christologie fournit le second pôle, se dédouble elle-même dialectiquement — la dialectique de la création et de la christologie abrite une dialectique de la création et de l'alliance. La création, dit Barth, est le « fondement externe » de l'alliance : « il n'y a pas d'existence dans laquelle la créature appartiendrait, à l'origine, à quoi que ce soit d'autre qu'à l'alliance dont Dieu est l'initiateur »[7] ; « l'alliance est le but de la création, et la création est l'acheminement vers l'alliance »[8]. Réciproquement, l'alliance est le « fondement interne » de la création. « C'est l'alliance qui, bien qu'elle ne fût pas encore conclue et que son histoire n'eût pas encore commencé, a rendu nécessaire et déterminé à l'avance la création, parce qu'elle en était le but ; c'est encore elle qui, par là, a déterminé et délimité la création. Si la création a été le fondement externe de l'alliance, l'alliance en a été le fondement interne. Si celle-là a été la présupposition formelle de celle-ci, celle-ci en a été la présupposition

7. *KD*, III/1, Zürich, 1945, p. 105, (p. 103 dans la traduction française).
8. *Op. cit.*, p. 106 (trad. fr., p. 104).

matérielle. Si la première a procédé de la seconde historiquement, la seconde a procédé de la première par son contenu objectif. Si la proclamation et l'institution de l'alliance marquent le commencement de l'histoire qui se déroule après la création, l'histoire de la création contient déjà, en tant qu'histoire de l'être de la créature à ses débuts, tous les éléments qui se rencontreront et s'associeront ensuite dans cet événement et dans toute la série des événements qui le suivront : dans l'histoire d'Israël et enfin, en dernier lieu, dans celle de l'épiphanie et de l'incarnation du Fils de Dieu[9]. »

On s'autorisera à présupposer la dialectique double de la création, de l'alliance et de la christologie. Sur son caractère fondateur, on ne reviendra pas. Il nous faut en revanche percevoir comment l'homme, en son temps, fait la preuve et la contre-épreuve de ce fondement. Créer n'est pas seulement laisser-être, mais encore proposer à la relation. Il n'est pourtant pas de relation, ici et maintenant, à laquelle la mort n'apporte sa contradiction. De plus, il n'est pas d'alliance entre Dieu et l'homme que l'homme ne puisse briser à volonté. C'est ce dont il faut rendre compte.

40 - LE TEMPS DE L'HOMME A DISTANCE DE DIEU

Dire que l'alliance porte le sens théologique de la création revient d'une part à délimiter l'espace natif de la théologie, et dément d'autre part que seul y soit en cause un laisser-être divin abandonnant le monde à sa mondanité, et l'homme à son humanité. L'être-créé n'est pas un en-soi mais une mise en relation. L'alliance cependant, à l'évidence, n'est pas réelle comme le monde est réel. L'homme vit sans Dieu autant qu'il vit avec Dieu. L'existence dans l'alliance ne lui est pas une propriété naturelle. Il faut donc dès l'abord percevoir une indécision fondamentale, qui est celle de toute situation impliquant des libertés. La création en effet ne fait pas de la relation une contrainte. Etre créé est aussi être remis à soi comme celui qui peut être à lui-même sa propre providence. Et l'espace qui sépare la position dans l'être de l'invitation à la relation, même s'il n'a aucune épaisseur empirique et diachronique (les récits bibliques de la création le montrent clairement), garantit *a priori* les droits de la liberté. Le créé est aussi l'autre que Dieu, dont il suffit d'une ontologie pour décider ce qu'il est. Etre-autre ne sépare pas — il reste que, si le créé est comme tel de fait, l'alliance n'est

---

9. *Op. cit.*, p. 262 (trad. fr., p. 247).

pas une donnée de fait. Seule sa proposition est de fait. En d'autres termes
soit dit : à la facticité de notre être-dans-le-monde (laissons provisoirement
de côté la question importante d'une différence entre « monde » et « création ») répond théologiquement une vocation ; et celle-ci peut toujours être
refusée, alors que l'être est ce qui ne se refuse pas (à la seule exception du
suicide). Dès lors, le sens de l'être et du temps n'est pas décidé dans la
mesure, et dans la seule mesure, où un Absolu créateur laisse l'homme être
lui-même face à cet Absolu : il se décide selon les modalités que l'homme
peut donner à ce face-à-face. *La distance en effet est par nature neutre,* elle ne
préjuge ni d'un possible éloignement ni d'une possible intimité. Elle peut
être condition de l'adséité comme elle peut être celle de l'être-vers-l'autre.
Elle autorise l'enfermement sur soi comme l'ouverture extatique à l'autre
que soi. Et rien ne peut se substituer à la liberté de vouloir l'un ou l'autre
— pas même la grâce de Dieu. Deux conséquences en découlent.

a / Tout d'abord, et comme nous le savons (trop ?) bien, le monde remis
à lui-même par l'acte inaugurant du Dieu créateur est un monde profane ou
démythologisé. Il est l'autre que Dieu, et n'est plus la demeure païenne du
divin ou des dieux. Dieu est Dieu, et le monde — monde. Il s'ensuit que
l'ordre objectif et subjectif du temps mondain ne possède pas d'autre signification théologique de fond que l'ambivalence de la distance. Le temps des
montres et des horloges s'adapte au rythme de corps célestes qui ne sont pas
autant d'entités semi- ou quasi divines. Le temps construit dans la conscience
est la durée immanente selon laquelle nous habitons le monde en compagnie
de sujets et d'objets, et il n'implique pas d'autre transcendance que la
transcendance du moi vers tout ce qui compose son monde « en même
temps » que lui — mais il est vrai qu'il est aussi le mode de toute extase vers
Dieu. La clôture mondaine du temps n'est pas maléfique, et elle n'est pas de
soi un athéisme ; nous privant de la compagnie des dieux, des démons ou
des anges, elle permet d'abord de respecter la transcendance d'une origine
originante qui ne se dit pas toute dans ce qui s'origine à elle, qui demeure
infiniment à distance de ce qu'elle fait être, qui ne nous condamne pas à
l'idolâtrie — mais qui ne nous voue pas par destin à demeurer en son
alliance.

b / Il est donc impossible de dissocier le fait de la création en le conce-
vant comme « fait muet », et la parole d'alliance qui en dit le sens, et cela
implique que la distance puisse être radicalement la condition d'une proximité. Aussi faut-il dire de l'homme qui choisit d'exister par rapport à Dieu
qu'il mise sur le mode « authentique » sur lequel assumer son être de créature.

Notre temps nous met à distance de Dieu, à proximité de tout ce qui n'est pas Dieu, et nous éloigne apparemment, parce qu'il est l'élément des réalités provisoires, de la réalité définitive de Dieu. Ce n'est pourtant pas par une violence irrationnelle exercée sur notre propre nature que nous pouvons choisir la proximité de Dieu. Ecart et proximité composent au contraire, au sein de la distance, une structure primordiale qu'il serait dangereux de décomposer. Il y a proximité, parce que la distance est la condition apriorique d'une relation voulue librement. Et il y a écart, parce que la proximité vit de la différence et l'autorise aprioriquement à s'instituer. Sans le laisser-être du monde et de l'homme, l'alliance signifierait en effet l'oubli de nos libertés. Et sans l'alliance, ou « avant » l'alliance, la création condamnerait l'homme à une facticité sans signification théologique réelle, sinon celle que célèbrent de douteuses théologies de la profanité. L'homme est en fait, à distance de Dieu, celui qui peut se tourner vers Dieu, parce que Dieu, à distance de l'homme, est toujours déjà tourné vers lui : l'appréhension de la distance n'est pas celle de l'écart, ou de l'éloignement, mais celle d'une possible proximité. Et cela explique que le temps puisse être essentiellement celui de la transcendance vers Dieu — tout comme cela explique que l'éternité de Dieu ne contredise pas en dernière instance sa condescendance.

41 - CRÉATION/MONDE : « DISTINCTIO REALIS »

Est-il toutefois certain que nous fassions de la « création » une expérience autre qu'oblique, c'est-à-dire que le monde soit sans plus la création ? On a dit que l'origine est une réalité transcendantalement christologique — la création est accomplie en Christ, l'oméga exerce sur l'alpha une causa-lité rétroactive — et que cette réalité est historiquement restituée dans les limites empiriques de l'événement Jésus-Christ. Rien n'est évidemment restitué, s'il n'a été en quelque façon perdu. La théologie enregistre cette perte sous le chiffre conceptuel du *péché*. Le mal moral est en effet ce qui éloigne l'homme de Dieu — ce qui fige la distance en éloignement — et qui l'éloigne tout autant de lui-même. En péchant, l'homme ne cesse pas d'être. Mais entre le moi donné à l'origine et le moi qui se refuse à l'alliance, il crée, au sens propre, un écart nouveau — et l'homme ne peut franchir cet écart, dès lors qu'il est institué, de par sa propre initiative. Nous parlerons donc du monde comme *différent* de la création, et nous attribuerons à cette différence le caractère propre de la *réalité*. Qu'est-ce à dire ? Entre la création et le monde, le refus de l'alliance, c'est-à-dire le péché, et ses conséquences introduisent un nouvel ordre de l'être. On sait qu'il appartient à la liberté d'être déterminatrice de soi. Elle a pouvoir sur celui-là même qui pose un acte de liberté. Elle est réalisatrice et, surtout, autoréalisatrice. Or, la première réalisation que l'homme lui doive est en fait celle de son monde — non point sans doute celle du cosmos physique et de la nature des choses, mais celle du rapport aux choses et aux êtres, dans l'horizon de la mort, dont nous pouvons fournir l'interprétation phénoménologique. La liberté n'est pas sans pouvoir sur l'être des choses dont elle use. Mais elle a surtout pouvoir sur l'être de l'homme. Différant réellement de la création, le monde est ainsi le champ d'expérience d'où l'alliance est principiellement exclue ; et pour autant que monde il y a, l'être s'y identifie pour l'homme à l'être-dans-le-monde. Il s'agit certes d'un monde, et non pas d'une géhenne ou d'un enfer : le monde est aussi l'espace de jeu dans lequel l'homme, lorsqu'il prend connaissance de lui-même, se découvre capable de bien-veillance, capable de morale. Différence réelle ne peut signifier et ne doit pas signifier annulation totale de la création par le monde. Ce qui constitue le monde comme monde est toutefois l'oubli ou la rature de la création, la constitution d'un écart selon lequel la distance de l'homme par rapport à Dieu ne vaut plus que comme éloignement. Et cela veut dire alors que dans l'histoire du monde (nous entendrons l'histoire, de façon consistante, comme prise intégralement dans l'horizon du monde), l'homme ne peut prétendre à habiter l'alliance sans régresser hors du monde ainsi compris, qu'il le sache ou non.

L'on perçoit ainsi les raisons de l'ambiguïté qui trame fondamentalement toute expérience, et qui se manifeste distinctement dans l'expérience de la temporalité. Devenant le théâtre des violences de l'histoire, devenant le domaine du négatif, le monde est suffisamment décréé pour qu'il n'atteste pas la grâce originante de Dieu. Mais alors même que le négatif est moteur de l'histoire, le monde ne cesse pas de faire allusion à la splendeur de son origine : le bien et le beau, sous toutes leurs formes, n'y sont pas allogènes ; il nous est possible de faire mémoire de la création, les choses elles-mêmes font mémoire de leur création. Cette tension ne manque pas de marquer le temps de l'homme. D'une part, la clôture mondaine du temps vers la mort, c'est-à-dire du temps sur lequel la mort a le dernier mot, autorise évidemment que le non-être soit l'horizon de l'être et que, ne nous appartenant pas à nous-mêmes (ce qui est essentiel à tout ce qui existe dans l'horizon du temps, à tout ce dont l'être est un être-en-devenir), nous appartenions finalement à la mort. D'autre part, toutefois, la joie d'être n'est assurément pas absente du monde ; et si le temps est l'élément du provisoire, de ce qui fondamentalement ne peut s'instituer, il peut tout aussi bien abriter les réalités définitives qui se présentent à nous lorsqu'est atteinte une « fin en soi » : l'amitié, l'amour, la piété, la beauté. Parce que le monde ne renie pas dans son entier le sens de la création, le temps ne contraint pas l'homme au désespoir. Même dans l'ambiguïté, même lorsque la distance originaire se transforme en éloignement, le monde n'est pas absence de sens. L'introduction du concept de différence réelle permet en tout cas de préciser, dès l'orée du travail théologique, le lieu et le mode exacts de l'expérience. Il appartient à l'homme d'être pris entre création et monde, à la fois comme celui qui peut y faire mémoire de son origine et comme celui qui omet d'exister en référence à cette origine ; comme celui que la mal-veillance tare « radicalement » et comme celui qui demeure capable de bien-veillance ; comme celui que le temps achemine à la mort et comme celui qu'il laisse vivre, non seulement pour lui-même mais pour Dieu. De façon obvie, nous n'avons d'autre accès à la création que le monde. Et même s'il faut affirmer contre tout déisme que ce monde est continuellement créé, que l'origine ne se réduit pas au commencement, il faut avouer que le concept de *creatio continua* ne fournit aucun argument à l'encontre de notre thèse — le devenir-monde de la création est un fait qui précède pour nous toute conscience, mais aussi un fait dont toute conscience est responsable. Le monde est notre unique introduction à la création. Cette introduction est problématique et ambiguë, parce que la création n'est pas un autre nom du monde, parce qu'elle est ce que l'homme a toujours déjà perdu ou oublié. Mais derrière les ratures de l'histoire, nous n'existons pas dans le monde sans relever aussi du gouvernement de la création. Ni l'être-dans-le-monde ni la sainteté ne nous définissent intégralement. Le jeu dialectique de la création et du monde est le lieu de notre existence. Création et monde sont pour nous entrelacés.

42 - « KOSMOS », « BIOS », « THANATOS » : L'HISTOIRE

Le dispositif conceptuel qui doit permettre de penser le monde dans sa différence d'avec la création est donc en place, et il y va essentiellement, pour notre propos, de la relation du temps à la mort, de *chronos* à *thanatos*. N'y a-t-il de vie que pour la mort ? C'est ontiquement incontestable : l'entropie est donnée avec le cosmos, et régit l'être de l'homme comme elle régit l'être de toute chose. N'y a-t-il donc d'existence, c'est-à-dire de dimension humaine de la vie, que gouvernée aujourd'hui, à distance, par l'avenir absolu de la mort? C'est ontologiquement plus problématique. L'homme habite le monde à l'ombre de la mort. Mais le monde, tel que nous tentons d'en thématiser la réalité, n'est pas un habitat naturel ou une structure ontique, il n'est pas identique à la *phusis*, mais il est une demeure quasiment faite de main d'homme, un ordre de choses dérivant d'un oubli ou d'un déni de la création. La mort est ontiquement un problème physique et cosmique. Elle est ontologiquement un problème mondain. Il ne nous appartient pas d'entrer ici dans les débats théologiques suscités par la notion de « péché originel » ou de « péché héréditaire ». En revanche, il nous est possible d'esquisser une réponse à la question controversée du lien entretenu par péché et mort. Le sens ontique de la mort, on vient de le dire, n'a pas de signification théologique — rien d'ontique n'a de signification théologique. L'humanité de l'homme n'y est pas en cause, seules sont en cause la vie, dans sa plus grande généralité, et la mort, dans sa plus grande généralité. Le sens ontologique de la mort, en revanche, ne manque pas de portée théologique. La mort n'apparaît pas seulement à l'ontologie comme un fait, mais aussi comme un sens et un foyer de sens : elle est un dernier fait qui passe pour un dernier mot. Il doit cependant nous apparaître que cette prétention eschatologique est bel et bien le propre du monde (ou de l'histoire), en tant qu'ils diffèrent de la création, et qu'elle n'est pas la simple prise en compte de lois cosmiques par la conscience. Quelle serait la signification ontologique de la mort si la création n'était oblitérée? Sur ce qui aurait pu être et n'est pas, nous ne pouvons assurément proposer d'autre réponse que spéculative et oblique. Disons d'abord que le lien actuel du temps à la mort (le présent vécu comme être-vers-la-mort) est de fait, mais qu'il ne représente qu'un mode, sans doute le plus obvie mais non l'unique, de la temporalisation. Est-il inauthentique d'oublier qu'on est mortel? Et est-on encore mortel, ontologiquement, existentiellement ou existentialement, si l'on oublie qu'on est mortel? Plus d'une grande philosophie refusera de considérer l'oubli de la mort comme une déchéance. Non qu'il faille concéder à Spinoza que l'expérience nous convainc immédiatement, en fait, de notre éternité[10] — c'est éviter à trop bon compte l'aporie du temps. Mais parce que malgré ses déterminations charnelles, et malgré l'agonie qui

---

10. *Ethique*, V, proposition XXIII, scholie.

préside à la mort, le présent peut aussi s'abstraire de l'avenir prétendu absolu représenté par la mort. L'angoisse de mourir ne supprime pas le bonheur d'être. Et si l'amitié et l'amour sont pris pour notre malheur à l'ombre de la mort, la contemplation esthétique, par exemple, met rigoureusement notre mort entre parenthèses : *l'œuvre d'art est à elle-même sa propre eschatologie*, elle mérite à bon droit de recevoir dans le monde le nom de *création*, et nul ne peut se laisser ravir par sa beauté sans se laisser distraire de son temps et de sa mort[11]. *Bios* renvoie à *thanatos* par nécessité ontique. La nécessité ontologique d'un tel renvoi est plus complexe. Notre premier nom est celui de mortels. Mais à la différence de la logique de la vie, qui est à tous ses moments une logique de mort, la logique de l'existence fait jouer souvenir et oubli de la mort. Dans le monde différant réellement de la création, sens ontique et sens ontologique de la mort se recoupent : l'existence est pour la mort comme la vie est pour la mort. Mais le monde est aussi la trace de la création : et alors toute idée d'un primat herméneutique de la mort bute sur les raisons de l'alliance comme sur sa contradictoire. Le témoignage que le monde rend à la création, donc à l'alliance, est assurément précaire. L'œuvre d'art ne nous distrait pas perpétuellement du monde de la vie et de la mort. Le bonheur d'être ne peut nous empêcher d'appréhender notre vie dans sa totalité mondaine fermée par la mort. La joie présente de la relation est menacée par un avenir qui ne nous appartient pas, et qui condamne empiriquement à l'annulation toute relation. Ni le temps pour la vie ni le temps pour la mort ne manifestent donc le sens univoque et distinct de notre diachronie. Monde et histoire affectent la mort d'une ultimité ontologique, mais ne peuvent interdire que cette ultimité soit contestée, c'est-à-dire que nous puissions ôter au dernier fait le droit d'être le dernier mot. Et il n'est donc pas interdit de penser à un « monde » où la mort ne posséderait plus qu'un sens ontique, et serait dépouillée de toute signification ontologique. Peut-être une existence supralapsaire

---

11. On ne suggère évidemment pas là que le *memento mori* et en général la représentation de la mort ne tiennent pas de place dans l'art. La mort elle aussi peut être belle, c'est-à-dire que l'art peut s'en emparer. Mais rien n'infirme là le statut esthétique du ravissement comme brisure du monde de l'expérience quotidienne ; et si la mort représentée me fait souvenir de mon propre être-vers-la-mort, c'est aussi que je puis vivre dans l'oubli quotidien de ma mort. Cette remise en mémoire s'accompagne d'un détour : l'art interprète le « réel » — et il est possible que sa fonction herméneutique croisse en proportion de sa fonction poétique —, mais nul n'accède à cette interprétation s'il ne laisse la totalité du monde se concentrer sur l'œuvre d'art. Et pour que l'œuvre d'art soit reconnue comme telle, il faut bien mettre entre parenthèses le monde de la vie, le temps d'une perception et d'un jugement.

reviendrait-elle à ceci : *à une relation* (à l'autre homme, à Dieu, à soi) *annulant toute prétention de la mort à dire ce qu'il en est de l'homme*. Et peut-être détient-on là le mode sur lequel quelque chose comme l'origine peut être réapproprié dans l'histoire. — Il faudra y revenir. Mais nul dans l'histoire n'abolit la mort.

43 - STATUT THÉOLOGIQUE DE LA FACTICITÉ

La théologie est la science du définitif, et ce qui advient dans l'élément du temps est essentiellement lié au provisoire. Le provisoire peut abriter un sens définitif : l'aporie spirituelle de la temporalité est précisément l'inchoation paradoxale du définitif — de ce qui mériterait de demeurer — dans le provisoire. Le provisoire peut être aussi le transitoire par excellence, ce qui ne bénéficie d'aucun statut eschatologique, qui ne fait appel à aucune eschatologie, et que les réalités ultimes, quelles qu'elles soient, jugent et ne s'intègrent pas. Toute cela signifie en tout cas que la facticité appelle une interprétation, et une interprétation théologique, de façon d'autant plus urgente que l'entrelacs de la création et du monde nous interdit de dissocier des réalités purement séculières de réalités purement théologales. Le fait primordial, ou l'horizon de tout fait, est constitué pour l'homme par son être-dans-le-monde. Le monde est premier donné et aperçu ; et notre présence au monde doit être première pensée. Une telle pensée a sa topographie philosophique. Mais ce sont ici les enjeux théologiques d'une herméneutique de la facticité qu'il importe de mesurer. L'idée n'en est pas neuve. Le projet philosophique est heideggerien, et il ne fallut pas attendre longtemps après la publication de *Sein und Zeit* en 1927 pour que Bultmann propose sa lecture théologique de Heidegger, ou plutôt une interprétation théologique de ce que la philosophie avait pensé si tard, la mondanité de l'homme. L'apport propre de Bultmann n'a pas à être examiné ici : contentons-nous de relever la convenance d'une telle interprétation. Le monde en effet fait théologiquement problème pour une raison distincte de sa problématicité philosophique. L'herméneutique philosophique de la facticité s'affronte au monde comme à un horizon ultime, intransgressable. Le monde est ce au-delà de quoi il n'y a rien ; il mesure toute présence en dernière instance. Or, la théologie discerne une structure dialectique là où la philosophie n'appréhende qu'une identité — la dialectique du monde et de la création est au principe de toute lecture théologique de ce qui est de fait. Le sens théologique du fait n'est pas son sens philosophique. Si la facticité fait philosophiquement problème — puisque la penser revient au fond à tout penser, et puisqu'elle constitue la sollicitation majeure qui soit adressée à la raison —, son statut lui-même ne fait philosophiquement pas problème, puisque le monde et notre présence dans le monde sont l'horizon incritiquable de tout fait, et qu'il suffit de remarquer tautologiquement que ce qui est de fait est de fait. Qu'advient-il, en revanche, lorsque le fondement de l'expérience et le lieu de l'interprétation ne sont plus l'identité paisible et tautologique du monde avec le monde, mais le jeu du monde oblitérant la création, et de la création transparaissant dans le monde comme trace ? La facticité apparaît alors comme frappée d'une ambiguïté que l'interprétation ne peut pas dissiper. L'homme n'existe pas « dans » l'alliance comme il existe « dans » le monde : l'alliance n'est pas une « réalité » objective, l'être-dans ne bénéficie ici de nulle univocité. L'utilisation de la même préposition « dans » n'est pourtant pas un facteur d'équivoque. En effet, l'alliance a bel et bien son lieu, qui est la création. Et alors même qu'il ne s'agit pas d'un lieu dont la spatio-temporalité suffise à fournir les coordonnées, l'alliance reprend bien à son compte, en son ordre, ce qui se joue dans le monde : elle se propose en effet comme mode fondamental, authentique, d'une présence à soi-même, à Dieu, aux êtres et aux choses. Une telle manière d'être devra toujours être comprise en termes de transgression : l'existence dans l'alliance est un retrait hors du monde. Le problème est toutefois qu'une telle transgression appartient elle-même à l'économie de ce qui est de fait : c'est de fait que l'homme est pris entre création et monde. Il est possible de penser le monde dans sa pure différence d'avec la création. Mais de même que celui qui ne dispose que d'un des termes d'une dialectique ne dispose en fait de rien, de même il ne nous est pas donné de n'habiter que le monde, ou de n'être les citoyens que de la création. Le monde naît, selon la Genèse, avec le soupçon que l'homme fait peser sur un créateur dont il met la bienveillance en doute, et avec la violence du frère qui tue son frère[12]. Mais le « monde » tel qu'il est de fait, c'est-à-dire le jeu dialectique du monde et de la création, fait mémoire de son origine alors même qu'il l'oublie. Qu'est-ce qui est de fait ? L'angoisse, mais aussi la joie ; la violence, mais aussi l'amitié et l'amour ; l'idolâtrie, mais aussi la piété vraie. On croit avoir discerné ce qu'il en est du monde — mais c'est aussi une herméneutique de la création que l'on met en œuvre. On veut penser ce qui est ici et

---

12. Genèse 3, 1-8, et 4, 3-8.

maintenant le cas — et ce qui advient ici et maintenant prouve simultanément que l'homme s'est écarté de son origine et qu'il persiste à lui rendre
témoignage. Aussi ne peut-on sans plus se fonder sur la facticité pour interpréter la facticité, car celle-ci se dérobe à nous sitôt que nous tentons
théologiquement de la considérer telle quelle. La création est inaccessible
hors du monde dans lequel elle transparaît. Le monde est lui-même théologiquement impensable, si nous n'apercevons la mémoire de la création
au milieu de tout déni de la création. L'originaire surplombe sans doute ce
qui est de fait — mais il ne laisse pas d'y être reconnaissable. Certes, l'origine n'est nulle part disponible. Ce que nous interprétons comme trace et
mémorial de la création peut aussi être interprété comme propriété du monde
et de notre être-dans-le-monde ; ce qui se manifeste ici et maintenant peut
se suffire à lui-même et suffire à sa propre interprétation. Mais, malgré la
non-disponibilité de l'origine, il est aussi impossible à la théologie, qui vit
de cette impossibilité, de ne pas distinguer la création du monde, qu'il est
philosophiquement impossible de parvenir à une telle distinction. Quel est
le statut théologique de la facticité ? Suggérons qu'elle appelle une interprétation proprement *diacritique*, qui tente de discerner fidélité à l'origine
et rature de l'origine. Jamais une telle interprétation ne sera achevable. La
création renverra toujours au monde où elle affleure, le monde renverra
toujours à la création qu'il rend opaque alors même qu'elle le laisse être, le
jeu dialectique de l'un et de l'autre ne saurait être interrompu que sur un
mode strictement eschatologique. Qu'il suffise ici d'avoir dit le droit et la
nécessité théologique d'une telle interprétation.

44 - DE L'INQUIÉTUDE

La temporalisation est acte de présence, et la confection d'un présent
implique une co-présence à un passé et à un avenir. Ce schème est universellement valide, dans la mesure où il y a conscience, et de quoi qu'elle soit
conscience ; il ne préjuge pas de ce à quoi il y a présence, de ce dont il y a
ressouvenir, de ce vers quoi il y a protension. Il s'agit là de la présence à
soi, de la présence aux choses, de la présence à l'autre homme, voire de la
présence à l'Absolu — indistinctement. On nous dit d'autre part (c'est le
premier, et assurément pas le dernier, des correctifs apportés par Heidegger
à la théorie husserlienne) que l'étant qui existe dans l'horizon du temps
— l'homme — est essentiellement un être de *souci* : exister est être en avant
de soi, être préoccupé au milieu de ce qui est par ce qui n'est pas encore,

outrepasser les mesures de la présence présente à soi, se précéder, laisser l'avenir préoccuper et investir le présent. Telle est la modalité native de notre être-dans-le-monde. Or, nous avons posé que le fondement n'est pas en dernière instance l'être-dans, mais l'*entre-deux* de celui qui vit dans la tension du monde et de la création — L'existence prise entre création et monde, et prouvant solidairement l'existence de l'une et de l'autre, ne prouverait-elle pas cette situation par un mode propre de la temporalité ? Comment donc le temps se déploie-t-il, si la différence réelle de la création et du monde est le dernier secret théologique de l'expérience ? Nous donnerons le nom d'*inquiétude* au mode sur lequel le temps se constitue « en amont » du monde, « dans l'alliance », « en mémoire de la création », etc. Et nous contredistinguerons soigneusement inquiétude (eschatologique) et souci (ontologique/historique) — alors même que nous affirmons la toute-présence du souci dans la temporalisation. La conscience inquiète n'est pas moins que soucieuse ; son présent est essentiellement déséquilibré, le sens lui vient par avance de ce qui n'est pas encore présent. Son originalité est toutefois que sa préoccupation n'est pas à la mesure du monde : on dira qu'elle sanctionne la mise en cause des raisons historiques par les raisons eschatologiques. Si je me soucie de beaucoup de choses, et en elles de ce que je suis, je ne m'inquiète au sens strict que de Dieu (nominalement ou anonymement) : le concept d'inquiétude est théologique et théocentrique. Etre-créé, sans doute, ne consiste pas seulement à s'intéresser à Dieu et à ce que le nom de Dieu veut dire. S'intéresser à Dieu, d'autre part, peut être un geste ambigu : qui dit que cet intérêt n'est pas idolâtre, qu'il n'est pas pris intégralement dans le devenir-monde de la création ? Face à une objection juste, nous pouvons au moins garantir à l'inquiétude la seule pureté que la pensée puisse garantir : la pureté conceptuelle. La théorie peut mettre le souci hors jeu, affirmer que son jeu est part d'une dimension non théologique de la facticité. Mais elle sait que le souci ne cesse pas pour autant de régner sur l'expérience : la pure extase qui nierait toute adséité et toute préoccupation de soi par soi ne serait pas le fait de l'homme en histoire, elle demeure une limite de l'expérience, ce dont on peut parler et qu'il faut tenter de penser, mais que nos raisons ne peuvent pas plus se targuer d'instituer que nos descriptions ne peuvent prétendre à l'identifier dans le tissu quotidien de l'expérience. L'inquiétude, qui ne peut trouver son apaisement — son repos — qu'en Dieu seul[13], doit cependant nous permettre de penser l'attes-

---

13. Cf. Augustin, *Confessions*, incipit.

tation scrupuleuse par l'homme de son essence créée. Cette attestation demeure cependant prise dans la trame du monde ; elle recélera donc toujours une fidélité à l'économie mondaine de la temporalisation — il n'y a pas deux temps, l'un pour l'immanence et l'être-dans-le-monde, l'autre pour la transcendance et l'être-devant-Dieu. Mais par rapport aux dernières instances de la temporalisation, l'inquiétude aura comme propriété paradoxale de se fonder sur un oubli ou sur une transgression : l'oubli de la mort ou la mise entre parenthèses de l'être-vers-la-mort. Je me soucie de moi, et en dernier ressort me soucie de ma mort. La préoccupation de l'Absolu, en revanche, fait que je me précède moi-même de telle sorte que je m'y place en quelque sorte déjà au-delà de ma propre mort, c'est-à-dire que je lui refuse toute signification eschatologique. L'inquiétude affole donc le souci en prouvant, non qu'il n'est pas tout-présent, mais au moins qu'il n'est doué d'aucune ultimité. L'inquiétude veut le dernier mot, c'est-à-dire l'Absolu. Mais elle désire l'éternel sous la condition du temps. Le temps vécu dans l'alliance, et centralement dans le désir de Dieu, n'est donc pas apaisement eschatologique et présence enfin suffisante du présent — il n'est que le dérèglement généralisé de toute logique seulement temporelle. La « paix », la présence que rien d'extérieur ne préoccupe, que rien ne déporte hors d'elle-même, ne saurait être atteinte dans l'horizon du monde, sinon par esquisse et par anticipation. Il est essentiel au souci d'être vécu à l'ombre de la mort. Le souci est-il pour autant le mode primitif de notre être ? L'inquiétude disqualifie cette hypothèse, et se qualifie dans cette même mesure pour rendre témoignage au mouvement originaire de la vie. Elle est le secret créé de la vie ; elle est le style temporel de notre créaturité. Comme la conscience soucieuse qui est son revers, la conscience inquiète est en avance par rapport à elle-même. Mais elle ne se précède pas pour envisager la totalité de son être telle que la mort la délimite — elle se précède pour briser la clôture du temps acheminé vers la mort.

45 - LE SOUCI REJAILLISSANT SUR L'INQUIÉTUDE

Le sens de l'inquiétude est eschatologique, et son statut est celui, précaire, du définitif transparaissant énigmatiquement dans le provisoire : elle ne vit que du désir d'une fin qui rompe avec la logique des réalités provisoires, et qui refuse que la mort soit l'unique figure certaine du définitif. L'inquiétude demeure toutefois le fait, ou l'acte, ou l'affect, d'une conscience prise dans le monde et l'histoire, et qui ne dissipe pas le souci et l'angoisse dans l'acte où elle disqualifie toute eschatologie à la mesure de l'angoisse et du souci. Il ne suffit donc pas, à l'évidence, d'avoir pris la mesure du souci, et d'avoir constaté que l'inquiétude l'excède : il faut aussi donner agrément à la facticité, et reconnaître par là que nulle conscience ne cesse jamais d'être liée au souci — nulle part l'inquiétude n'institue l'*eschaton*, ni même un pur désir des réalités eschatologiques. On ne s'étonnera donc pas, non seulement que le souci survive à l'inquiétude, mais encore qu'il rejaillisse sur elle. L'Absolu m'inquiète aujourd'hui en interdisant que la paix et la satisfaction définitives aient dans le monde un lieu aussi réel que le monde est réel, et en instaurant une préoccupation qui est relation à un autre que moi. De la sorte, elle n'est pas une modalité du souci ; non seulement son écart par rapport au souci est celui de l'eschatologique par rapport à l'historique, mais encore il est celui de l'être en relation par rapport à l'être-avec-soi, à l'adséité. Le problème herméneutique de l'inquiétude gît toutefois dans l'emmêlement empirique de l'un et de l'autre. Nous avons peut-être raison de protester de la pureté de nos intentions, et d'affirmer que nous ne nous intéressons pas à Dieu comme, par exemple, nous nous faisons du souci sur ce que sera notre lendemain. L'inquiétude n'est pas le nom pieux du souci. Mais notre souci de nous-mêmes (l'expression est d'ailleurs tautologique : tout souci est fondamentalement souci de soi) demeure lors même que nous nous laissons inquiéter par l'Absolu, et il est même possible que l'inquiétude révèle le souci à lui-même. — En effet, c'est dans la relation à l'autre que soi que le moi apprend que l'adséité ne peut s'abolir ; et quand cet autre est l'Absolu en personne, le souci, comme essence de l'adséité, se présente à visage découvert : celui que l'Absolu préoccupe sait mieux que quiconque que le souci trame sa présence au monde et à lui-même, parce qu'il tente mieux que quiconque de mettre hors jeu le souci.

Le présent — la présence du monde et notre présence au monde — ne saurait de toute façon nous contenter : l'intrusion de l'inquiétude au milieu du monde l'interdit. Ajoutons qu'ici comme là, dans le souci comme dans l'inquiétude, ce n'est pas seulement de l'avenir qu'il s'agit, mais d'un avenir absolu. Et c'est au fond de façon solidaire que Dieu et la mort posent la question de cet avenir. Lors donc que l'émergence de l'inquiétude manifeste que notre dernier mot, si jamais un dernier mot doit être prononcé sur nous, n'est pas à la mesure de notre temps, elle manifeste aussi l'emprise du souci sur tout présent, l'angoisse soulevée par notre mort, et formellement l'in-

térêt pour soi caché sous tout intérêt pour l'autre que soi. Il n'est pas surprenant que l'animal qui se sait mortel soit aussi celui que l'Absolu préoccupe :
la critique du présent à partir d'une eschatologie a son cas pur dans l'une
et dans l'autre situation. A celui qui se précède lui-même par souci de lui-
même, la mort ne manque pas d'apparaître comme ce qui préoccupe tout
présent et mesure tout avenir. A celui dont le lendemain investit l'aujour-
d'hui, d'autre part, l'Absolu ne peut pas ne pas offrir la mise en cause de
tout avenir relatif, de toute avance prise sur soi que l'être-vers-la-mort
gouverne en dernière instance, de toute préoccupation aussi qui puisse
donner lieu à un divertissement. Est-il possible d'exister eschatologiquement à l'ombre de la mort ? Est-il possible d'accéder à une *insouciance* qui
mette entre parenthèses notre acheminement vers la mort, et ne laisse de
prégnance existentielle qu'à notre désir de Dieu ? En son sens fort ainsi
défini, l'inquiétude peut signifier tout cela. Ici et maintenant, elle fait pourtant nombre avec le souci — comme le souci fait nombre avec les soucis
qui distraient la conscience du savoir de sa mortalité. Ce n'est pas mer-
veilleux : l'homme est pris entre création et monde et le prouve en tout geste
que l'on soumette à interprétation théologique. L'insouciance est-elle alors
sans lieu dans le monde, sinon comme mode dégradé de l'existence, comme
inaptitude à parvenir au souci, comme divertissement ? Son concept va-t-il
au-delà du souci, ou régresse-t-il en deçà de lui ? On répondra plus tard
en notant que l'insouciance, ἀμεριμνία, est bel et bien le concept organisa-
teur d'une christologie du temps (§ 75-77, 91). Laissons déjà résonner la
question. Avant que d'essayer de répondre, il convient en tout cas de savoir
que l'inquiétude qui outrepasse les limites du monde est de toute façon
une modalité, problématique mais incontestable, de notre être-dans-le-
monde. Aussi le rapport de l'inquiétude au souci est-il dialectique : il n'est
pas certain que nous puissions avoir le souci sans l'inquiétude, parce qu'il
appartient en fait à notre être-dans-le-monde de transgresser les limites
du monde ; et nous ne pouvons avoir l'inquiétude sans le souci, car toute
transgression des limites du monde nous confirme encore dans notre être-
dans-le-monde.

46 - APORIE THÉOLOGIQUE DE LA TEMPORALITÉ

Il est impossible à l'homme d'habiter un pur présent, il lui est tout aussi
impossible de mettre entre parenthèses le lien de sa diachronie à son corps

et à sa mort. L'aporie philosophique de la temporalité résidait dans l'excès de ce que le temps met en jeu par rapport aux conditions de cet enjeu. Nous pouvons désormais redoubler cette aporie d'une seconde, proprement théologique, et qui réside dans la coexistence dialectique du souci et de l'inquiétude, c'est-à-dire dans l'interdiction théorique et pratique faite à l'inquiétude d'instaurer une insouciance. L'alliance n'abolit pas le temps, elle se présente au contraire comme une forme du temps, comme la forme la plus humaine de la temporalité, mais sans hiatus par rapport à ses formes natives et quotidiennes. Elle n'abolit donc pas, par impossible, les modalités transcendantales sur lesquelles se vit tout temps. De la sorte, le régime théologique de la temporalisation inclut à la fois une contradiction et une confirmation. Il y a contradiction, pour autant que l'inquiétude passe les mesures du souci, sans toutefois faire la preuve empirique de ses droits. Mais il y a confirmation car l'alliance, si en rigueur de termes elle marque une régression hors du monde vers la création, n'est pas une fuite hors du temps, mais un accès à son sens originaire. L'entrelacs du souci et de l'inquiétude reproduit donc en son ordre l'entrelacs de la création et du monde, et exige une semblable herméneutique. Pas plus que la création ne nous est disponible, l'essence créée du temps n'est une donnée obvie d'expérience. Sa pensée ne laisse pourtant pas d'être indispensable : et elle repose sur assez de données obliques d'expérience, l'inquiétude est suffisamment réelle dans la conscience qui l'atteste, pour que l'aporie théologique de la temporalité ne soit pas un pseudo-problème. L'alliance est la forme d'un temps dont l'Absolu de Dieu, et non la mort, soit le dernier horizon, et où l'inquiétude mette la conscience en rapport avec cet horizon. Elle brise ainsi la boucle qui, dans le souci, permet à l'avenir d'investir le présent, mais ne projette le présent sur l'avenir que pour mieux laisser la conscience en compagnie d'elle-même, de ses projets, de ses attentes ou de ses craintes. Mais elle le fait à l'intérieur de l'ambiguïté fondamentale qui est le propre du monde différant réellement de la création, et dans lequel pourtant la création a « lieu ». Il est possible d'exister « dans » l'alliance, et parmi d'autres preuves qui en existent, il en est une d'à peu près expérimentale : il est possible à l'homme de prier. Ce faisant, l'homme existera bien sur un mode eschatologique : sa prière n'est pas à la mesure de son être-dans-le-monde. Mais de même que le temps de la prière est aussi ce temps que tout souci sait préoccuper en retour alors qu'on croit l'avoir exclu, de même nul témoignage n'est-il rendu à l'alliance de Dieu et de l'homme qui ne prouve aussi l'existence du monde et ne soit de fait soumis à ses mesures. De par l'inquiétude qui s'en empare, le temps affirme la dimension eschatologique de l'existence, le commerce de l'homme avec les réalités définitives. Mais cette affirmation ne dissipe ni la préoccupation de soi par soi ni l'ombre de la mort portée sur tout présent. Il y a donc bien aporie. Notre temps, ici aussi, met en cause plus que notre monde. Or, le monde ne cesse pas d'être le lieu expérientiel et la condition du sens. L'inquiétude n'est pas une fonction du souci. Ni la théorie ni l'expérience ne peuvent cependant empêcher que l'homme n'existe, non pas vraiment dans le souci ou dans l'inquiétude, mais entre inquiétude et souci.

47 - MA MORT ENTRE DIEU ET MOI

Dieu et la mort ne font pas nombre — et, cependant, la donation de sens eschatologique dont la relation à Dieu est le lieu bute sur l'eschatologie empirique représentée par la mort comme s'il y avait alternative. La mort se tient déjà entre l'autre homme et moi pour déclarer inachevable l'œuvre de l'interpersonnalité, pour soumettre toute prise de connaissance à une inconnaissance plus grande encore (et qui aura le dernier mot), pour rendre malheureuse mon expérience du temps. De façon analogue, qu'en est-il d'une transcendance vers Dieu, d'un désir de Dieu, qui soit vécu (et nous n'en connaissons pas d'autre...) sous la menace de la mort? Le désir n'est certainement pas identifiable à l'objet qui peut ou pourrait le combler, il n'est pas une fruition. Et, sur ce point, il importe assez peu que ce soit Dieu, l'autre homme, un idéal, ou même une chose, que ma mort maintienne à distance de moi : comme tel, le désir est nécessairement frustré à la fin, sa présence prouve d'une part une certaine absence de ce qui est désiré, la mort enfin nous apprend que la non-possession (de soi comme de ce qui n'est pas soi) a toujours raison sur la possession, c'est-à-dire que la pénurie, ou la pauvreté, est le trait fondamental de ce que nous sommes. Pourquoi donc privilégierions-nous la frustration d'un désir parmi les désirs, celui dont l'Absolu est le terme? On pourrait faire appel, pour répondre, à l'incompréhensibilité de Dieu, et par elle à une requête d'infini ; conformément à l'aporie philosophique de la temporalité, l'Absolu ne nous est accessible (de quelque manière que l'on entende ici la réalité de l' « accès ») dans le temps qu'en requérant plus que le temps; et une relation à Dieu que la mort bornerait sans appel sanctionnerait un tel primat de l'inachèvement que tout sens risquerait de s'y perdre. Tentons ici de répondre théologiquement, donc en nous fondant sur le jeu de la création et du monde. Entre Dieu et moi, ma mort me voue au provisoire ou, ce qui revient au même, se propose elle-même comme seul visage certain du définitif. Moi qui mourrai, je puis fort bien exister aujourd'hui dans l'alliance, laisser l'Absolu inquiéter mon présent, déloger le souci autant que faire se peut. Mais, à l'évidence, un accès à Dieu que conditionnent le temps et le corps ne cessera pas de pousser à leur paroxysme les contrariétés de l'expérience. Quoi qu'il en soit de la notion d'une jouissance définitive de la proximité de Dieu (on peut se douter qu'elle n'annulera pas l'incompréhensibilité de Dieu, et ne pourra probablement revêtir que la forme d'une éternelle extase), le désir présent d'une telle proximité prouve un écart plus grand que toute présence. Même pour accomplir ma relation à l'ami ou à l'aimée, il faudrait plus de temps qu'il n'y en a à ma disposition, ou plus que du temps — c'est à la fois vrai et plat. Je ne puis toutefois contester qu'ici et maintenant l'ami et l'aimée sont devant moi, à portée de voix et à portée de main, déjà connus, présents peut-être à satiété. Dieu en revanche n'est pas présent à satiété. On peut le dire absent, ou présent en un sens qui ne possède pas d'analogue : l'ecclésio-logie et la théologie des sacrements nous fourniront si nous le désirons une théorie de sa présence, et celle-ci peut être affirmée avant même que la théologie ne s'organise. La présence toutefois a pour modèle (mais non pas pour cas exclusif), de façon qui n'est pas fortuite, la sacramentalité. Le sacrement peut se définir comme lieu de l'*eschaton* dans l'histoire. Il est présence abritée par une distance qu'elle ne peut ni ne prétend combler : écart du *sacramentum* (qui est entre les mains de l'homme) par rapport à la *res* (qui échappe à toute prise autre que concédée). Le sacrement prouve l'existence du monde — il est essentiellement une réalité provisoire, un viatique. Il prouve aussi que l'histoire peut donner lieu à plus que ce dont elle détient les mesures : il ouvre le provisoire au définitif. Ici et maintenant, donc, la présence de Dieu peut être béatifiante, et le désir assouvi. Et il faut poser, d'autre part, qu'elle inaugure dans la précarité des affaires mon-daines un ordre d'expérience qui excède le monde. Mais il nous serait illicite de passer sous silence le problème d'une telle inchoation : elle est en fait permise par cela même qui l'annulera, la médiation du temps, du corps, ultimement de la mort. Ma mort passe donc bien entre Dieu et moi. Ce n'est pas tout à fait à l'écart du monde, mais aussi bien sous la condition du monde, que l'Absolu nous préoccupe et nous inquiète. La mort pourrait peut-être, tout en conservant sa réalité ontique, ne plus être ce qui abolit la relation, et n'être plus qu'une station dans l'histoire de la relation. Négation ontique et négation ontologique se recouvrent toutefois, sans préjuger d'une incorruptibilité peut-être essentielle à l'esprit, mais dont le concept n'implique pourtant pas que l'esprit n'ait pas lui aussi à mourir. Celui qui existe devant Dieu, ou dans le désir de Dieu, atteste bien qu'il est créé. Mais le monde est le lieu de cette attestation. Et le devenir-monde de la création ne laisse aucune expérience intacte.

48 - DIEU ENTRE MA MORT ET MOI

La mort est ontologiquement inoubliable, et elle est théologiquement inoubliable. Faut-il pour autant sanctionner une victoire du souci sur l'inquiétude, et le rappel de notre mort représente-t-il une fonction principale de l'instance théologique? En d'autres termes, le jeu présent de la création et du monde ne laisse-t-il pas de place à un espoir ou à une espérance qui puisse rationnellement entrer dans la constitution du présent? Il faut plus de théologie que nous n'en avons à notre disposition à ce stade de la recherche pour répondre systématiquement à cette question. Mais il est d'ores et déjà possible de demander en connaissance de cause s'il est un oubli licite de la mort, qui ne marque pas à l'intérieur de la théologie et de l'expérience dont elle rend compte (et qu'elle gouverne en retour) une déchéance, et un retour au divertissement de la conscience qui veut naïvement se cacher qu'elle est mortelle. Une seule réponse est probablement acceptable, et elle consiste à exciper, sinon d'une insouciance que l'inquiétude ne suffit pas à instituer, du moins d'un certain primat théologique du présent — d'une temporalisation dont le présent est foyer, lorsqu'il abrite un désir de Dieu qui est, identiquement, une présence à Dieu. Nous pouvons nous préoccuper simultanément de Dieu et de notre mort, et prouvons ainsi notre habileté à discerner les enjeux fondamentaux de l'expérience. Et même notre prière contient le rappel public de notre mortalité : « maintenant et à l'heure de notre mort ». Cela étant, il s'agit bien dans la prière d'affirmer, non seulement une vocation eschatologique, mais encore la réalisation anticipée de celle-ci partout où l'homme existe devant Dieu et met entre parenthèses son être-dans-le-monde. Et c'est à ce compte, et à ce compte seulement, que Dieu survient entre ma mort et moi pour ôter à celle-ci ses prétentions eschatologiques. La mort n'en perd pas sa signification ontologique : elle est peut-être mise entre parenthèses, elle ne peut être abolie, ni dans la théorie ni dans l'expérience, ce qui est dans l'horizon du temps ne peut s'abstraire de l'horizon de la mort. Nous découvrons en revanche que signification ontologique et signification théologique ne se recouvrent pas, et que la mort peut être soumise à une marginalisation théorique au sein de la théologie. Il serait paradoxal — et, qui plus est, faux — d'affirmer que l'incroyant seul se préoccupe de sa mort. Mais il serait moins paradoxal d'affirmer que le croyant peut se préoccuper d'abord de son présent, et ce sans faire droit au divertissement. A une temporalisation dont le présent serait le centre, on sait les griefs de Heidegger : elle serait « vulgaire », il s'agirait là d'un temps plat, ou aplati. Et le temps se déploierait authentiquement à partir de l'avenir — c'est-à-dire, en fait, à partir de l'avenir empirique absolu, et ontologiquement absolu, représenté par notre mort. Or, ce qui vaut (peut-être) philosophiquement ne vaut pas théologiquement. L'avenir qui surplombe le présent n'est autre, en effet, que l'*eschaton* surplombant le temps. Ce surplomb n'est certes pas une contestation abstraite du temps par l'éternité : l'on sait théologiquement qu'il s'organise dans les gestes concrets d'une mémoire. Mais il reste qu'en permettant la constitution du temps comme désir de Dieu et comme extase vers Dieu, donc comme présence à Dieu, la logique des réalités définitives donne droit à une « présence du présent » qui n'est pas un temps appauvri. Il n'y a certes pas de pur présent, ce qui vaut théologiquement après avoir valu philosophiquement. La présence de/à Dieu introduit dans le présent le postulat d'un avenir absolu dont Dieu seul est maître, et possible donateur : la présence est protension. Ou bien, nul ne s'occupe de Dieu — expérimentalement, nul ne prie — sans faire mémoire de son passé alors même qu'il se présente à l'Absolu : la présence a sa dimension rétentionnelle. C'est pourtant bien entre-temps que l'homme se préoccupe de Dieu. Sa prière met le monde hors jeu, elle rompt avec les modes (assurément authentiques, mais assurément pré-théologiques) du temps constitué à partir du commencement et de la fin. C'est certes bien dans le monde que nous tentons de prier, et celui qui s'y essaye prouvera toujours qu'il est un être de chair et de temps, investi par son passé et par son avenir. Le temps toutefois prend (aussi) forme, à l'encontre des figures les plus riches de la temporalité déterminée comme être-dans-le-monde et comme être-vers-la-mort, comme pur acte de présence. Dieu n'intervient pas entre ma mort et moi pour ôter au présent les mesures transcendantales que lui impose le monde : la théologie du temps n'est pas tout autre que son ontologie. Il y intervient cependant : le présent peut en effet, par la grâce de cette seule présence, porter validement tout le poids du temps ; quelque chose comme une plénitude peut lui être attribué.

49 - L'ÉTERNITÉ PENSÉE A PARTIR DU TEMPS :
INADÉQUATION DES MODÈLES

Entre création et monde, l'homme n'est pas sans Dieu dans le temps. Au contraire : temporalité et présence de/à Dieu s'entretiennent de façon cohérente, sous toute l'ambiguïté qui constitue notre être, pour composer une figure intelligible de l'expérience. Mais s'il peut être légitime de mettre sa mort entre parenthèses pour libérer un temps présent dont elle ne détienne plus le sens, s'ensuit-il que le temps puisse représenter tel quel, en sa dimension théologique, l'élément du définitif? Une bonne partie de la tradition philosophique et presque toute (mais non pas toute) la tradition théologique en ont nié la suggestion, et ont tenté de produire le concept d'une éternité pour l'homme. L'homme, dira-t-on, excède sa temporalité d'une manière plus radicale encore qu'il n'excède le jeu de l'être-vers-la-mort ; non seulement Dieu s'interpose maintenant entre l'homme et sa mort, mais encore la mort (qui viendra évidemment à son heure) est l'interruption de la vie sans être celle de l'existence ; on ne saurait donc interpréter le temps, sinon comme inchoation mondaine d'une éternité. Or (et même s'il faut concéder la thèse selon laquelle rien n'est dans le monde, sinon sur le mode du commencement), quelle discontinuité et quelle continuité peut-on établir alors entre le temps (et même le temps en son régime théologique) et une éternité dévolue à l'homme? Comment penser une durée pure de l'esprit absous de sa chair et de son monde? Et comment y penser, alors même que nous avons interprété comme essentiel le rapport du moi au temps, au corps et au monde? On se doute que le lieu pur où se manifestent ici continuité et discontinuité sera christologique. On apprend en effet de la christologie qu'il y a en quelque sorte place pour du temps en Dieu. Et on y apprend que le temps humain de Dieu est avant Pâques une durée mondaine et charnelle, d'une part, et qu'il se trouve assumé en Dieu sans le monde à Pâques, d'autre part — le temps de Dieu survit à son être-dans-le-monde. Mais avant la christologie, il convient d'avancer avec prudence. Si l'homme doit postexister à sa mort, donc à son être-dans-le-monde, il faut que son éternité, son temps hors-monde, ne soit pas l'autre abstrait de son temps mondain : d'une part parce que c'est bien de ce que nous sommes, de notre ipséité, que décident aujourd'hui notre temps et notre corps ; d'autre part parce que le provisoire préjuge dès aujourd'hui du définitif, dans la mesure où le temps qui nous conduit à la mort abrite véritablement des gestes et des modes d'être qui ne sont pas à la mesure du monde, mais à celle de la création. Du temps mondain au temps hors-monde, il faut qu'il y ait continuité. Mais cette affirmation ne suffit pas à résoudre tout problème, car nous ne pouvons nous-mêmes penser cette continuité qu'à partir de la totalité phénoménologique du monde. Le temps est ce qui nous est le plus familier, et l'éternité ce dont nous parlons par hypothèse, et non par expérience : même l'instant le plus privilégié, même le présent le plus gorgé de transcendance, n'est pas irruption de l'éternel dans le temporel, et ne saurait sans non-sens être interprété comme tel. Comment ne pas penser l'éternité à partir du temps ? Et comment ne pas penser le temps à partir du monde seul ? Nous savons certes qu'il nous faudrait plus que le temps que notre mort sanctionne pour dénouer l'aporie philosophique que nous pose ce temps, et que notre relation à Dieu, instaurée en fait en un non-lieu mondain, dénoue déjà les liens du temps et de l'être-vers-la-mort. Mais de ce que nous pouvons penser, il ne s'ensuit pas que nous puissions représenter, car nous pensons ici l'indisponible par excellence, qui appartient peut-être à notre essence, mais sur quoi nous ne pouvons mettre la main comme nous mettons la main sur tout ce qui nous est donné entre notre naissance et notre mort. Sans qu'elle ne marque la limite absolue du pensable, la mort marque certainement la limite de toute pensée représentative. Il est toujours difficile de penser sans l'aide de la représentation, sans images. Il faut cependant y procéder. Ce qu'en son temps l'homme apprend des réalités définitives n'est ni ineffable ni incommunicable : la création n'est pas intégralement offusquée par le monde. L'éternité de l'homme n'est pensable qu'à partir de son temps, et faute de la penser ainsi on risquerait de ne rien penser du tout. Mais ce qui se pense à partir du temps se pense aussi à partir du monde, puisque le monde médiatise tout accès à la création. Il faut donc dire à la fois que le temps de l'homme contredit sa possible éternité, et qu'il l'inaugure.

Ce qu'il faut éviter de thématiser est donc l'éternisation contradictoire du provisoire. Un temps (mondain) étiré à l'infini, en effet, ne serait qu'un visage de ce que Hegel nomme le mauvais infini. Le mauvais infini est un infini quantitatif : il nie une finitude en consacrant les conditions mêmes de cette finitude ; il produit de l'infiniment fini, qui ne fait que prolonger sans fin ce qui, par essence, demande une fin. Le mauvais infini donne ainsi l'illusion d'un exode hors de la finitude alors qu'il la confirme totalement. Il en serait ainsi d'une pérennisation du temps que détermine notre être-dans-le-monde. Cette « éternité » aurait un sens : la relation à l'Absolu divin.

Mais elle ne pourrait rendre compte de ce sens que sur le seul mode qui nous soit concrètement accessible, dans le clair-obscur du monde. Comment donc rejoindre la continuité (l'éternel comme non-autre que le temporel, comme ratification du temps) et la discontinuité (l'éternel comme transgression du temporel)? Sans doute en pensant la création à partir d'elle-même, et non pas à partir du monde. Mais nulle part la création n'est à notre disposition. A portée de main, nous n'avons que le monde. Cela n'implique pas que nous ne puissions penser d'autre éternité, pour l'homme, qu'une éternité à la mesure du monde. Cela implique toutefois que la dialectique de la création et du monde soit mise à jour, et que la temporalité puisse être dissociée, eschatologiquement, de l'être-dans-le-monde. Ce qui assurément est beaucoup.

50 - LA PÉRENNITÉ DE L'ESPRIT A PARTIR DU DON ET COMME DON

L'avènement du mauvais infini dans la question du temps et de l'éternité ne peut avoir lieu que pour dénoncer une erreur de méthode aisément identifiable : il s'agit d'une temporalisation de l'éternité, dans laquelle, de plus, le temps de l'homme n'a d'autre réalité que sa réalité mondaine. Cela n'empêche pas la mise en évidence de la dimension théologique de la temporalité. Mais le sens théologique du temps ne saurait sans confusion conceptuelle être identifié à un commencement d'éternité : notre relation à Dieu est en effet un événement temporel, normalement déployé selon passé, présent et avenir, et elle propose une temporalisation alternative, mais non une alternative à la temporalisation. Pour éviter que le mauvais infini n'apparaisse, il faut donc concevoir une organisation du sens qui déborde l'identification du temps et de l'être-dans-le-monde. Comment penser l'homme en amont de sa mort, c'est-à-dire en amont du temps constitué comme être-vers-la-mort? La théologie devrait s'en montrer capable : elle sait, au moins, que la relation à Dieu est plus originaire que l'être-vers-la-mort, en d'autres termes que l'homme n'est pas créé mortel. Ce n'est pas une thèse ontique qui se trouve posée là. La mort est en effet la condition universelle sous laquelle il y a vie. Le sens ontologique de la mort, en revanche, est pris totalement dans le devenir-monde de la création ; et à ce titre il s'agit là d'une dérive, ou d'une déchéance, d'un écart par rapport à l'origine. Si l'on suspend alors toute question ontique (mais ontiquement, à vrai dire, il est moins question de notre mort que du trépas qui est le lot commun de tous les vivants), comment penserons-nous une humanité à laquelle sa mort soit inessentielle? Il n'y a pas ici de réponse simple, car ici aussi la possibilité de représenter nous est ôtée. Il n'y a pourtant rien d'insensé dans la question et dans la réponse qui peut lui être apportée : car la parole créatrice (humanisante) par laquelle Dieu promeut un mammifère supérieur à l'humanité est une parole de vie, qui comme telle ne recèle aucune menace, et promet sans bornes (mais non sans conditions). On dira donc de l'éternité qu'elle est (par définition) la fin originaire de l'esprit comme tel, qu'elle est sa *vocation* créée. Et c'est bien le terme de vocation qui porte le poids de la définition. Il appartient en effet à l'esprit, ici et maintenant, d'être mortel dans la chair. Et nulle requête d'infinité ne lui garantit une éternité qui soit à sa mesure, c'est-à-dire à la mesure d'un être d'esprit et de chair. Il reste que l'humanité de l'homme ne se pense pas dans l'ordre de la propriété ou de la possession. On pourra affirmer de Dieu (et encore...) que son éternité, selon la définition de Boèce, est sur le mode de la possession. Il revient en revanche à l'homme d'être donné à lui-même, et d'être le témoin perpétuel d'un tel don, sa trace. Cela ne veut pas dire qu'il ne soit pas substantiellement égal à lui-même : appelé à être, il peut exister en sa seule compagnie ; promis à un avenir absolu, il est au présent détenteur de lui-même. Cela ne veut pas dire non plus que la vocation se surajoute à l'être. Etre et vocation, en fait, se déterminent mutuellement. L'être est une donnée théologique : tel que créé, avant le devenir-monde de la création, l'homme est constitué comme destinataire d'une parole d'alliance et de vocation ; il est tel qu'appelé à être. Et la parole de vocation fait être — la dimension performative appartient éminemment au Verbe divin. Serions-nous donc appelés à plus que ce dont le monde détient les raisons et les conditions? La pseudo-promesse du tentateur, dans la Genèse (Gen. 3, 5), était une pseudo-vocation : vous serez comme des dieux. Elle se réalise incontestablement, sur un mode ironique, lorsque l'homme perd mémoire du don qui l'a remis à lui-même. Mais là où se perd cette mémoire, là se perd aussi le souci d'un avenir absolu ; notre rapport à notre origine conditionne notre rapport à notre fin, et celui qui se croit possesseur de son être, et qui dissocie ainsi l'être de la vocation, se voue à devenir un animal seulement mondain.

Dans l'horizon du temps, nul n'est jamais propriétaire de son être. Nous y sommes assez en possession de nous-mêmes pour nous aliéner, voire pour nous tuer. Mais de ce que l'homme peut décider de ne plus être, il ne s'ensuit pas qu'il soit le seigneur de son être. Et de ce qu'il se rende capable, à la fin du xxᵉ siècle, d'une seigneurie sur sa nature biologique, il ne s'ensuit pas non plus que son être soit à sa disposition comme une chose est à notre disposition, avouant tout son mode d'être dans le fait même d'être à notre disposition. Nous naissons biologiquement mortels, et ne pouvons à ce titre attendre d'autre eschatologie que celle qui nous est dictée par la seconde loi de la thermodynamique. Mais il faut préciser que nous naissons dans le monde (et non pas dans la création) comme ceux pour qui la création n'est pas le passé absolument révolu d'un commencement. La création ne nous est pas inaccessible. Le monde est comme tel décréation, défaite de la création, mais il n'en est pas l'abolition. Entre l'appartenance à soi (dont le monde est nécessairement l'horizon ultime, et dont la mort dénonce en dernière instance le caractère contradictoire) et le don, il faut donc choisir. Ce choix ne décidera pas ontiquement de ce que nous sommes. Il ne préjugera pas, d'autre part, des modes sur lesquels il est possible que l'homme postexiste à sa mort. Mais il permet de poser une thèse : *si l'être devant Dieu est originaire, et l'être-vers-la-mort ne l'est pas, alors la mort ne régit pas nécessairement le don qui m'est fait de moi-même.*

51 - LA LOI, ET ENCORE LE PRÉSENT

Comme créé, l'homme est promis à Dieu : cette vocation décide du sens de son être. A ce titre, il n'existe pas originairement à l'ombre de la mort, et l'horizon ontique de son trépas n'a pas de signification ontologique ultime. — Faisant mémoire de son origine, l'homme peut effectivement réaliser ce que Spinoza exigera du sage, qu'il oublie qu'il est mortel[14]. Nous avons remarqué, d'autre part, que l'alliance est le lieu où la création est maintenue au milieu du devenir-monde qui la rature. Il nous faut alors demander comment elle a part liée avec le sens du temps.

La réponse passe ici par une interprétation de la *loi*. L'alliance en effet n'est pas simplement, ou n'est pas d'abord, une raison d'espérer. Elle est une raison de vivre. Et plus précisément, elle est à nouveau (cf. § 48) une raison de laisser le présent porter le poids du temps. On peut et doit distinguer la loi morale, comme telle transcendantalement accessible (dimension transcendantale de l'alliance, donc), de la loi divine historiquement

14. Cf. première partie, note 12.

dévoilée (dimension catégoriale de l'alliance, donc). Mais quoi qu'il en soit de cette distinction, le lien de l'alliance et de la loi est irréfragable. Le respect de la loi établit l'homme dans l'alliance ; le consentement à l'alliance est un consentement à la loi. Or, la loi vaut ici et maintenant, ou ne vaut jamais ; c'est ici et maintenant qu'elle permet à celui qui y donne agrément de régresser du monde vers la création. On pourra certes se demander s'il n'y a pas de contradiction entre l'exigence de vouloir le bien intégralement et la finitude mortelle de la conscience appelée à la bien-veillance — c'est la question de Kant[15]. Mais de quelque manière que l'éthique se donne une eschatologie, donc s'avoue impuissante à instituer ici et maintenant le règne du bien, son problème n'est lui-même eschatologique que de manière conclusive : l'alliance brise avec le devenir-monde de la création, mais c'est ici et maintenant que cette rupture peut et doit avoir lieu. L'éthique, en répondant au don de la loi, reçoit ainsi une tâche qui n'est pas démesurée, même si elle ne peut être intégralement accomplie. Nul ne peut certes prétendre qu'il a voulu le bien radicalement, et l'a promu de façon intégrale : seul le saint pourrait peut-être le dire, mais le saint est humble. Mais toute réserve eschatologique étant faite, la loi demeure ce que nous pouvons observer dès aujourd'hui. Les *mitzvoth,* dont le respect est autant de cierges que l'homme allume dans les cieux, prescrivent sur un mode non utopique les modes d'une relation juste de l'homme à Dieu, à l'autre homme, et à soi-même. La conscience morale n'édicte pas ses impératifs pour demain, mais pour aujourd'hui. On comprend donc, sans qu'une longue analyse soit requise de nous, que l'expérience puisse s'organiser ici sans platitude « vulgaire » à partir du présent. Il n'y a sans doute pas d'acte moralement qualifié sans l'implication présente d'un avenir (il y a projet moral, discernement de fins et de moyens), ni sans référence à un passé. Je veux le bien aujourd'hui par remords de ne pas l'avoir voulu hier (ou, qui sait, par pratique habituelle des vertus, par le poids qu'hier et avant-hier exercent sur aujourd'hui). Et je ne peux bien-vouloir ni bien-faire, si je n'anticipe l'avenir dans lequel ma liberté se fera acte — le présent de l'alliance et du consentement à la loi n'est évidemment pas ponctuel ou instantané. Mais l'action morale n'a pas de délai, et elle excède son passé ; le foyer de sa temporalisation est bien le présent.

Il faut savoir gré à E. Levinas d'avoir mis en lumière l'immédiateté et

---

15. Cf. § 23 ss.

l'urgence fondamentales de l'exigence éthique et — donc — d'avoir offert le modèle non trivial d'une temporalisation déployée à partir du présent. L'éthique détient dans cette œuvre les premiers mots de la philosophie. Il n'entre nulle médiation, d'autre part, dans le surgissement de l'exigence éthique : il suffit que l'autre homme apparaisse face à moi, et me contraigne par sa seule présence à avouer que je lui dois tout, même s'il ne me doit rien lui-même. Tout est donné dans une expérience primordiale. Il faut toutefois noter (c'est le problème principal posé par l'interprétation de Levinas) que ce modèle vaut théologiquement, peut-être, plus que philosophiquement. L'urgence du présent peut-elle déjouer la logique du souci, ou du projet, ou celle des médiations rationnelles ? On peut tenter de répondre affirmativement. Le visage « nu » de l'autre homme absorbe chez Levinas toute préoccupation, ou si l'on veut pré-occupe totalement : l'exigence éthique est immédiate et absolue ; elle détient toute condition ; nul avenir ne la domine, nul passé ne la conditionne. Mais cette préoccupation ne se substitue à la logique temporelle du souci, et elle ne se substitue aux discursivités de la raison en quête de raisons, que sous la condition d'une violence théorique initiale : l'oubli du monde. Face à l'autre homme, en effet, le sujet éthique levinasien n'est plus dans le monde, sinon d'une manière empiriquement obvie et théoriquement insignifiante. Or, qu'est-ce qu'un oubli du monde au nom du Bien, sinon la restitution d'une évidence — l'évidence apodictique de l'obligation morale — que le monde comme tel ne peut donner, et qui ne saurait être le propre que de la création ? On ne fera pas grief à Levinas de l'oublier et de faire de la théologie sans le savoir. C'est bel et bien comme *liturgie* qu'il interprète l'intersubjectivité et son cortège d'obligations éthiques ; le philosophe sait que le visage de l'autre homme est l'épiphanie d'un sens qui excède les mesures du monde au point qu'il n'est plus nécessaire de demander quel lien l'homme entretient avec le monde. L'ordre éthique ressortit ici à la facticité, à ce qui est primitivement donné avec l'être. Mais ce ne peut être qu'une facticité théologique, car seule la théologie peut transgresser le clair-obscur de l'être-dans-le-monde, et accéder à des lumières et des évidences plus originaires. L'alliance détermine le temps depuis le présent de l'obligation, et vaut à ce titre comme première parole, car rien de ce qui a été dit avant que l'Absolu ne prenne la parole, ou avant que je ne me recommande de lui, n'importe vraiment face à l'urgence présence du devoir. La parole d'obligation n'est pourtant ni la première que nous entendions, ni la première à laquelle nous répondions. L'expérience intersubjective et l'expérience morale mettent certainement le monde entre parenthèses, elles se frayent un chemin, ou trouvent un chemin frayé, en amont de lui. Elles n'en finissent pourtant pas avec l'existence du monde.

52 - PREMIERS ÉLÉMENTS D'UNE CRITIQUE THÉOLOGIQUE DU SOUCI

Selon quelles médiations empêcher le souci d'avoir prise sur l'inquiétude, et donc d'interdire la constitution du présent comme insouciance ? Quelle raison peut-elle critiquer la maîtrise que le souci exerce sur la temporalisation ? Si l'on admet protocolairement que le souci détermine rigoureusement, transcendantalement, l'être de l'homme, en tant que celui-ci est existant dans le monde, toute réponse à ces questions passera par l'hypothèse d'une herméneutique théologique de la temporalité, car seule la théologie sait ou croit savoir que l'homme excède (originairement et eschatologiquement) son être-dans-le-monde. En un autre monde possible, la temporalisation pourrait prendre forme depuis le présent et sans que l'avenir n'inquiète ce présent, et ne disloque tout régime de la présence qui ne s'organise qu'au présent. En un autre monde possible la *joie*, par exemple, serait plus fondamentale que le souci et le mettrait hors jeu. Mais dans le monde tel qu'il est, nul présent ne peut se refermer sur lui-même sans avouer qu'il s'agit — au mieux — dans cette fermeture d'une réduction, comme telle incapable d'annuler les privilèges de l'avenir qu'elle met entre parenthèses. L'expérience esthétique nous fournirait probablement le paradigme d'une semblable réduction. Le présent (instantané ou diachronique, peu importe) où l'œuvre belle nous apparaît se suffit évidemment à lui-même. Nul avenir ne le surplombe ni ne le met en question ; la beauté institue à sa manière une eschatologie — de façon provisoire mais réelle, entre-temps. La notion paradoxale d'une signification définitive investissant l'expérience sur un mode provisoire indique bien les limites de la réduction opérée : elle s'exclut du jeu temporel de l'être-dans-le-monde, l'espace d'un plaisir de voir ou d'entendre, mais ne peut instituer cette exclusion. — L'on pourrait faire la même remarque à propos du présent de l'intersubjectivité, on l'a vu. Il ne s'ensuit pas que le souci, parce que son jeu ne peut s'annuler, soit incritiquable. Il s'ensuit uniquement que la critique du souci ne peut contourner la facticité, ou ne peut la surdéterminer, qu'en reconnaissant ses nécessités.

Du souci, l'on peut et l'on a pu tenter pourtant une critique autre que théologique. Selon toute apparence, le théologien n'est pas seul à former le concept d'insouciance. Le concept stoïcien d'ataraxie veut dire quelque chose de proche. Le *nunc* du philosophe participe presque toujours plus ou moins du *nunc stans* de l'éternité divine. Toute transcendance « verticale » de l'homme vers l'Absolu met hors jeu, en une certaine mesure, les dialectiques immanentes à la constitution du présent. La mise en cause théologique du souci a toutefois deux avantages sur toute autre. D'une part, elle avoue la fonction essentielle que le souci joue dans la constitution du temps : la conscience soucieuse révèle bien l'essentiel de son être-dans-le-monde. Et d'autre part elle avoue exactement le paradoxe qui l'habite : déjouer le souci n'est pas seulement une réduction, valide comme telle dans ses limites méthodologiques et dans ses limites expérientielles, mais encore un pas en arrière, c'est-à-dire une mise en cause de tout le champ de l'expérience. L'homme qu'inquiète l'Absolu, et que l'Absolu autorise alors à disqualifier tout souci comme seulement *daseinsmässig*, accède à un sens originaire. L'originaire est (mais n'est pas que) ce que nous avons toujours déjà perdu, et que nous ne regagnons qu'entre-temps. Le souci, donc, n'est pas à l'origine : à l'origine est l'inquiétude qui détourne de soi (et donc de son propre avenir, conçu comme quelque « chose » que l'homme ferait, dont il voudrait être responsable, et sur lequel il craint que toute maîtrise lui échappe) l'homme qui se tourne vers l'Absolu. L'inquiétude, et c'est bien le problème d'une critique théologique du souci, ne défera jamais la structure existentiale du souci. La relation à l'autre, éminemment à l'Absolu, ne peut en effet lever l'ipséité (elle en est ici et maintenant un mode), la préoccupation de soi par soi (sur laquelle nous ne pouvons ni ne devons formuler de jugement moral) nous demeure essentielle (à supposer que nous soyons bien ici et maintenant en possession de notre essence). Sise entre création et monde, l'expérience vit en son régime théologique d'une transgression qui, à l'ombre de la mort, ne peut s'imposer comme signification unique, dans l'évidence d'une aurore retrouvée. Raturée au commencement, l'origine nous est indisponible, il nous faut les médiations patientes d'une herméneutique pour la désigner aujourd'hui, et toute expérience est toujours reconduite au monde qui seul est à notre disposition. Ce qui ne veut pas dire que, sur un accès à l'originaire, nous soyons sans droit. Mais ce qui veut dire que ce droit s'accommode de la patience d'un discernement jamais acquis une fois pour tous. Le Royaume n'est pas évident comme le monde est évident. Il n'est pas un autre monde.

53 - VOCATION : L'HOMME EXPOSÉ A LA PAROLE

Le monde n'est pas l'autre de la création, et celle-ci y transparaît énigmatiquement partout où y ont lieu le vrai, le beau et le bien. Il peut appartenir à l'homme qui pose un pas en arrière en deçà des dialectiques violentes qui font le monde de faire apparaître la création, il peut plus simplement lui revenir d'en être le témoin. Un point doit ici importer : précédé à l'origine par le don qui m'a laissé être, je suis aujourd'hui encore précédé par la Parole qui gouverne dans l'histoire, catégorialement, les coordonnées théologiques de l'expérience. On pensera notre mise en relation à cette Parole sous le concept d'*exposition*. Par exposition l'on entend, par simple fidélité au lexique, une mise hors de soi, ou une mise à la limite de soi. L'on n'est jamais exposé qu'à l'extériorité. L'extériorité est elle-même multiple : extériorité des choses, des personnes, de la loi, etc. Et nous y sommes exposés de manières multiples : sensiblement, affectivement, raisonnablement, etc. Le rapport à l'extériorité, d'autre part, est constitutif de notre être. L'autre que nous-mêmes auquel notre présence charnelle dans le monde nous expose n'apparaît pas dans le champ de la conscience une fois l'ipséité assurée et réfléchie, une fois l'ego en possession de lui-même, mais il est là dès le commencement pour concourir à l'édification du moi. Il appartient au soi d'être toujours déjà hors de soi, de par son ouverture charnelle au monde. Il lui appartient de ne pas disposer d'une intériorité qui précéderait tout rapport à l'autre que soi. L'autre ne nous est pas proposé. Nous lui sommes exposés.

Sur le fond d'une structure apriorique de l'expérience, l'acte historique de parole (et de parole transmise) dans lequel l'Absolu rencontre l'homme radicalise toute problématique, en fournissant le modèle d'une extériorité que nulle intériorité ne mesure ni ne s'approprie, ou d'une altérité qui arrache le moi à tout enfermement en soi. Il est évidemment inutile d'attendre que l'Absolu se manifeste pour savoir ce qu'il en est de l'extériorité et de l'altérité. En revanche, sa manifestation, qui met déjà à son comble l'exposition du soi à l'autre que soi (indéductible, elle met l'homme à la disposition de Dieu, à sa merci ou à sa grâce), introduit encore une relativité nouvelle : elle suspend le sens à ce qu'elle en donne ou en décèle. Toute connaissance et toute expérience nous mettent hors de nous-mêmes. L'Absolu qui se donne une voix dans l'histoire exaspère toutefois de façon remarquable cette donnée primitive. Nous croyons être chez nous dans le monde et dans l'histoire — et nous le sommes. Or, l'acte de parole dans lequel l'Absolu se dévoile et nous parle, et définit ce que nous sommes par la vocation qu'il nous fait, met bel et bien l'historique en suspens. Dieu « se dit » dans l'histoire. Et quelle que soit la destination propre de l'homme, histoire et monde composent solidairement l'horizon premier évident de son existence. Il reste que le Dieu indéductible de tout monde et de toute histoire, et dont le nom est celui que la théologie tente de prononcer le premier, confirme moins notre historialité — ainsi nommera-t-on l'emprise de l'histoire sur l'existence, pour la distinguer de l'historicité qui est le propre des faits — qu'il ne la critique dans l'acte où il se propose à l'homme. Dieu se donne lieu dans le monde. Mais il s'agit en termes mondains d'un non-lieu ; c'est toujours dans les marges du monde que l'Absolu se fait entendre ; sa parole survient à l'écart des bruits de l'histoire universelle, et ne relève mondainement que de l'ordre du fait divers ; nous ne pouvons l'entendre sans nous désaccoutumer du monde et de l'histoire. Il faut donc concevoir que l'extériorité est ici à son comble. Toute connaissance est une invitation à sortir de soi. L'invitation qui nous parvient de Dieu propose le plus strict exode qui soit hors de soi-même — nul ne l'entend sans sortir de soi et de son monde.

Qu'en est-il alors du temps dans lequel sa vocation est dite ou transmise à l'homme ? Déterminée par l'extériorité absolue de Dieu, la temporalité ne s'ouvre pas ici sur la fruition insouciante d'une présence. La parole d'alliance et de vocation demande à être reçue et interprétée, car si Dieu seul est qualifié pour rendre témoignage à Dieu, si sa parole doit s'imposer de par sa seule autorité, il reste à l'homme de discerner, en ce qui lui est donné sous les espèces du monde, la rupture des mesures du monde. Le temps de ce discernement n'est pas celui d'une extase. Et s'il faut sortir de soi et du monde pour entendre les mots qui doivent nous séduire, nous n'avons pas pour autant, par impossible, à sortir du jeu temporel de la présence, de la mémoire et de l'attente, et du souci. Entre création et monde, l'homme n'est pas sans Dieu dans le temps. Cela veut dire que son temps n'est pas exclusivement une fonction, ou une variable, de son être-dans-le-monde. Au matin de la création, l'homme et Dieu s'entretenaient comme l'ami et l'ami, suggère le prologue de la Genèse. Le monde est aujourd'hui interposé entre Dieu et moi, et la parole divine ne me parvient qu'au milieu de toutes les paroles dont bruit le monde, et qui n'engagent pas toutes, tant s'en faut, la responsabilité de Dieu. Transcendantalement exposé à un Dieu qui parle, historiquement pris dans le jeu de tradition qui nous remet les mots de l'Absolu, par quel acte de présence prouverons-nous que nous voulons faire un pas en arrière, du monde vers la création ? La présence sera ici l'œuvre de la *mémoire* (puisque l'Absolu a toujours déjà parlé), et elle sera l'œuvre de la *vigilance* — modalité extrême de l'attention qui permet d'apercevoir l'inédit dans l'acte où il se manifeste. C'est entre mémoire et vigilance que la conscience démontre qu'elle détient l'être sur le mode de la vocation. Faire mémoire des paroles de vocation revient à faire mémoire de ce que je suis. Veiller dans l'attente de ces paroles revient à attendre, dans le clair-obscur du présent, que la lumière se fasse sur ce que je suis.

54 - PROMESSE ET INACCOMPLISSEMENT

De l'acte de parole et de présence dans lequel Dieu se communique, seule la christologie peut affirmer qu'il est clos, parce que Dieu a dit son dernier mot[16] et que la mémoire, donc, devient le foyer du temps. Mais la raison théologique ne commence pas avec la christologie, même si elle est gouvernée à distance, au commencement, par son achèvement christologique — elle peut connaître une mémoire qui ne soit ni christologique, ni eucharistique. Et s'il faut, d'autre part, ressaisir en mémoire la Parole dans l'acte où elle se prononce, s'il faut accéder à l'origine du dévoilement de Dieu et de la vocation de l'homme, c'est comme au lieu d'une inchoation qu'on se tiendra — comme au lieu d'une promesse dont l'accomplissement demeure à venir. La vigilance attend de Dieu l'inédit ; et elle n'est pas déçue, si Dieu est un Absolu qui parle. La mémoire est liée à la vigilance de façon essentielle : car Dieu est celui qui a toujours déjà parlé. Mais l'Absolu ne parle, et n'a parlé, que pour reconduire l'homme à son avenir — pour le promettre à un avenir. Le présent de la vigilance et de la mémoire se trouve ainsi suspendu. Qu'est-ce à dire ? D'une part, les promesses de Dieu sont à la mesure de l'histoire : promesse d'une paternité, promesse d'une terre, promesse d'une délivrance. D'autre part, cependant, le régime des promesses à la mesure du monde (et ces promesses connaissent leur accomplissement, ou sont relues comme ayant eu leur accomplissement) n'épuise pas l'ordre de la promesse, de telle sorte qu'en une histoire possible, en des temps messianiques, l'homme puisse n'être plus destinataire de promesses divines. L'accomplissement historique cacherait-il et dévoilerait-il, ensemble,

---

16. Cf. Jean de la Croix, *Subida del Monte Carmelo*, II, 22, notamment les points 4-6.

un inaccomplissement eschatologique, permettrait-il une relance eschatologique de l'ordre de la promesse ? Il s'agit, lorsque Dieu promet, de la vie de l'homme. Choisir l'existence vécue sous la Loi est choisir la vie[17]. Vouloir le bien plutôt que le mal engage dans la seule vie digne d'être vécue. Choisir Dieu plutôt que les idoles qualifie pour le « salut », c'est-à-dire pour la vie même vécue dans la proximité de Dieu. Mais il ne faut pas beaucoup d'acribie pour percevoir que le salut (historique) et l'accomplissement (historique) des promesses de Dieu sont pris eux-mêmes à l'ombre de la mort. *Le respect de la loi est peut-être le seul mode authentique d'un oubli de la mort au nom des urgences du présent,* ou en tout cas d'une disqualification de la mort. Mais le respect de la loi n'ôte pas l'homme au monde, car s'il s'agit dans la loi d'exister authentiquement devant Dieu, il s'agit là tout aussi bien de se donner dans le monde, dans l'histoire, parmi les hommes, la seule demeure qui vaille. Les promesses de Dieu, leur accomplissement historique et leur inaccomplissement eschatologique, réintroduisent alors dans l'aporie du temps, et l'aiguisent peut-être. Faire le bien, vivre en vérité et habiter une terre promise (et donnée), autorisent-ils à consentir à la mort ? C'est possible : la Bible hébraïque n'est pas toujours habitée d'une grande révolte à l'égard de la mort, et l'idée d'une survie n'y apparaît que dans les textes tardifs où, les promesses historiques de Dieu semblant finalement inaccomplies (puisque la terre est perdue), des promesses eschatologiques semblent requises pour rendre une espérance. Mais de ce que la mort peut pour l'Ancien Testament conclure sans annuler toute signification théologique, on se gardera d'inférer qu'une telle expérience résout de façon claire et distincte, à l'intérieur de la théologie, l'aporie du temps. L'homme serait-il simultanément promis à l'amitié de Dieu et à la mort ? Ou bien, revient-il aux promesses de Dieu, alors même qu'elles ratifient l'existence historique et mondaine de l'homme (malgré la suspension des raisons historiques qui intervient lorsque l'homme prête attention aux paroles de ce Dieu), de surplomber tout accomplissement ou tout inaccomplissement historique ? Seule la mort peut réfuter le postulat d'un avenir absolu, et réciproquement c'est en falsifiant les prétentions eschatologiques de la mort que les promesses de Dieu se réaliseront — à Pâques. Tant que l'homme se saura promis en dernière instance à sa mort, les promesses de Dieu lui seront manifestes comme offre réelle d'un sens, et même d'une dernière parole, ultimement voués au non-sens et au silence. Ce n'est pas peu qu'un temps

---

17. Cf. Deutéronome 5, 32-33.

acheminé vers la mort ait un sens. Mais la mort nous contraint à reconnaître qu'entre création et monde, et alors même que l'homme se sait promis à l'Absolu, et à un Absolu qui soit parole et relation, nul dernier mot n'est prononcé, et nulle réalité définitive instituée. La promesse, de façon paradoxale, ne dévoile pas par anticipation à l'homme ce qu'il en sera de son avenir. Son contenu ultime est moins propositionnel qu'interpersonnel. Mais elle permet de savoir que le présent dans lequel elle résonne ne possède que le statut du commencement. L'inaccompli est le mode sur lequel l'alliance nous promet à Dieu. Dans l'histoire du monde, seule la mort peut passer pour un accomplissement et permettre d'envisager l'homme dans sa totalité — mais dans une totalité sans vie. Les promesses de Dieu ôteront-elles à la mort elle-même la licence d'en finir avec l'homme, et la logique créée de l'être comme commencement échappera-t-elle aux eschatologies empiriques dont le monde détient les conditions ?

55 - SENS ESCHATOLOGIQUE DE L'IPSÉITÉ

Je ne suis pas à la disposition de moi-même, puisque l'avenir échappe en fait à toute stratégie de maîtrise, que le commencement dépend radicalement de la fin, et que pour la théologie comme pour la philosophie je suis à moi-même le commencement de mon être. En termes théologiques, le commencement s'entendra sous le régime de la promesse. Exposé à l'Absolu, pris dans une histoire où l'Absolu se manifeste, le dernier mot de ce que je suis m'échappe : non seulement l'acte d'exister conformément à ce que l'on est consiste à faire perpétuellement mémoire de son origine, mais encore l'origine ne nous dévoile pas la fin ; même en accédant au sens créé de mon être, je demeure à distance de tout accomplissement. Cela se déploie sur deux plans, existentiel et historique : *a* / L'expérience intime du sujet n'est pas le lieu des promesses de Dieu. Celles-ci sont paroles publiques, transmises à une mémoire et à une espérance collectives, et ne parviennent à l'homme que par la médiation d'un peuple. Une intersubjectivité est première par rapport à la subjectivité qui s'approprie le sens de la promesse. C'est donc *une* histoire qu'il convient d'interpréter comme espace concret de la promesse. Mais c'est simultanément de *l'*histoire, considérée en son entier, qu'il faut avouer qu'elle ne recèle pas l'accomplissement de toute promesse (sinon par voie d'anticipation et dans les limites, d'une part de la christologie, d'autre part de la théologie des sacrements). La tentation de

toute philosophie de l'histoire est toujours de produire sa propre eschatologie, et cette tentation est d'autant plus vive si la philosophie s'assigne
aussi comme tâche de s'approprier le contenu raisonnable des anticipations
théologiques de la fin. Mais même si la philosophie peut penser le contenu
de la foi (ce qui est un problème philosophique et en aucune façon un problème théologique), la réalité anticipée prouve en premier lieu que l'histoire
reste comme telle à distance de tout accomplissement, c'est-à-dire que
l'historique relève comme tel du gouvernement du provisoire. Il y a une
réponse christologique, puis ecclésiologique, à la question de l'accomplissement — du « règne » de Dieu. Il ne faut pourtant pas la hâter. Car, malgré
le sens messianique qui est son dernier secret, la création et à plus forte
raison la totalité phénoménologique du monde sont essentiellement en
attente d'un dernier mot, et doivent être définies selon cette attente. Le
naturel n'est que du provisoire. Et la communauté qui transmet les paroles
et les promesses de Dieu n'a elle-même de demeure que provisoire. *b* / Parallèlement, le moi concret voit lui-même la promesse lui signifier l'inaccomplissement de son être. Je suis assez moi-même aujourd'hui pour ne pas
différer à la fin des temps, ou au moins de mon temps, toute responsabilité
de ce que je suis. Mais si je puis aujourd'hui répondre rationnellement
de ce que je suis, c'est sous une réserve : ce que je suis doit être pensé (et
affirmé) comme m'étant promis autant que donné. Cette réserve est en un
sens de peu de conséquence, parce qu'il n'est pas nécessaire que le dernier
mot soit prononcé sur qu(o)i que ce soit, pour parler et agir rationnellement,
pour agir moralement, et tout simplement pour être. Elle importe toutefois
au travail de la théologie, qui est la science des réalités définitives. Après
nous avoir dit la distance qui nous sépare de notre origine, elle doit en effet
manifester aussi celle qui nous éloigne aujourd'hui de l'accomplissement de
notre être. La parole dans laquelle l'Absolu nous aborde prouve que nous
existons d'ores et déjà en un temps que des significations définitives — eschatologiques — peuvent investir. Ce n'est pourtant qu'en Christ, et non en moi,
que Dieu a dit son dernier mot. Et pour celui qui, ou bien met entre parenthèses toute signification explicitement christologique, ou bien pense avant
la christologie, les premiers mots de Dieu ne préjugent pas de ce dernier mot.
Ce que je suis est lié à ce que l'Absolu dit, et en fait à ce qu'il est. Dès lors
que Dieu a dit son dernier mot, le rapport du provisoire — l'être-vers-la-
mort — au définitif peut nous apparaître vivement : le Samedi saint marque
en effet la frontière de toute eschatologie faite de main d'homme et de toute
eschatologie dont Dieu soit le maître. Nul n'existe dans l'horizon du temps

sans que la promesse — ou la menace — d'un dernier mot et d'une dernière raison ne préoccupent son présent. Ce que je suis est une fonction de ce que je serai. Mais je ne dispose pas aujourd'hui de ce que je serai. La question de l'ipséité est au fond une question eschatologique. L'accomplissement de l'homme n'est pas déductible. Le rapport de l'homme à son être est donc bien marqué par une pénurie, ou une pauvreté : il ne possède pas ce qu'il est, et il n'est pas définitivement soi-même.

56 - SENS CHRISTOLOGIQUE DE L' « ESCHATON »

Il n'y aurait pas de commencement là où l'accomplissement serait co-donné avec l'origine. Ajoutons à cette vérité d'évidence que l'écart qui sépare l'origine de l'achèvement est théologiquement celui qui sépare la théologie de l'alliance de la christologie. Cet écart définit exactement ce que nous sommes. Nous n'en sommes aujourd'hui ni à notre origine, que rature notre mondanité, ni à notre fin. Nous existons entre création et monde. De même, nous existons entre origine et achèvement, entre création et royaume ; et le problème d'une théorie de l'alliance gît dans l'indétermination des promesses eschatologiques de Dieu — la foi précède l'espérance. A la répétition circulaire du temps pré-biblique, l'alliance de Dieu avec les hommes substitue, on le sait, une temporalité linéaire, un temps pris en une histoire. Le dernier mot n'est pas la reprise identique de l'origine. La fin n'est pas le retour du commencement. Et l'alliance « nouvelle » ne sera pas déductible de l'alliance « ancienne » : la christologie est irréductible, et inédite. Pas plus sans doute que la création, le royaume de Dieu ne nous est accessible, sinon sous les espèces du monde et de l'histoire. La dialectique du monde et de la création doit donc être élargie en une dialectique de la création, du monde et du royaume, et celle-ci doit nous manifester l'excès de l'origine par la fin. L'*eschaton* ne peut, ou ne pourra pas, ne pas faire intégralement mémoire de l'origine ; mais il importe surtout que l'origine ne nous livre pas un dernier mot. La création elle-même et l'alliance sont assurément déjà des réalités messianiques, christologiques. Elles sont toutefois des réalités avant-dernières, pénultièmes, ordonnées à une réalité qui les accomplira en les débordant. Création et alliance sont le premier mot de Dieu. Le temps vécu en alliance, dans l'attente du Christ, relève donc de l'ordre du commencement, de ce qui est proprement irrévocable sans pour autant être institué définitivement. La signification de ce temps, et la signification de toute réalité humaine extérieure à l'anticipation christologique, relève ainsi de ce qu'il faudrait nommer une *théologique de l'inchoation*. Un accomplissement est promis à l'homme habitant monde et histoire. Mais il est hors de nos prises, et le demeurera même après avoir été proleptiquement réalisé dans la vie, la mort et la résurrection de Jésus de Nazareth. Il faut savoir exister en étant fait de la promesse d'un avenir absolu dont le monde contredit la logique, et dont la création elle-même ne détient pas par avance les raisons.

57 - ÊTRE-DANS-LE-MONDE ET AUTHENTICITÉ

Je suis pris dans une double différence, différence de la création et du monde, différence de la création et du royaume. — Et cette prise ne cesse pas d'être le cas lors même que Dieu a dit son dernier mot et que l'*eschaton* a reçu pour nous son lieu historique précis : car le Christ est ressuscité, mais je vis à l'ombre de la mort. La question de ce qui appartient « en propre » à l'homme, de l'authenticité, devient donc singulièrement complexe. En effet, il ne peut s'agir aujourd'hui d'opérer un pas en arrière vers l'origine sans entrer simultanément dans une logique des réalités définitives qui, on l'a dit, ne restaure pas l'originaire mais le parachève, et donc l'excède. Celui qui existe entre création et monde (et qui se trouve ainsi remis à la garde de sa mémoire, au sens le plus fort du terme) existe aussi entre monde et royaume (et donc se trouve remis à son espérance) ; son être est dépendant d'une double tension. Comment réaliser alors ce qui lui revient en propre ? Qu'est-ce que le propre de l'homme ? En d'autres termes, comment déborder son être-dans-le-monde sans basculer dans des modes superficiels, naïfs ou déchus de l'expérience ? Il n'y a sans doute pas de réponse simple, d'autant moins que tout excès peut être mesuré par ce qu'il prétend excéder, et donc que l'homme ne met pas impunément en cause cela seul qui le définit de façon vérifiable, sa mondanité. Se réclamer de la création et du royaume ne reviendrait-il pas à renoncer au sérieux du réel et aux lois seules rationnellement contraignantes de la facticité ? L'idée d'une subversion théologique de l'être-dans-le-monde ne se refuse-t-elle pas à toute preuve, et a-t-elle une autre logique que celle de notre désir ? On l'a dit, nous ne pouvons faire fond sur une réalité disponible de la création et de l'*eschaton*. Mais à défaut, il est au moins possible de proposer un concept sous lequel penser l'investissement du temps, de l'histoire, du monde, de l'expérience, par l'origine et l'eschaton : le concept de *réduction théologique*. On entendra par là le paradoxe de la raison qui se saisit de l'inévident et de l'indisponible, met entre parenthèses l'évidence immédiate du monde, et lui substitue la seule lumière (et les dialectiques) des interprétations théologiques. Il appartient à l'identité de l'homme, si son problème est en fait eschatologique, d'être aussi inévidente que Dieu lui-même ou sa création sont inévidents ; le monde est le domaine du clair-obscur, où la trace de l'origine et la promesse de la fin sollicitent une attention qu'elles ne peuvent contraindre. Seuls le monde et l'être-dans-le-monde sont des données obvies, seuls ils sont de fait dans le sens obvie du terme. Pourrions-nous suspendre ce qui est affecté d'évidence à ce qui n'en possède pas ? C'est à cet exercice surprenant que se livre la théologie. Apercevant l'inévident et prononçant son nom en premier, elle ne le fait pas en oubliant cette inévidence. Elle appelle et suppose la foi ; ce dont elle traite ne se voit pas comme le monde se voit (ce qui ne veut pas dire qu'il s'agisse de réalités exclusivement invisibles). L'inévidence, d'autre part, n'est pas un critère de l'inexistence : il s'agit là d'inévidence dans le monde, d'inévidence sous les conditions historiales de l'expérience. C'est ainsi à la théologie, et à elle seule, qu'il revient de lier dialectiquement ce dont l'être est mondainement affecté d'évidence et ce dont l'inévidence caractérise la situation dans le monde ; c'est à elle seule qu'il échoit de penser la double dialectique de la création et du monde, du commencement et de l'accomplissement. L'inévident peut être mis en lumière. Cela n'est possible qu'en déconstruisant toute fermeture du monde sur sa seule mondanité, et de l'existence sur l'être-dans-le-monde. Le propre de l'homme est donc théologiquement ce que l'interprétation uniforme de son être-dans-le-monde ne peut que méconnaître, puisque celle-ci n'a d'autre recours qu'à une facticité indifférenciée. Il s'agit théologiquement de *mettre en cause l'ultimité du monde.*

Les limites de l'empirie, et celles de l'évidence démontrable, sont celles du monde. Mais seule l'évidence mondaine, bien sûr, implique une identité de l'être et de l'être-dans-le-monde — comme seule la théologie peut réfuter cette identification. Le sens théologique et le sens philosophique de la facticité, on l'a dit (§ 43), n'entretiennent de relation qu'antagoniste ; et en se réclamant d'un sens originaire qui fuit toute interprétation mondaine de l'humanité de l'homme, la réduction théologique recèle le pur aveu d'un tel conflit. Son problème est la contradiction de l'évidence par l'inévidence : le sens véritable, les dernières paroles, les certitudes finales, ressortissent au champ de l'indisponible, de ce qui ne nous appartient pas, de ce dont la trace seule est à notre disposition, de l'anticipation dont la réalité ne se laisse pas saisir. La solution du problème est — donc — *l'établissement d'une topologie de l'expérience et de la connaissance dans laquelle le propre de l'homme soit d'être dans le monde celui qui transgresse son être-dans-le-monde.* Le problème est obvie, la solution l'est moins, car le sens théologique est toujours celé dans le non-théologique ; et si la violence de la réduction théologique est fondée (parce que l'Absolu a effectivement pris la parole, et que l'alliance est le secret discret du monde et de son histoire), elle demeure une violence, une violence faite à l'encontre de toute théorie qui enchaîne ses raisons à l'ombre de la mort. L'on ne dissocie pas l'humanité de l'homme de sa mondanité, malgré tout motif de le faire, sans une rupture qui ne rend compte d'elle-même qu'après coup (parce que sa vérification n'est en dernier recours qu'eschatologique). Le « propre » de l'homme, son « authenticité » est de passer son être-dans-le-monde. La théologie doit servir à penser cet excès. Les inconforts ou les malaises qui appartiennent à notre présence dans le monde sont peut-être, à ce compte, autant d'invitations adressées à la raison théologique. L'inquiétude est le secret de ce que nous sommes, et ce secret est totalement théologique. L'on n'y parvient pas sans un difficile débat avec la logique mondaine de l'existence. La théologie n'a pas à rougir d'un tel débat : il lui fournit l'occasion de manifester son *logos* propre.

58 - LE DANSEUR DE CORDE

Si l'authenticité ne gît pas dans l'identité consentie de l'être et de l'être-dans-le-monde, l'exode hors du monde qu'elle propose, en direction de la création et du royaume, ne nous ôte évidemment pas à la totalité phénoménologique du réel : cela n'a pas à être prouvé, tant il est vrai qu'un monde nous est transcendantalement indispensable. La double différence réelle (création/monde/royaume) distingue des ordres de réalité et des modes de l'expérience. Mais elle ne peut offusquer l'involution concrète des réalités que le concept distingue, et la totalité phénoménologique du monde est le lieu de cette involution. Le travail de mise en différence nous permet, et il est seul à permettre, de parler du « monde » autrement que pour désigner simplement la totalité de l'étant, et de la création autrement que comme un synonyme pieux du monde. Mais la mise en différence, redisons-le, ne met ni la création ni l'*eschaton* à notre disposition, et son élaboration théorique nous convainc d'une tension (non point originaire, mais ici et maintenant primitive) qui ne suffit pas à manifester une non-ultimité phénoménologique du monde. — A bon droit, car nous ne pouvons tenir le langage du phénomène sans tenir celui du monde, et car rien ne nous apparaît sinon sous les espèces du monde. Il en va de même du second concept du monde que nous avons mis en œuvre, et qui est son concept historique, selon lequel le monde est l'espace de jeu des dialectiques violentes qui font l'histoire. Ici encore, ni l'origine ni l'*eschaton* ne se manifestent sans que l'histoire ne puisse revendiquer pour filles les conduites qui font le mieux violence aux raisons de l'histoire. La bien-veillance morale ne se crée pas un arrière-monde, elle ne prend pas congé du réel tel qu'il est. Et son refus supposé de l'histoire nous apprend peut-être que l'histoire s'accommode aussi de dialectiques non-violentes et faiseuses de bien pour le seul amour du bien. Au concept phénoménologique du monde, et à son concept historique, il appartient donc de pouvoir tout s'intégrer — y compris la transgression. Nous ne pouvons donc attendre du sage, ou du saint, que le réel autour d'eux devienne monde en un sens nouveau, qu'ils donnent à un « nouveau monde » une visibilité univoque : encore une fois, les mesures de l'évidence sont une fonction du monde et de l'être-dans-le-monde. Mais cela ne rend pas la raison théologique silencieuse, ni oiseuse. Phénoménologiquement et historiquement, le système de différences qu'elle met en place est radicalement inévident : si le monde est donné sur le mode de l'évidence, la différence de la création et du monde, et la différence de la création et du royaume, doit être interprétée, et l'interprétation doit être un arrachement à l'inévidence. La logique des réalités définitives est à l'œuvre dans le monde ; le monde est l'espace provisoire dans lequel s'esquisse le définitif. Nous ne sommes rien, ni ne faisons rien, dont il ne soit possible de rendre compte en termes de monde et d'être-dans-le-monde. Les significations eschatologiques sont aussi des significations mondaines. Comment donc rendre manifeste une authenticité qui devrait résider dans une transgression, si même cette transgression peut être interprétée comme habitation cohérente de la totalité phénoménologique et de la totalité historique du monde ?

Tentons de répondre au moyen d'un concept, celui de *jeu*. L'excès de l'homme par rapport à la totalité phénoménologique du monde ne saurait être prouvé que dans l'expérience du moi survivant à sa mort. Et son excès par rapport à la totalité historique de ce monde ne saurait être prouvé que s'il revenait en propre à l'éthique, ou à la mystique, d'édifier des contre-histoires absolument affranchies de ce qui constitue concrètement l'histoire (« le sérieux, la douleur, la patience et le travail du négatif »[18] ; la violence,

---

18. Hegel, *Phänomenologie des Geistes*, éd. Hoffmeister, p. 20.

l'idolâtrie, etc.). Cela n'est évidemment pas le cas. Nul ne survit dans le monde à sa propre mort. Et même les utopies les plus conséquentes ne se réalisent qu'en se soumettant aux lois qui donnent au réel son visage historique. Mais il ne s'ensuit pas que toute protestation de l'homme en faveur de son origine et de sa fin soit dépossédée de son sens. Nous dirons d'elle qu'elle introduit du jeu dans le rapport de l'homme à son monde. La première règle de ce jeu en quoi consiste notre existence nous dit que du monde nul ne s'exempte sans mourir, et la seconde règle nous dit que de l'histoire nul ne peut s'absenter sans y perdre tout sens, ou sans se réfugier dans des régions pauvres de l'expérience, antérieures aux enjeux graves de la rationalité historique. Or, le jeu de celui qui met en cause l'ultimité de son être-dans-le-monde est la seule possibilité qui lui soit donnée de contourner ces règles. Dans sa prière, le mystique ne fait rien — mais peut-être qu'il fait tout alors même s'il se refuse à exercer une causalité historique. Celui qui espère n'a pas un autre visage que celui qui existe vers-et-pour sa mort — mais peut-être redistribue-t-il ainsi tout le sens qu'une existence puisse porter. Jamais le monde ne cessera d'être le lieu de tout ce qui a lieu. Et face à la transcendantalité du monde, le jeu de celui qui veut plus qu'être-dans-le-monde, ou pour qui l'être-dans-le-monde implique son propre excès, apparaîtra toujours comme un artifice. Qui suis-je? Ici encore un enjeu déborde les limites de sa mise en jeu. Tout nous advient sous la condition du monde, mais ce monde et son temps, si nous en croyons les paroles de promesse et de vocation reçues de Dieu, ne peuvent manifester la plénitude de leur sens qu'en se laissant investir et inquiéter par un passé absolu et un avenir absolu. La gravité existe tout autant pour le danseur de corde que pour moi. Elle existe même un peu plus pour lui, dont elle met la vie en jeu. Le funambule est dans le monde comme j'y suis. Il ne défie aucune loi : il ne fait en fait que les prouver. Dira-t-on pour autant que son pas est pareil au mien, et que son art n'est qu'une confirmation de ma démarche? A son jeu physique avec l'être-dans-l'espace correspond le jeu métaphysique de celui qui veut manifester la différence double dans laquelle il est pris. Ce jeu est paradoxal et vulnérable à toute interprétation critique qui ignore les raisons de la théologie. Il n'en est pas moins revêtu du plus haut sérieux.

59 - LE PRÉSENT ET LA PRÉSENCE A L'ORIGINE

On a dit à l'orée de ces recherches (§ 1) que le concept de présent devait se fonder sur celui de présence en son sens prégnant : sur l'acte de présence dans lequel une conscience façonne son temps, non point comme succession d'instants discrets, mais comme intégration des trois dimensions — « passé », « présent » et « avenir » — de la diachronie. A ce stade de l'analyse, il devient possible d'interpréter l'acte humain de présence, au sein des différences qui sont le site théologique de l'homme, comme réponse ou correspondance à une vocation et à une promesse. Exposé à l'Absolu, promis à lui et promis par lui à un avenir absolu, affecté alors d'une inquiétude plus fondamentale que le souci (mais prise concrètement dans le jeu du souci), l'homme n'est pas seulement à l'écart de son origine, mais peut en faire mémoire, dans la même mesure où l'Absolu n'est pas le Dieu de l'origine désormais absent, mais un Dieu dont la parole retentit encore dans le monde. De ce fait, la transgression de notre être-dans-le-monde n'est pas d'abord notre fait, nous n'en portons pas l'ultime responsabilité : en répond vraiment celui à qui répond cette transgression, et qui en proposant son alliance qualifie toujours à nouveau le monde comme création. Il faudra préciser le moment venu en quelle mesure l'alliance représente une réalité apriorique universelle (transcendantale), et dans quelle mesure son ordre est celui de l'*a posteriori* historique (du catégorial). Mais d'ores et déjà, il faut affirmer une priorité : si Dieu peut et doit paradoxalement être premier nommé, c'est parce qu'il fonde, dans le monde qu'il rend à son être-créé, les conditions d'une présence de l'homme à Dieu. Les termes du problème sont familiers à la théologie biblique, qui sait, et depuis longtemps, l'antécédence de la théologie du salut par rapport à la théologie de la création, et l'enracinement de celle-là dans la particularité d'une histoire. Nous ne prétendons pas, et il serait injustifiablement arrogant de prétendre, que l'homme n'est fidèle à son humanité qu'à condition d'être concrètement le citoyen de cette histoire particulièrement balisée par la théophanie du Sinaï et celle du Golgotha. On a défendu au contraire la thèse d'une identité dialectique de la création et de l'alliance de telle manière que l'une ne saurait s'abstraire de l'autre et que les limites de la création (phénoménologiquement indiscernables de celles du monde) sont celles d'un acte de parole, peut-être brouillé par les bruits du monde et de l'histoire, mais à jamais audible. Il s'agit donc d'affirmer le caractère responsorial de toute relation de l'homme à Dieu. L'initiative n'appartient pas théologiquement à l'homme, et celui-ci est déterminé au tréfonds de soi comme être de réponse. L'origine ne se reconquiert pas, et l'*eschaton* ne peut être fait de main d'homme. Et quoi qu'il en soit des libertés humaines qui veulent la justice, la piété, et en dernière instance le règne de Dieu, c'est toujours à un don que l'homme doit se faire mémoire de ce qu'il est, et sera. L'alliance et la promesse précèdent, et guident, le choix de l'homme qui excède son être-dans-le-monde au nom de son être de vocation.

60 - THÉOLOGIQUE DE L'INCHOATION :
    L'ALLIANCE COMME HISTORICITÉ FONDAMENTALE
    DE LA PRÉSENCE DE DIEU

L'être-dans-le monde abrite comme tel une historialité fondamentale, qu'il n'est pas nécessaire de prouver : il n'y a pas d'existence sans histoire. Le lieu et le temps nous sont co-donnés. Ils sont l'horizon de toute donation de sens. Ils sont — donc — l'horizon dans lequel l'Absolu se manifeste — mais dont cette manifestation, par ailleurs, remet en cause toute prétention à l'ultimité. Or, cette manifestation et les faits et dires qui la constituent ne se referment que sur la christologie, ne sont forclos qu'en termes christologiques et ne revêtent donc avant l'organisation pascale de la christologie qu'une configuration ouverte et provisoire. Dieu a toujours déjà parlé — et tout savoir qui l'oublie ou l'ignore est méthodiquement abstrait ou naïvement abstrait. Mais toute parole n'est pas un dernier mot ; et toute promesse n'est pas une affirmation univoque. Aussi doit-on concevoir l'alliance non comme une donnée mais comme un événement, on l'a déjà dit, et apercevoir cet événement comme don de sens et don de présence se déployant aux dimensions d'une histoire. Il serait dès lors illusoire (et théoriquement suicidaire) d'attribuer une signification uniquement eschatologique à ce qui, par son essence, est proprement préeschatologique, pénultième (on précisera ce concept : cf. § 74). On le dira en temps voulu de l'expérience même qui survit à la manifestation définitive de l'Absolu et en vit, c'est-à-dire de l'histoire de l'Eglise. A plus forte raison faut-il le dire de l'expérience qui attend encore les derniers mots de Dieu, et à qui seul un sens provisoire est décelé. Une histoire peut se continuer après qu'un dernier mot a été donné. Là, toutefois, où l'on tente d'organiser la logique de l'expérience autour de la dialectique de la création et de l'alliance, nul ne doit en appeler trop vite au dernier mot. L'homme vétéro-testamentaire est appelé sans que cet appel ne réponde à toute question posée par ce qu'il est. La possession définitive de soi (symboliquement, de la « terre promise ») est sans cesse différée. Ce qui semblait définitif, avec l'entrée et l'établissement d'Israël en Canaan, est dénoncé par les faits comme provisoire. La constitution et la reconstitution politiques d'un peuple habitant sa terre sous un gouvernement accordé par Dieu apparaissent en fait comme une station sur un chemin dont le terme est un horizon, et qui comme tel fuit constamment. D'aucun moment de sa manifestation, et de l'interprétation de celle-ci, Dieu n'est absent, même si sa proximité est critiquée toujours par un éloignement plus grand encore. Le tout seul détient cependant la mesure des fragments : ainsi le propre de l'alliance est-il de prendre forme dans une histoire sans cesse relancée, et où même la Loi, alors qu'elle vaut ici et maintenant de façon absolue, ne peut prévenir le basculement qui fait dépendre le présent d'un avenir absolu encore secret. Il est possible de demeurer dans l'alliance, celle-ci est bel et bien la modalité exclusive d'une habitation heureuse dans le monde. La demeure ne peut cependant être conçue autrement que comme un transit ou un passage. La présence de l'Absolu à l'homme a son histoire. Et tant que cette histoire n'est pas accomplie, donc tant que l'Absolu n'est pas patent pour l'homme, et que l'homme n'est pas patent pour lui-même (en termes christologiques), les réalités seulement commencées appellent nécessairement des herméneutiques du provisoire : où le sens encore celé, et disponible seulement dans l'ambiguïté de la promesse, critique le sens déjà donné ; et où la fin, surplombant les commencements, fait de tout savoir une entreprise partielle, qui ne cesse pas pour autant d'être valide, mais qui ne peut se constituer en savoir absolu. Le sens théologique surdétermine le sens philosophique, en interdisant toute clôture du savoir. Le réel est le royaume même de l'inchoation. L'histoire, dès lors qu'elle porte un sens théologique, luit déjà d'une clarté eschatologique. Mais l'alliance est la modalité historique du règne de Dieu. Elle n'en est pas l'institution.

61 - JAMAIS LE DÉFINITIF SANS LE PROVISOIRE

On a aperçu que la double dialectique, de la création et du monde, du monde et du royaume, ne peut être rompue ; et même lorsque le travail de la réduction théologique met entre parenthèses le monde et notre être-dans-le-monde, il ne les oublie ni ne les annule. Car si Dieu lui-même peut être oublié (c'est là l'enjeu du devenir-monde de la création), le monde nous est proprement inoubliable. Parce que nous ne pouvons pas penser l'origine sans en appeler à la fin, la théologie de la création rejoint nécessairement la question des réalités définitives. Ce qui sera au dernier jour n'est pas ce qui a été au premier jour. Ce qui était à l'origine, d'autre part, n'intéresse vraiment (la théorie comme la vie) qu'en étant récapitulable dans l'ordre des réalités définitives. On s'autorisera donc à laisser la seconde dialectique résoudre implicitement toutes les questions posées par la première ; la question du provisoire et du définitif est peut-être la dernière que soulève notre temporalité.

Que le monde soit inoubliable veut donc dire que le définitif n'est jamais accessible, sinon dans l'élément et sur le mode du provisoire. Le monde est l'horizon de toute manifestation. Et même à Pâques, les réalités définitives ne pulvérisent pas les réalités provisoires qu'elles investissent et, si l'on veut, transfigurent. Si le monde est le lieu de tout ce qui a lieu, et si l'Absolu doit se donner lieu dans le monde, il faut donc que son horizon ne préjuge pas de ce qui s'y manifeste, et que nul protocole herméneutique ne nous contraigne à conférer à l'horizon la propriété de ce qui s'y manifeste. Mais non seulement le définitif advient dans le monde et s'y donne lieu, mais encore il y advient sur le mode même du monde, comme monde ; l'accomplissement de toute chose nous apparaît lui-même comme chose. On veut toucher le corps humain de Dieu, ou entendre une parole qui n'engage que la responsabilité de Dieu. Or, ce que l'on touche est un corps d'homme ; et ce que l'on entend est une voix d'homme — libre à nous d'en interpréter correctement, c'est-à-dire théologiquement, le sens et la présence. Nous apercevons ici la racine commune du jeu sacramentel et du jeu christologique. Du jeu sacramentel : car il appartient aux sacrements de donner le définitif (Parole de Dieu, corps et sang du Christ, adoption filiale de l'homme par Dieu) sous les espèces du provisoire — quelques mots, un peu d'eau, un peu de pain et de vin. Et du jeu christologique : car dans le temps qui le conduit au Golgotha, Jésus de Nazareth n'est présence humaine de Dieu qu'en nous montrant un visage mortel d'homme, et car même à Pâques c'est encore sur son visage ressuscité que Dieu nous est perceptible. On peut (et on doit) conclure du travail de la christologie qu'*il y a une réalité définitive des choses créées, puisqu'il y a place pour du créé en Dieu lui-même.* On doit néanmoins conclure de l'expérience sacramentelle, telle qu'elle se structure dans le temps de l'absence empirique de Dieu, que nous ne pouvons nous réclamer aujourd'hui de ce qui ne passera pas qu'en accueillant sa présence au sein de ce qui passe. Cette présence — du Christ jusqu'à Pâques, des sacrements ici et maintenant — nous propose certainement une mise entre parenthèses de la mondanité du monde. Le problème de cette réduction, comme de toutes, est cependant qu'elle ne peut s'instituer. Le monde est inoubliable, sauf dans la lumière pascale de la création nouvelle, et cette lumière ne dissipe pas aujourd'hui l'ombre de la mort. Même si elle nous apprend, à vrai dire, qu'il s'agit très exactement de l'ombre de la croix, et que le crucifié est le roi de gloire.

62 - JAMAIS PLUS LE PROVISOIRE SANS LE DÉFINITIF

S'il n'y a de signification eschatologique que dans le champ où se déploient les significations historiques, il n'y a de dialectique au sens propre, entre l'être de fait et l'être par vocation, que par l'emprise symétrique que les significations eschatologiques exercent aujourd'hui sur l'empire du provisoire. Il y a des mondes possibles dans lesquels un concept de nature suffirait à rendre compte de ce que sont ces mondes, et de ce que l'homme y est, s'il y a des hommes en ces mondes. Mais le monde tel qu'il « est » ne se réduit pas à la nature des êtres et des choses. Seules la promesse d'un avenir absolu et la mémoire de l'origine y rendent raison de ce qui est. Et la nature y est impensable sans recours au concept de grâce. Sitôt que l'Absolu se révèle sous les traits d'un Dieu, et non d'un Principe sans personnalité, ce que nous disions du statut théologique de la facticité, et de la fonction diacritique de l'alliance (§ 43), se précise. Science du définitif, la théologie n'est pas un savoir régional, chargé d'interpréter un fait parmi les faits, fût-il le plus important. Elle s'origine sans doute à la particularité et à la positivité des faits, et non à la généralité des lois. Mais du premier au dernier mot de Dieu, les faits révèlent un sens — l'alliance — coextensif à toute histoire. Implicitement ou explicitement, rien n'est laissé à ce qu'il « est », nulle part nous ne pouvons isoler le provisoire tel quel, une pure nature sans vocation eschatologique, une histoire qui soit à elle-même sa dernière instance et son seul juge. Nous pouvons isoler la réalité théologique d'un monde différant de la création et du royaume. Mais c'est à la totalité phénoménologique du monde, à laquelle il appartient aussi de rendre témoignage à la création, que l'expérience a affaire ; et si le discernement du provisoire et du définitif y est possible, au nom de l'alliance de Dieu et des hommes nulle part, sauf dans le négatif pris comme tel, le réel ne cesse d'être traversé d'un sens eschatologique. Ce n'est sans doute pas d'eux-mêmes que les faits livrent les conditions de leur interprétation théologique ; il faut, afin qu'il y ait interprétation, qu'il y ait parole et que l'Absolu engage sa responsabilité ; les faits bruts sont théologiquement muets. L'Absolu répond donc de toute histoire à partir des événements particuliers dans lesquels il se donne une voix. Et cela veut dire que les faits ne peuvent être enfermés dans une facticité pré-théologique sans qu'il ne soit fait violence à ce que leur présence « veut dire ». Nous ne pouvons prétendre, au nom de quelque connaissance que ce soit, que nous savons clairement et distinctement où finit le monde, et où commence le règne de Dieu : il faudrait pour cela ou bien isoler une bonne volonté radicale, ou bien mettre la main sur le ressuscité. Mais nous pouvons savoir que leur frontière traverse toute réalité signifiante et toute interprétation. Le définitif, et c'est son problème, ne nous apparaît jamais que sous le visage de ce qui passe, et qui est le plus fragile. L'amour n'est pas plus fort que la mort. La beauté elle-même doit mourir[19]. La justice se conquiert pied à pied sur l'injustice généralisée, nulle civilisation n'abroge une fois pour toutes la barbarie. La précarité n'est pourtant pas un argument à l'encontre de ce qu'elle frappe — pas plus que la généralisation de la violence n'est un argument en faveur de celle-ci. Et pour l'inconfort de toute herméneutique, la latence de l'eschatologique dans le non-eschatologique, ou la précarité du définitif apparaissant sur le mode du provisoire, composent concrètement le dernier mot de l'expérience. Pas plus que la philosophie, la théologie ne jouit encore d'une parousie. Ce qui devrait demeurer passe. Ce qui devrait passer s'institue. Si nous croyions disposer des réalités définitives, nous oublierions que l'enjeu reste nécessairement pris dans les conditions de sa mise en jeu. Si nous croyions discerner purement le provisoire du définitif, et procéder nous-mêmes au jugement eschatologique de l'histoire universelle, nous procéderions à notre propre apothéose. Le monde est l'horizon de ce qui passe. L'alliance est l'horizon de ce qui ne passe pas. Notre existence est prise dans leur différence. Il nous faut donc respecter la précarité, car elle peut être le lieu où s'insinuent et se montrent les réalités définitives. Et la proposition de l'alliance nous avertit que les raisons historiques n'ont pas le dernier mot.

19. Cf. Schiller, *Nänie*, Nationalausgabe, II/1, Weimar, 1983, p. 326.

63 - SENS THÉOLOGIQUE DU TEMPS ET TOPIQUE DE L'INCURVATION

L'alliance remplit dans l'expérience une fonction diacritique : son offre révèle simultanément l'origine et la rature de l'origine. Il apparaît alors que l'homme n'est pas manifesté à lui-même dans l'unité simple d'une nature, mais dans la tension de l'être comme donnée et de l'être comme vocation. Le temps est l'horizon de ce que je suis. Le temps est — donc — plus originaire que l'être qu'il mesure et par lequel il n'est pas mesuré. Il m'est impossible de répondre de ce que je « suis » sans examiner les requêtes de ce que je serai, et/ou de ce que je dois être. D'autre part, ce que je serai et/ou dois être n'est pas uniquement le projet dont je porte le souci (même si nous ne pouvons exister en dehors des stratégies qui nous rendent maîtres même de l'avenir, et qui nous permettront de répondre de cet avenir), mais encore le projet d'un autre sur moi. J'existe d'ores et déjà sur le mode du don, comme celui qui n'est pas à l'origine de lui-même — faire mémoire de moi est rappeler la générosité qui m'a fait être. Le don originant se redouble d'une seconde générosité, à moins qu'il ne se dédouble, lorsque l'existence est perçue comme appel et comme vocation. La gratuité est première et dernière. Elle porte le sens de notre contingence. Elle seule nous permet d' « avoir » un avenir. Traduites dans le langage de l'expérience de la conscience, ces vérités premières prennent le sens suivant : elles posent la priorité de l'extase sur l'enstase, de l'être en relation sur l'être vers soi (l'adséité). L'analytique de la temporalité, on l'a vu, s'organise phénoménologiquement autour de significations enstatiques ($\S$ 1.3, 8.10, 17.20, etc.). Le temps a la conscience pour lieu. Elle ne l'engendre pas : la temporalité est corrélative à l'être-dans-le-monde et à la corporéité (quoi qu'il en soit d'une possible durée pure de l'esprit comme tel). Elle le constitue cependant. Cette constitution est prise assurément dans la vie intentionnelle qui fait de toute conscience une conscience-de, une conscience-vers : elle implique nativement le soi et l'autre que soi. Mais l'intentionnalité n'est pas l'extase, s'il faut comprendre celle-ci, non comme ouverture universelle du soi à l'autre que soi, mais comme relation à autrui, à l'autre moi que moi. Même s'il n'y a pas de monde, sauf pathologie de la conscience, que le moi ne partage toujours déjà avec autrui, et dans lequel il ne soit pas toujours déjà tourné vers autrui, la nécessité phénoménologique de rendre compte de l'intersubjectivité, c'est-à-dire d'y discerner une facticité en quête de fondation rationnelle, nous prévient que la solitude possède une signification transcendantale. Il n'est pas invraisemblable qu'elle ait aussi une signification théologique.

La manifestation de l'être comme réflexivité doit d'abord nous apparaître comme théologiquement neutre. Elle ne préjuge pas de la relation de l'homme à l'Absolu, ni pour la confirmer ni pour la nier. L'existence en compagnie de soi-même, l'ipséité vécue comme adséité, n'est coupable de rien. Elle est le mode sur lequel la conscience et surtout la raison découvrent leur existence. Elle sous-tend le travail de la pensée — ce n'est pas nécessairement celui d'un solitaire, mais l'on pense toujours seul. Et elle sous-tend le travail de l'expérience — car il n'y a pas de trajet vers l'autre que soi sans certitude préalable de soi, ni sans retour à soi. Et cela ne permettra jamais d'identifier la solitude transcendantale de la conscience à une négation transcendantale de Dieu : la relation primordiale de soi à soi est muette sur l'extériorité et l'altérité de l'Absolu, mais ne les annule pas plus qu'elle n'annule la présence des êtres, des choses, et en général de tout contenu intentionnel, actuel ou possible. Ces précautions étant prises, il reste que l'extériorité et l'altérité de Dieu sont théologiquement le lieu du sens, et que l'enstase, la possession transcendantale de soi par soi, est ce dont la conscience doit sortir, si elle veut faire mémoire de son origine et appréhender sa vocation. En Dieu, dira la théologie trinitaire, l'extase est première et identique à l'être. En l'homme, elle est peut-être primordiale — mais elle est certainement oblitérée : elle ne s'établit en effet qu'à partir de l'enstase et des modalités d'expérience que gouverne l'enstase, parce que c'est à partir du monde que la créature fait mémoire de sa création, et parce que la présence à soi gît au fond de toute présence au monde. Faudrait-il alors aller jusqu'à comprendre le mode enstatique de la temporalisation comme une manière d'être proprement mondaine (au sens théologique du terme), et qui comme telle maintienne l'homme à l'écart de Dieu ? Pour ne pas affirmer trop vite ce qui risquerait bien de reposer sur une confusion conceptuelle, proposons un concept complémentaire, dont on empruntera le nom à Luther, qui le tenait de Bernard de Clairvaux, celui d'*incurvation*[20]. Par rapport à l'enstase, qui est la solitude transcendantale de la conscience comme conscience de soi visant la totalité phénoménologique du monde, l'incurvation signifie le repli ou reploiement du moi sur soi. Phénoménologiquement, elle est peut-être un autre nom de l'enstase ou de la réflexivité. Elle en marque pourtant la surdétermination existentielle, car c'est en elle

20. Cf. Bernard, in Cant. Cant. 24, 2-7, *PL*, 183, 897*a*-898*b*.

que l'adséité se mue en athéisme, et que l'homme se retrouve sans Dieu en son temps. L'homme recourbé sur soi est alors seul, mais par perte de soi et non par nature. Se définissant par son seul rapport à lui-même, il exclut qu'il faille sortir de soi pour être soi — le jeu de l'être et de la vocation lui échappe. Il y a bel et bien repli, déni de la relation après l'expérience (même inchoative) de la relation, retour à une pseudo-origine, à une expérience faussement primitive. La solitude enstatique de l'ego transcendantal, en effet, n'est qu'une abstraction ou un moment ; elle recouvre moins une expérience qu'une station sur le chemin de l'expérience ; sa signification théorique ne se redouble pas d'une signification existentielle (le problème existentiel de la solitude n'est pas celui de l'ego transcendantal). La conscience incurvée, en revanche, est le moi transcendantal devenu concret ; elle travestit en figure de l'expérience ce qui était une figure de la pensée ; il faut donc dire qu'elle est le moi concrètement réduit à sa transcendantalité — c'est-à-dire un monstre. Cela ne prouve évidemment rien à l'encontre du concept husserlien du moi transcendantal. Cela réalise simplement l'aporie que la phénoménologie husserlienne évite toujours, de façon parfois laborieuse, en se fixant pour tâche perpétuelle la reconnaissance de l'autre que soi, qu'il s'agisse des choses ou d'autrui, tel qu'en son être. En d'autres termes : l'ego transcendantal apparaît phénoménologiquement au commencement du savoir, et le moi incurvé atteste une solitude anachronique, apparue quand elle n'a plus lieu d'être, figeant déraisonnablement le moment enstatique de la conscience. Enstase et extase sont unies ailleurs par mode dialectique. Or, la transcendantalisation du moi nie cette dialectique. Et c'est donc ici — mais ici seulement — que l'homme peut en son temps nier l'altérité de Dieu, en un retour sur soi qui constitue une suprême violence, d'autant plus violente qu'elle porte sur l'invisible et sur l'inaperçu. L'enstase est phénoménologiquement antérieure à l'extase, mais elle en constitue la condition positive. L'incurvation, en revanche, nie que la relation puisse rétro-agir sur l'être, ou que l'être soit en attente de relation. La solitude est alors le vrai secret du temps. Le monologue exclut alors la vocation : si quelqu'un doit parler à un autre, ce sera l'homme s'adressant la parole à lui-même.

64 - L'AMBIGUÏTÉ (POUR MOI) PREMIÈRE

Distinguer enstase et incurvation ne permet pas de les dissocier, car si celle-là n'est pas toujours déjà celle-ci, il y a connivence entre l'une et l'autre. La temporalité enstatique du moi transcendantal n'est que l'espace, identifiable au matin de l'expérience, dans lequel l'incurvation s'établit. L'adséité est innocente, la solitude apriorique de la conscience ne nie pas l'être du non-moi, ni que l'autre que la conscience soit indispensable à la conscience, si elle doit parvenir à elle-même. Il reste que l'enstase possède aussi sa vérité inquiétante, qui est la possibilité d'un retrait par rapport au champ de la relation ; et on ne peut interpréter cela sans discerner une ambiguïté fondamentale. Il n'y a pas à choisir par voie de dilemme entre l'identité et la relation, puisque l'identité autorise aprioriquement la relation, et que la présence de soi à soi s'accommode depuis toujours, immémorialement, de notre co-présence à d'autres moi. Mais s'il n'y a pas à choisir entre une temporalité extatique et une temporalité enstatique, sous peine de pétrifier une dialectique vivante, il faut aussi admettre que l'adséité menace toujours la relation, et que la temporalité peut toujours se réduire à mesurer la présence de soi à soi. Les conditions de la relation sont en effet données au commencement avec celles d'un retrait hors de l'espace relationnel, ou au moins avec celle d'une subalternation de l'une à l'autre. Nul ne naît seul à la vie de la conscience ; la solitude transcendantale est une solitude abstraite ; au commencement est toujours un mode quelconque du dialogue. La solitude, d'autre part, est elle-même une condition de possibilité de la relation. Elle rend l'attente possible, elle engendre l'attention. Nul ne sait vraiment ce qu'un autre lui donne, s'il n'a éprouvé l'absence de cet autre. Mais ce n'est pourtant pas parce que je suis maintenant seul avec moi-même, et n'entends maintenant l'écho que de mes propres paroles, que je serai mieux disposé à sortir de moi quand viendra le moment de la relation, ou de la promesse, ou de la vocation, et que je serai plus attentif à ce que l'autre que moi peut me donner de moi-même. Pauvrement mais certainement, l'ego peut toujours se suffire à lui-même. Il ne cesse pas d'habiter le monde lorsqu'il s'enferme en lui-même. Il mutile de la sorte sa présence au monde. Mais il y est, et les figures appauvries de la conscience sont inscrites dans l'être même de la conscience qui s'y fige. Il faut donc dire qu'une duplicité native frappe l'adséité, qui dispose à sortir de soi autant qu'à demeurer auprès de soi, à prêter attention autant qu'à se satisfaire de son propre silence ou de son propre bruit. Cette duplicité frappe même l'extase : c'est peut-être mon propre miroir, ma propre image, que je recherche en autrui. Et nous ne pouvons savoir où finit le recueillement de l'esprit en lui-même — comme tel préparation à la relation, école de la relation — et où commence, avec le repli sur soi-même, la logique de l'incurvation. L'on n'est pas solitaire pour la seule raison qu'on est seul, et l'on n'est pas nécessairement seul lorsqu'on est solitaire. Mais qui dira de toutes ses paroles qu'elles sont prises à l'intérieur d'un dialogisme généralisé ?

L'innocence de l'adséité alors même qu'elle se révèle impuissante à mettre hors jeu l'incurvation est un problème philosophique et un problème théologique. Théologiquement, c'est comme refus de l'être comme vocation que s'accomplissent le refus de la relation et la déchéance de l'adséité en incurvation. Nulle relation n'est plus fragile que celle qui intéresse l'homme à un Dieu inévident et à ses paroles mêlées à toute parole humaine. Et si je puis me désintéresser d'autrui, à plus forte raison puis-je me désintéresser de Dieu. Ce refus est inscrit en ce que nous sommes, comme un écart natif par rapport à notre origine, comme une pratique de notre être oublieuse des enjeux ultimes de celui-ci. En un monde réellement différent de la création, l'ambivalence est le sort du sens, et le sort des gestes primitifs de la conscience. La théologie peut nous permettre de décider en dernière instance — au commencement est bien la relation, l'être naît bien d'un don et advient bien comme promesse. Mais elle ne nous permettra jamais de sauter à pieds joints par-dessus les apories de l'expérience. L'homme est celui en qui le sens originaire de son être est en question, parce qu'il est celui en qui ce sens doit être déchiffré sous des ratures, et arraché à des ambiguïtés.

65 - SENS ET TEMPS RETROUVÉS

L'ambiguïté est pour nous (mais non en soi) fondamentale, parce que nous n'habitons plus la création, et n'habitons pas simplement le monde. Le premier point n'a pas besoin d'être prouvé ; le second, à l'évidence, en a toujours besoin. Rien en effet n'est moins patent que l'alliance, rien n'est moins parousiaque que la présence de Dieu. L'alliance est la signification créée du monde. Mais le monde, en sa totalité phénoménologique, est l'horizon de toute donation de sens et de toute apparition, de sorte que toute transgression de notre être-dans-le-monde est toujours aussi une modalité de l'être-dans-le-monde — nous y avons vu en fait une condition d'authenticité. Si le monde est ce dont je ne puis douter sans douter de moi-même, et si le monde est le lieu de l'alliance, l'alliance n'appartient-elle pas à notre être-dans-le-monde ? Cette question doit recevoir une réponse négative, car nous savons distinguer la réalité phénoménologique du monde (lieu de tout ce qui a lieu) de sa réalité théologique (le monde comme rature et

négation de l'originaire). C'est ici de la réalité universelle de l'alliance que
nous nous préoccupons, c'est-à-dire de sa dimension transcendantale. Le
monde qui abrite l'alliance ne cesse pas d'être le royaume de l'ambiguïté.
Il est le lieu du sens et celui du non-sens. Il est la demeure de l'homme
fidèle à son humanité et celle de l'inhumanité. L'alliance ne saurait donc
appartenir à notre être-dans-le-monde : l'ambiguïté en serait abolie, ce qui
ne peut être. L'alliance a phénoménologiquement lieu dans le monde. Mais
elle contredit la constitution théologique du monde. Quelle est donc sa
signification apriorique et universelle ? Y a-t-il universellement assez de
lumière pour que l'homme puisse savoir dans le monde ce qu'il en est de
lui-même et de Dieu, et assez de fidélité à la création dans le monde tel qu'il
est pour que l'homme puisse y vivre en faisant mémoire de son origine et
des promesses qui le font être ? Ou bien l'homme est-il livré au non-sens,
ou au moins à l'ignorance des dernières raisons et des dernières réalités,
tant que l'Absolu ne se donne pas lieu dans l'histoire pour parler et pour
sauver ? On précisera, pour répondre, quel est le statut théologique de la
philosophie morale, et celui de la morale tout court.

C'est à peu près sans problème que l'on s'accorde pour reconnaître dans
la bonne volonté une fidélité de l'homme à son être. Vouloir le bien, c'est
vouloir en vérité. C'est se souvenir de ce que l'on est. On peut douter que
ceci ou cela soit vraiment bon, on peut d'autre part ne pas vouloir intégralement le bien. Ni l'incertitude ni la mauvaise volonté ne constituent toutefois
une objection à l'encontre du bien. Et malgré la radicalité du mal, nous
n'avons pas à choisir dilemmatiquement entre immoralisme et sainteté.
On peut supposer que l'homme, en son temps, n'est jamais intégralement
fidèle à son humanité, que le moi eschatologique postulé par l'exigence
morale n'est jamais plènièrement réel dans l'histoire. Mais il serait oiseux
de croire qu'entre fidélité radicale et infidélité radicale à ce que l'on est il
n'existe pas de station. Nous ne sommes en fait ni pleinement moraux (ce
qui va sans dire) ni intégralement immoraux ; et l'existence factuelle est
prise entre bonne volonté et mauvaise volonté, suffisamment morale pour
être bien l'existence d'un homme, et assez immorale pour que cet homme
soit encore à distance de soi. L'expérience morale se meut donc entre la
lumière et les ténèbres, dans un élément qui est bien celui du monde,
puisqu'il est celui du clair-obscur. Le bien ne s'impose pas à la conscience
à laquelle il se propose. Il a autorité, il exerce une prérogative, et ce de façon
universelle : il n'y a pas de lieu mondain où la requête morale soit insensée,
ou informulable, ou suspendue. Mais la raison éthique est prisonnière

toujours de raisons pré-éthiques, elle se manifeste en un monde où la morale n'est pas le premier attribut de l'existence. Il s'agit bien dans l'éthique d'un sens originaire, ou encore d'un sens définitif, de notre existence ; et ainsi les questions qu'elle soulève ne se laissent pas séparer des questions que l'homme se pose sur l'Absolu, ou pose à l'Absolu. L'ambiguïté demeure cependant. L'homme qui veut et fait le bien y fait mémoire de son essence, et anticipe sa fin. Cette mémoire et cette ratification sont possibles aux dimensions du monde — le philosophe moraliste est partout chez lui dans le monde. Elles sont explicitement ou anonymement — il importe peu ici — la réalité mondaine du pacte qui lie l'Absolu et l'homme. Mais cette réalité n'a pas l'évidence que possède le monde.

Les justes privilèges de la morale, et de la philosophie morale, n'empêchent certainement pas que le transcendantal appelle sa confirmation par l'expérience, et n'empêchent pas — ici — que la question du bien, et de l'humanité de l'homme, doive toujours être posée à partir d'interprétations particulières, de mises en lumière particulières. L'alliance est un sens et une réalité originaires, maintenus de façon claire-obscure au sein des réalités éloignées de leur origine. Ce sens est abstraitement accessible par mode d'immédiateté. Bien-vouloir est l'affaire de la conscience morale. Et celle-ci détient par hypothèse sinon le goût du bien, du moins le sens du bien. Mais quoi qu'il en soit de l'expérience de ce que l'on pourrait nommer l'ego transcendantal moral, la morale a toujours partie liée avec la cité et avec l'interpersonnalité (il n'y a pas de loi morale privée), la conscience morale est toujours dépendante des lois, ou des conseils, qui lui sont adressés par la communauté historique dans laquelle elle vit. C'est vrai de toute expérience morale : la médiation d'une loi conditionne pour tout homme sa fidélité à soi-même (ce qui n'empêche pas notre devoir de critiquer la loi, car il y a de mauvaises lois, et donc de reconnaître les droits de la philosophie morale ; ce qui n'empêche pas, d'autre part, d'excéder en voulant le bien la loi qui nous interdit simplement de mal faire, et qui ignore presque tout du péché par omission). C'est vrai tout aussi bien de la loi qui engage la responsabilité de l'Absolu. Il y a un accès immédiat à la création et à l'alliance, qui n'implique pas la manifestation de l'Absolu dans l'histoire, mais seulement la protection qu'il exerce sur toute histoire. Mais s'il appartient à la théologie d'en parler, il lui incombe de par sa constitution de ne pouvoir le faire, sinon dans l'horizon de l'histoire particulière dans laquelle l'Absolu, de fait, s'est livré. Le transcendantal renvoie donc au catégorial comme au lieu de la décision, comme à la condition sous laquelle se dissipe le clair-obscur du monde. La théologie biblique nous dit que l'expérience du salut donne seule accès au Dieu créateur. Inversement, seul un Dieu qui crée peut être vraiment sauveur. Les paroles proférées à l'origine ne sont pas inaudibles, même au milieu du devenir-monde de la création. L'universalité de la conscience et de ses lois, ou encore de ses religions, n'échappe cependant à l'ambiguïté que si l'Absolu dont elles font universellement mémoire n'est pas seulement le Dieu d'une origine, mais aussi celui qui se donne lieu, et voix, à l'intérieur de l'histoire. Le lien du transcendantal et du catégorial est théologiquement irréfragable. L'homme est en son monde celui qui attend que lumière soit faite sur ce qu'il est. Et par rapport au don universel et originaire de l'être, la lumière sera toujours celle d'une contingence. Car le sens de notre être se décèle en histoire.

Troisième partie

Entre
mémoire et espérance

En confiant à la mémoire le rapport de l'homme au Dieu qui s'est révélé, ou qui a pris la parole, la réalité historique, ou catégoriale, de l'alliance ne pose pas un mince problème.

Qu'est-ce que faire mémoire ? L'on disait déjà de toute fidélité « transcendantale » à l'alliance que l'homme y fait « mémoire » de soi-même. Mais cette (re)conquête de soi dans l'édification d'une présence (explicite ou implicite) à Dieu ne donne pas accès à un commencement absolu (comme tel passé), mais à une origine. Et dans le pli de la création et du monde, la réalité originaire de notre être est bien accessible ici et maintenant, dimension obnubilée de ce que nous sommes, mais secrètement présente sur le mode de l'universel. Son souvenir ou son oubli détiennent donc un sens ontologique, mais ne sont pas des données de la conscience. Lorsqu'il fait mémoire de son origine créée, l'homme n'a pas vraiment à savoir ce qu'il fait : Dieu le sait, et le théologien en sait la possibilité. Il n'est pas besoin d'une théorie pour avoir une juste pratique de son humanité. Il n'est pas nécessaire de former clairement et distinctement le projet d'être homme pour se montrer fidèle à son être et à sa vocation. Or, il y va différemment du sens que revêt le concept de mémoire, lorsqu'il s'agit pour la conscience de se rapporter au Dieu dont les paroles se sont inscrites parmi toutes les paroles prononcées au sein de l'histoire, et dont les faits et gestes sont tellement pris au milieu de tous les événements qui n'engagent dans le monde que la responsabilité des hommes, que nous pouvons les traiter comme se traitent les faits divers de l'histoire universelle : par l'oubli. Même selon la dimension transcendantale de notre connaissance, Dieu ne nous est pas immémorial. A plus forte raison sa manifestation historique peut-elle passer inaperçue. L'exode d'une bande de serfs hébreux hors d'Egypte, l'exécution d'un juif palestinien hors des murs de Jérusalem, sous le principat de Tibère, sont de bien petits épisodes de l'histoire — et alors même que la foi affirme qu'ils composent telle quelle l'histoire de Dieu avec les hommes, il ne faut pas s'étonner que l'historiographie en ait si peu gardé la trace. Et si la foi n'avait persisté à en faire mémoire (et cette mémoire, en revanche, n'est pas un fait divers, mais un événement capital de l'histoire du monde), nous pourrions fort bien concevoir un temps qui les ait oubliés. Tout souvenir se gagne sur l'oubli. L'oubli est le secret inquiétant du souvenir. Que ne risquons-nous pas, si Dieu a parlé à notre intention comme parlent les hommes, dont la voix et les traits s'effacent dans le lointain ?

Le souvenir des faits et dits de l'Absolu dans la particularité d'une histoire régionale fait nombre avec toutes les intentionnalités de la conscience qui se réfère au temps qui n'est plus, et pose question. Quel sens lui donner ? Le point principal est sans doute la césure qui écarte l'ordre catégorial de l'ordre transcendantal. Le transcendantal se meut — par définition — dans l'élément d'une universalité apriorique. La réalité transcendantale de l'alliance n'est évidemment rien en dehors des traditions, des histoires et des cultures dans lesquelles les hommes apprennent à prononcer le nom de Dieu, ou apprennent le goût du bien. Elle n'est pas un état de choses qui, par invraisemblable, préexisterait au commerce historique des hommes entre eux, et avec Dieu, le « sacré » ou le « divin ». Mais comme autorisation d'une fidélité de l'homme à soi, son concept implique celui d'une possibilité toujours présente, ou toujours disponible : entre création et histoire, l'homme détient — par grâce mais effectivement — le droit de devenir lui-même. C'est donc ici et maintenant — s'il veut fonder en raison sa pratique de son humanité — que l'Absolu — ou la conscience morale, ou l'intelligence — répond de ce qu'il est. Le chatoiement des histoires particulières recouvre un même pouvoir-être. Or, tel n'est plus le cas, lorsque l'alliance se fonde, catégorialement, sur une particularité qui n'est déductible de nulle universalité, et que les paroles qui engagent la responsabilité de Dieu nous surplombent depuis un passé. Il ne s'agit plus alors de percevoir l'écho des mots prononcés à l'origine du monde, mais d'appréhender les derniers mots de Dieu, et d'apercevoir Dieu lui-même se donnant un être-là au milieu des hommes — et cela veut bien dire que la particularité donne plus que ne donne l'universalité, que le don du sens a une histoire, et que la réalité transcendantale de l'alliance n'en est qu'aux premiers moments de cette histoire. Il n'y aurait donc pas grand sens à nous contenter du difficile souvenir que nous faisons de nous-mêmes entre création et monde, alors que l'Absolu a eu lieu dans l'histoire — ici et là, et non ailleurs — pour dire ce qu'il en est de lui et ce qu'il en est de nous. Mais le surplus de sens ou de réalité que la particularité nous propose revêt le visage troublant de la contingence. Nul n'oubliera jamais les conditions de possibilité auxquelles il existe. Le concept d'alliance transcendantale ne contraint certes pas l'homme à exister dans l'alliance, et seul le monde est l'horizon de la facticité. Il reste que la proposition transcendantale de l'alliance nous est universellement faite — pour le plus grand confort de la pensée, et sans dispenser l'homme d'un accès à soi-même toujours pénible et dramatique. Et que toute contingence, à l'inverse, est menacée par l'oubli. Nous admettrons encore que ce soit par voie de contingence que le philosophe ou le poète nous disent ou nous chantent la vérité. Ni le poète ni le philosophe ne prétendent cependant nous livrer des paroles qui vaillent éternellement. Mais si l'Absolu se commet aux hasards de l'histoire pour manifester ce qu'il en est de lui, nous voici donc forcés, si nous nous intéressons à ce qui vaut définitivement, de faire exode hors du présent des (possibles) certitudes transcendantales. On perçoit l'importance de l'enjeu.

Cela engage donc en une double œuvre de diversion : s'il faut faire mémoire du Dieu qui *a* parlé et *est* passé, cet acte de mémoire nous divertit de l'actualité historique, et il nous divertit du présent de l'expérience : *a* / Il n'est rien de plus facile que de croire que l'actualité historique « veut dire » quelque chose, ni rien de plus facile que de croire pieusement que l'Absolu veut nous y dire quelque chose. Le thème d'une manifestation divine coextensive à l'histoire universelle est un thème banal de notre *koinè* théologique[1]. C'est toutefois ce que nie pratiquement l'intérêt porté à un passé dont la foi confesse qu'il détient la mesure de tout sens et de toute manifestation. Je ne cesse pas d'exister ici et maintenant, et d'être pris dans une histoire particulière qui n'est plus celle où Dieu a dit et fait, lorsque je tente de convoquer en mémoire ce que Dieu a dit et fait en ce temps-là. Mais à l'évidence, j'y mets entre parenthèses toute parole semblant engager la responsabilité de Dieu et qui me viendrait d'une autre histoire, ou de la réalité présente de l'histoire. Cela ne veut pas dire que Dieu soit muet aujourd'hui, ou qu'il ait été muet en Chine ou en Grèce. Cela veut dire que toute parole qui vienne de lui n'est pas un dernier mot. Et que le souvenir

---

1. Cf. par exemple K. Rahner, *Grundkurs des Glaubens*, Fribourg-Bâle-Vienne, 1976, p. 147-156.

de ses derniers mots conduit à pratiquer une nécessaire réduction sur les paroles avant-dernières — celles du Dieu qui ne s'est pas encore manifesté dans le tissu d'une histoire — comme sur les paroles redondantes du Dieu qui ne garde pas le silence alors même qu'il a tout dit. *b* / Il n'est de même rien de plus facile, on l'a dit, que d'attribuer au présent de l'expérience le privilège cognitif de nous parler de Dieu. Et sous réserve que la théorie tienne compte des ambiguïtés qui frappent dans le monde tout ce qui ressortit purement au domaine du créé, il n'est rien de plus vrai. L'œuvre théologique (ou théologale) de la mémoire n'est pourtant sérieusement possible qu'à la conscience qui avoue une inexpérience présente, ou au moins qui suspend le présent de l'expérience au passé mis en mémoire. Le présent n'est pas le temps de l'absence de Dieu (pour les raisons transcendantales déjà exposées, et pour les raisons sacramentelles qu'il faudra exposer en leur temps). Mais s'il y a transcendantalement présence ici et maintenant, il s'agit en quelque sorte d'une présence à laisser en suspens pour accéder à la plus-que-présence de la manifestation définitive de l'Absolu dans le royaume de la contingence. Le sens donné une fois pour toutes est bien la mesure mesurante du sens qui se décèle aujourd'hui ; et l'on ne parlera adéquatement de celui-ci qu'en présupposant celui-là (ce que nous avons fait plus haut en indiquant le sens christologique de la création, et l'investissement anticipé du premier mot de Dieu par son dernier mot).

67 - PAR-DELA L'IMMANENCE

Si nous n'avons pas commis d'erreur majeure, le temps se laisse interpréter à la jonction de notre subjectivité et de notre objectivité ; notre corps est le lieu de cette jonction, et notre mort constitue alors le premier *interpretandum*. L'objectivité de notre corps demeure celle d'un sujet ; le point de rencontre de l'objectif et du subjectif est lui-même une réalité de part en part subjective. L'interprétation se mène donc dans l'élément de l'immanence — l'objectivité et l'extériorité du temps cosmique en effet me sont elles-mêmes immanentes, pour autant qu'elles m'affectent dans ma chair et appartiennent ainsi à ce que je suis. Or il est possible, sitôt que la manifestation de Dieu dans la contingence d'une histoire nous demande (si nous nous intéressons aux réalités définitives) de nous divertir de notre présence à nous-mêmes, à notre monde, et à ce qui transparaît dans ce monde de la gloire effacée de la création, que la constitution d'un acte de mémoire nous engage dans une sphère d'extériorité radicale — d'extériorité qui ne puisse se laisser approprier au champ de l'immanence. Qu'est-ce donc que se souvenir, hors de toute théologie et théologiquement ?

Je *me* souviens, en première approche, de mon passé, c'est-à-dire de ce qui n'est plus, mais qui ne laisse pas de m'avoir fait ce que je suis, dans les petites choses comme dans les grandes. La mémoire déjoue l'absence, elle restitue une modalité particulière de la présence, et dans la restitution du temps perdu, c'est d'abord moi qui suis rendu à moi-même. Ce qui a été et qui n'est plus est d'abord moi-même. Et il appartient ainsi à la conscience en acte de mémoire de faire mémoire d'elle-même (au sens courant non exclusivement ontologique du terme) en faisant mémoire de ce qui l'a faite elle-même ; elle répond donc à la difficile question posée par l'absence irrévocable du passé en prouvant sa re-présentabilité et sa re-présentation. Il apparaît avec évidence que cela n'excède ni la sphère d'immanence du moi (corps et esprit) ni même la pure sphère d'immanence de la conscience. Le souvenir est une réflexivité qui entraîne dans son mouvement des réalités qui sont assurément distinctes du moi (les paysages que j'ai vus, les paroles qui m'ont été adressées, les silences que j'ai partagés avec ceux que j'aime, etc.), mais auxquelles je suis intéressé de telle sorte qu'elles constituent mon monde, et entrent d'autant plus radicalement dans le champ d'immanence du moi qu'elles sont un monde désormais absent, sauf dans sa re-présentation par la conscience. Tel est le sens affectif primordial de la mémoire.

Il n'en épuise pas la réalité, tant s'en faut, et le ressouvenir remplit aussi une fonction proprement cognitive, dans laquelle il pourrait sembler que nous sortions du domaine pur de l'immanence. Ce n'est pas univoquement que nous nous souvenons du dernier été passé à Cambridge et — par exemple — de la date de parution de *Sein und Zeit*. Faire mémoire de l'un ne nous confirme aucun savoir, mais nous permet primordialement de faire coexister en nous ce qui est et ce qui a été. Ne pas avoir oublié l'autre, en revanche, ne nous confirme pas dans notre être, mais dans une connaissance strictement factuelle, dénuée de signification existentielle (sauf si la date de 1927 possède aussi pour nous un contenu émotionnel...). Plus que quelque chose que nous *soyons*, la mémoire opère ainsi comme quelque chose que nous *possédons*. Son savoir nous est disponible. Les ordinateurs aussi possèdent des mémoires. Et ce qui nous est disponible en ce cas, à l'évidence, n'est pas nous-même. Or l'ordre cognitif en cause, alors même que ce que nous ne voulons pas oublier existe ou a existé en dehors de la conscience, est en fait intégré au champ d'immanence de la conscience. Ce n'est pas de moi que je me souviens lorsque je m'en souviens. Mais l'extériorité des faits (ou des lois) que la conscience remet en sa présence n'entre pas elle-même dans la constitution de cette présence, et de son présent. Ce présent-là est encore celui de l'immanence. L'autre que moi « attend » la visée par laquelle je le représente pour investir le champ de ma conscience. L'anamnèse ne constitue assurément ni une ontogenèse ni une pratique magique : sur ce qui existe en dehors de la conscience, la conscience comme telle ne peut rien. Il reste — ce qui est banal — que la conscience construit le monde remémoré comme elle construit le monde présent. L'essence de l'extériorité est d'être appropriée.

Qu'en est-il alors de cette sphère particulière d'extériorité que fondent les faits et dires de l'Absolu dans l'histoire ? Elle peut évidemment se laisser intégrer aux côtés de tout contenu de connaissance possible dans le champ d'immanence de la conscience : il suffit pour cela que ce passé soit lui aussi quelque chose dont nous détenions le savoir, et rien de plus. Tout passé se représente selon des spontanéités et des activités analogues, nul passé ne détient de privilège phénoménologique. Mais si l'on suppose, ou admet, que l'Absolu s'est manifesté, à l'écart de notre présent, pour nous laisser entendre ce qu'il en est définitivement de nous-mêmes (et de lui-même), la situation change, sans qu'une description phénoménologique ne puisse en être altérée. Le statut théologique de l'extériorité comporte en effet, comme trait primordial, une suspension du sens présent au sens décelé en ce temps-là, et cette suspension implique la suspension du présent de la présence au présent de la mémoire. Tout acte de mémoire met certainement entre parenthèses (plus ou moins : on peut à la fois percevoir et se souvenir, le cas échéant) l'acte de présence qui nous intéresse au monde ici donné à l'intuition. Mais cette réduction ne préjuge d'aucun primat : l'homme existe dans l'ordre du souvenir comme dans celui de la présence, il se trouve que je suis au moment présent en acte de mémoire, je pourrais tout aussi bien être présent en acte de présence. Mais tel n'est pas théologiquement le cas. L'Absolu qui a parlé en amont du temps présent nous divertit de l'actualité historique et du présent de l'expérience. Nous pouvons désormais préciser : dans le souvenir que nous faisons des faits et dires de Dieu dans l'histoire, il s'agit d'une reconstitution du présent. Tout passé peut s'intégrer au champ d'immanence de la conscience. L'enjeu théologique de la mémoire est autre. La mémoire en effet doit ouvrir ici l'espace dans lequel l'homme se laisse définir comme auditeur de paroles passées, et laisse ces paroles investir son présent non à la manière d'un passé se survivant dans la représentation qu'en fait la conscience, mais à la manière d'un surplus de réalité. Le paradoxe veut en effet que les derniers mots aient été dits hier, et que nous n'entendions aujourd'hui, dans la sphère de l'immédiateté, que l'écho d'avant-derniers mots. L'élément de la mémoire est communément celui d'une existence dégradée (les idées ou les lois, qui n'ont comme telles d'existence que dans la conscience, consistant l'exception à la règle). Cambridge, dont je me souviens, est à ce titre moins réel que Paris, où je suis. L'enjeu théologique est autre, ce qui ne veut pas dire qu'il apporte une contradiction : le champ de la mémoire est aprioriquement plus riche que celui de la présence ; et c'est en se laissant inquiéter par un passé bien déterminé, à l'exception de tout autre, que la mémoire devient, non pas ce domaine d'immanence où le passé se postexiste à lui-même dans la représentation, mais cette intentionnalité qui met en question toute immanence dans l'accueil de mots et de gestes inouïs. La mémoire fait donc œuvre de *réduction théologique*.

68 - MÉMOIRE COMME INTERSUBJECTIVITÉ

Je *me* souviens. Ces mots disent l'existence de la mémoire comme réflexivité, et peuvent passer pour le slogan de toute appropriation du passé représenté à la sphère d'immanence de la conscience. Et ils peuvent alors masquer une dimension de la mémoire : sa constitution intersubjective.

L'intersubjectivité n'est pas essentielle à tout ressouvenir. Lorsque l'essence de celui-ci réside dans l'affectivité, il relève de la juridiction du moi seul — on n'en discutera pas les modalités, qui n'importent pas à une élucidation théologique. En revanche, la mémoire ne peut se saisir des faits et dires de l'Absolu dans l'histoire sans que la subjectivité n'y soit intégrée à une sphère intersubjective de laquelle dépende radicalement l'acte subjectif du ressouvenir. L'on peut être seul à croire à quelque chose, et à entretenir cette croyance dans l'ordre de la mémoire. Mais l'on ne peut être seul à croire que l'Absolu s'est donné un lieu dans l'histoire, et à faire mémoire de ses paroles. Les raisons en sont au fond banales (et elles ne sont pas théologiques) : tout passé n'appartient pas au champ d'expérience propre du sujet, et connaissance et mémoire, lorsqu'elles s'emparent de ce que nous n'avons pas vécu nous-mêmes, nous sont médiatisées par une tradition. La réalité théologique de la tradition n'a pas une dignité herméneutique plus grande (au regard du philosophe) que n'en possède tout procès historique de transmission. Mais elle jouit en tout cas de la même dignité. Il ne faut plus nous apprendre que le savoir, lorsqu'il déborde le cadre des certitudes expérientielles, est œuvre de communautés, et lieu d'interactions intersubjectives. Il ne faut plus nous apprendre, de même, que les communautés confirment leur existence dans la reconnaissance commune des histoires où elles discernent leur origine. Et la communauté de ceux qui reconnaissent une histoire particulière — l'histoire ancienne d'Israël, jusqu'à Pentecôte inclusivement — comme haut lieu de la théophanie ne fait pas exception à la règle. D'autres ont fait mémoire des faits et dires de Dieu dans l'histoire avant que je n'y porte intérêt. « Je » crois certainement en un seul Dieu. Je fonde d'autre part cette foi sur le témoignage que Dieu se rend à lui-même. Mais je ne crois jamais qu'en union ou en communion : communion diachronique de ceux qui transmettent le souvenir et de ceux qui font mémoire de Dieu à leur suite, communion synchronique de ceux qui se confirment intersubjectivement aujourd'hui la justesse de ce dont ils font mémoire. Cela signifie donc que le temps constitué à partir de la mémoire n'est pas la temporalité privée du sujet, mais un mode d'être partagé — une mémoire publique. Nous n'avons pas à attendre l'émergence du savoir théologique pour prendre connaissance des rituels publics par lesquels les sociétés structurent leur rapport à leur passé. La présupposition théologique d'une intersubjectivité n'en remplit pas moins une fonction cruciale. L'on disait plus haut que le lieu de l'existence en alliance a pour nom Eglise. Nous apprenons ici une seconde note de l'Eglise : elle est le lieu de la mémoire publique des faits et dires de Dieu.

69 - MALHEUR ET BONHEUR DE LA MÉMOIRE

Ce n'est pas de moi que je fais mémoire, et je ne rappelle les paroles prononcées par Dieu en ce temps-là qu'en avouant mon inexpérience présente : le Dieu qui a alors parlé n'est pas mon expérience de Dieu ; et les paroles publiques confiées à la mémoire d'un peuple mesurent et critiquent toute prétention présente que je puisse formuler à une connaissance ou à une expérience de l'Absolu. Otée de la sphère du sujet et transférée à celle d'un peuple, la mémoire ne cesse pourtant pas de poser encore une question. De quelles paroles l'Eglise est-elle le lieu ? La critique — historique et philosophique — nous apprendra toujours que si Dieu « parle », c'est toujours en un sens métaphorique, ou analogique, qu'il faut en entendre la proposition. C'est métaphoriquement que Dieu parle, parce que c'est derrière des paroles d'homme prononcées dans la contingence d'une histoire que nous discernons une intention, ou une donation de sens, qui engage en dernier lieu la responsabilité de Dieu. Et c'est analogiquement qu'il parle, dans la mesure où l'analogie christologique nous permet de penser l'appropriation par Dieu d'une parole humaine en même temps que l'existence d'un Dieu qui soit lui-même Parole, ou Verbe. Ni de la métaphore ni de l'analogie nous ne pouvons nous dispenser. Dieu ne nous est pas disponible. Ses paroles ne le sont pas plus. Et la matérialité des écritures — totalement disponibles — qui « témoignent » de ces paroles, ou qui en font « mémoire », ne doit pas nous tromper : ne nous y est disponible que ce que des hommes ont dit de Dieu, ou ont dit au nom de Dieu. De quoi donc l'Eglise se souvient-elle ? Il faut peu de savoir critique pour reconnaître qu'apparemment elle ne peut faire mémoire des faits et dires de Dieu sans faire mémoire d'elle-même, car elle répond devant nous du texte qui nous rapporte ces faits et dires. Ce même savoir critique permettra peut-être d'isoler des *ipsissima verba Dei in Christo*. Il permettra surtout de déterminer des *ipsissima passa et acta Dei in Christo* : l'Eglise ne parle vraiment pas d'elle-même lorsqu'elle rappelle la croix de Jésus, le fait est ici totalement extérieur à sa transmission. Mais il ne nous permettra jamais d'interpréter les témoignages rendus au Dieu apparu dans le temps comme un pan de pure historiographie et un récit uniquement factuel. Car si tout livre d'histoire est nécessairement quelque peu tendancieux, les Ecritures le sont plus encore. Les faits n'y sont guère accessibles hors de leur organisation théologique. Et l'Absolu qui s'est donné visage d'homme en est peut-être le responsable ultime, mais l'Eglise en porte la responsabilité historique. Cette difficulté théorique s'aggrave lorsque nous prenons conscience de la précarité du passé confié à la mémoire historique. Seules les traces laissées par le passé nous permettent d'en faire mémoire. Et ces traces font partie de ce qui passe et s'use. La mémoire historique rencontre donc son malheur lorsqu'elle reconnaît que les faits la fuient, masqués par les interprétations qui en ont été données, que les mots ne lui parviennent jamais qu'au milieu des gloses qui leur ont été incorporées, et qu'elle n'accède jamais qu'à des fragments du passé. Ce malheur de toute mémoire se redouble enfin d'une difficulté proprement théologique : la mémoire croyante s'enquiert en effet des faits et dires de l'Absolu sans ne jamais rencontrer que des visages d'homme et des paroles d'homme, et la réalité historique de l'histoire se refuse comme telle à manifester sa réalité théologique. Le triple problème ainsi posé (par la réalité tendancieuse des écritures que la foi reconnaît comme normatives, par la précarité présente de toute mémoire historique, et par la césure existant entre les réalités historiques et leur investissement par la présence de Dieu) détient peut-être les clefs de toute ecclésiologie en un monde qui connaît les droits de l'histoire. L'Eglise se propose à nous comme lieu de la juste mémoire. Face à l'incertitude qui semble frapper toujours toute connaissance historique, elle veut renverser le dictum de Fichte et affirmer que c'est l'historique, et non le métaphysique, qui rend bienheureux[2]. Mais elle ne le peut qu'en supposant résolue en son sein toute difficulté herméneutique. C'est à bon droit qu'on en avance l'hypothèse, puisque l'Eglise est le lieu primordial de la réduction théologique. Cela ne veut pas dire que les paroles prononcées jadis au nom de Dieu brillent aujourd'hui au milieu d'elle d'un éclat proprement théophanique. Mais cela veut dire que les patiences de l'interprétation, et les minuties critiques de l'exégèse, n'interdisent pas à la communauté à laquelle des paroles ont été confiées, et qui garantit sa propre identité dans la fidélité à leur mémoire, de leur être aujourd'hui présente dans l'acte même où elles se prononcent. L'Eglise ne dispose de nulle autre évidence que celle de la manifestation paradoxale de l'Absolu dans l'autre que lui — l'homme — et dans ce qui le contredit — la croix. Minimalement mais certainement, on dira que pour être elle-même, elle doit posséder la pratique native de la fusion des horizons. Le passé ne contredit pas son présent, son présent ne contredit pas le passé. Il faudra en dire les raisons.

70 - UNE CONSTITUTION THÉOLOGIQUE DE L'HISTORIALITÉ

Entendons par histoire le royaume du provisoire. L'on ne nie pas ainsi que des réalités n'adviennent en histoire qui méritent de valoir une fois pour toutes, définitivement, et qui témoignent d'une perfection que rien ne saurait remettre en cause : ainsi en est-il de la grande œuvre d'art, de toute conduite humaine radicalement fidèle à sa vocation créée, de toute vérité que la raison arrache à son inévidence mondaine. En revanche, notre définition rappelle que toute existence est prise, en histoire, à l'ombre de la mort. Elle veut dire que la Vérité est aprioriquement sans lieu dans le monde,

---

2. Fichte, *Die Anweisung zum seligen Leben*, éd. Medicus, Philosophische Bibliothek, p. 97.

où ne nous sont jamais accessibles que des vérités partielles et régionales. Elle veut dire enfin que rien n'apparaît historiquement sur le mode du définitif, qui ne soit pris lui-même dans la précarité de la diachronie. L'œuvre d'art après tout est périssable. Les saints meurent aussi. La vérité suppose l'incomplétude des systèmes et l'ouverture de tout savoir authentique sur ce qu'il ignore. Nulle cité n'est ici et maintenant l'ultime patrie de l'homme. Ceux à qui une terre avait été promise découvrent en en prenant possession qu'elle ne sera pas le lieu de leur repos. Athènes n'a pas possédé l'empire du temps. Et Byzance, où les envoyés de Vladimir avaient cru percevoir l'incarnation terrestre des liturgies célestes, s'effondra elle aussi. Les droits du définitif sont mondainement minces, et n'excèdent pas les limites du provisoire.

L'histoire est d'autre part le royaume de la question, et centralement de la question que l'homme représente pour lui-même. Il s'agit là d'une banalité. Il vaut néanmoins la peine de remarquer que nulle question ne possède comme tel de statut eschatologique, et que la structure de la question, ou du questionnable, nous renvoie directement au clair-obscur qui assigne au sens son statut dans le monde. Les anges se posent-ils des questions ? Assurément pas : l'intelligence sans chair et sans monde vit dans l'élément de l'évidence intuitive. On dira certes que l'évidence intuitive n'est pas inconnue de l'homme. Mais les théories les plus téméraires de l'intuition ne pourraient nous convaincre que l'inévidence n'est qu'une illusion, et que tout nous est en fait patent. Il n'est pas nécessaire de douter de notre existence ni de l'existence du monde pour savoir que nulle histoire ne peut produire l'*eschaton* ou, si l'on se souvient que le définitif lui aussi peut intervenir dans l'histoire — mais seulement y inter-venir, dans l'élément du provisoire —, que nulle histoire ne peut instituer l'ordre définitif du sens. Nos questions surplombent toujours nos réponses. Plus que ce dont l'intuition sature la conscience qui l'appréhende, l'être nous pose question. Contre l'empire des questions, la conscience n'est pas plus assurée dans le savoir que ne l'est le champ de l'extériorité. Qui suis-je ? Nous sommes assez certains de notre identité pour que cette interrogation ne nous fasse pas vaciller. Mais s'il appartient à notre nature d'avoir une histoire (ce qui ne souffre pas de contestation empirique) et si le propre de l'histoire est de ne pas être achevée (selon tous les critères empiriques dont nous disposons), alors nous ne pouvons répondre de nous-mêmes que sur le mode du provisoire. Nous sommes à nous-mêmes le commencement de notre être : cela vaut de notre temporalité, cela vaut de notre historialité. La question que l'homme pose à l'homme ne reçoit de réponse correcte que sur les lèvres de celui qui reconnaît dans l'homme un contenu ouvert de signification[3] et de réalité. De ce que l'Absolu se soit donné lieu en histoire, et de ce qu'un savoir puisse validement prendre l'Absolu pour objet, il ne s'ensuit pas que ce savoir soit lui-même absolu. L'incompréhensibilité est un nom divin, la manifestation de Dieu dans la contingence des choses ne l'abolit certainement pas, et la renforce peut-être. D'autre part, nous n'avons pas à choisir par voie de dilemme entre un Dieu dont nous saurions tout, jusqu'à ses pensées d'avant la création du monde, et un Dieu dont nous saurions ce qu'il a fait, mais nullement ce qu'il est. La théophanie n'est certes pas la modalité primordiale de la condescendance de Dieu à l'égard de l'homme, car cette condescendance est ordonnée à l'alliance et au salut. Et lorsque Dieu dit à l'homme son dernier mot, il le fait en se retirant dans le silence de sa mort : car c'est la Croix qui représente l'ultime dit de Dieu. L'origine sotériologique de la théologie ne doit pourtant pas tromper, et le Dieu caché qui se révèle sous son contraire donne à connaître et à penser autant (mais pas plus) qu'il donne à faire. La connaissance théologique n'abolit pas l'inconnaissance, et celle-ci croît peut-être en proportion directe de celle-là. Mais cela ne nous permet pas de conclure que cette connaissance ne possède pas de statut eschatologique : car même les bienheureux ne pourront dans le Royaume comprendre l'incompréhensible. Au contraire, il nous faut peut-être interpréter le jeu présent de la connaissance et de l'inconnaissance comme modalité essentielle et jamais transgressable (ni dans le temps ni dans quelque éternité que ce soit) du savoir. Toute théologie est évidemment (dans le temps) un savoir partiel et partial. Cette partialité est toutefois le mode sur lequel la raison se saisit du Logos même de Dieu, et non une partialité dont Dieu porterait lui-même la responsabilité. Mais sous la partialité se cache bel et bien l'accès de l'homme aux réalités définitives. L'homme ne sait pas seulement ce que Dieu a fait pour lui, mais encore qui est Dieu ; dans cette même mesure, il sait christologiquement ce qu'il en est de lui-même. Le nuage d'inconnaissance ne contredit pas la manifestation de Dieu dans l'histoire, et ne recouvre pas une lumière de ténèbres : l'inconnaissance ne nie pas la connaissance, mais prouve l'incompréhensibilité. Ce qui n'annule pas la notion d'un savoir historiquement insurpassable, à la source duquel l'Absolu découvre son être même, et découvre

3. L'expression est de D. Mieth, dans Das « christliche Menschenbild » — eine unzeitmässige Betrachtung?, *TQ*, 163 (1983), 1-15.

à l'homme le fin mot de son humanité. Savoir définitif et omniscience ne s'équivalent pas.

Le caractère remarquable d'un temps constitué en mémoire des faits et dires de Dieu dans l'histoire nous apparaît alors clairement. Notre historialité est aprioriquement coextensive au caractère questionnable du monde et de notre être. Nul ne peut certainement l'abolir. La mémoire qui prend acte de la théophanie, ou de l'épiphanie de l'Absolu, met toutefois entre parenthèses l'ordre d'expérience régi par le primat des questions. En suspendant présent et avenir à un passé, la conscience croyante n'accomplit pas un geste d'une grande importance théorique : la préoccupation du temps présent par le temps passé est de commune expérience, que ce soit dans l'ordre de la rétention ou — surtout — dans celui du ressouvenir. La constitution du présent à partir du ressouvenir cesse toutefois d'être un cas de l'investissement du présent par le passé lorsqu'on aperçoit qu'elle ouvre un espace d'expérience sur lequel un dernier mot a été prononcé. La mémoire heureuse dont le champ se nomme Eglise représente ainsi le pivot d'une constitution théologique (et seulement théologique) de l'historialité. Celle-ci apparaîtra dans une lumière plus vive lorsqu'une interprétation *kairologique* du présent nous permettra de thématiser le présent comme pure croisée de mémoire et d'espérance (§ 81-82 ss.). Mais tout est déjà acquis, peut-être, lorsque l'homme ne se contente pas de sa dignité transcendantale d'auditeur d'une possible parole de révélation, et se rend présent à l'Absolu là où celui-ci s'est donné à entendre. Nul lieu empirique ne nous manifeste en toute pureté les réalités définitives, et même les paroles humaines de Dieu sont prononcées à l'ombre de la mort (les paroles du ressuscité déjouant elles-mêmes toute topologie et toute logique qui ne connaisse que les termes de l'empirique). La mémoire peut donc d'autant moins réaliser l'*eschaton* que Dieu lui-même ne l'a pas réalisé. Il demeure qu'elle ouvre l'espace symbolique, ou sacramentel, dans lequel l'homme peut disposer de son humanité, dans le monde, mais en une histoire où un dernier mot a été dit — et dont la réalité existentielle et subjective se trouve alors redéfinie.

71 - LES DÉLAIS DE LA PAROUSIE

Cette redéfinition demande alors à être interprétée dans le cadre conceptuel fourni par la *présence* et la *manifestation*.

Nous sommes dans le monde ceux qui ont une histoire et qui savent cette histoire inachevée : temporalité et historialité nous maintiennent donc à distance d'une totalité de sens dont nous pouvons rêver, mais dont nous ne pouvons pas jouir. L'inachèvement n'est pas une objection à l'encontre de nos prises de connaissance, et le temps qui constitue l'horizon (mondain) de l'être est la condition, et non l'interdiction, de l'ontologie. La condition fixe toutefois les limites du logos. La structure de présence qui détermine la logique de l'expérience et de la connaissance — présence du moi au monde, présence du monde au moi — nous affronte en effet à une situation d'*atotalité* analogue à celle qui caractérise le rapport privé de chacun à son être. De ce que le monde est et de ce qu'il se « donne » ici et maintenant à l'expérience, ou de ce qu'il se « prête » aux visées de la conscience, nous ne pouvons conclure qu'une totalité achevée de réalité et de signification nous est offerte en cette présence. La présence n'est pas la parousie. C'est peut-être le drame de la philosophie. *Celle-ci en effet ne vient pas trop tard, pour penser après que tout a été fait, mais trop tôt.* L'impatience des concepts incite à vouloir répondre aujourd'hui en dernière instance de ce qui est ; la raison veut la totalité. Or, ce n'est pas en totalité que le réel et le sens se prêtent au travail de la raison. L'ontologie veut penser l'être de l'étant et l'étant en sa totalité. Mais une totalité qui inclut aussi ce qui n'est pas encore est-elle plus qu'une abstraction ? La garantie d'une présence par mode de parousie nous manque. Le droit au savoir et au travail de la raison ne nous est pas ôté pour autant. L'inachèvement de l'histoire et le statut de l' « être qui n'est pas encore » nous imposent simplement de ménager les droits de l'agnosticisme. Il faut pouvoir critiquer toute logique de la totalité et de l'accomplissement au nom d'une herméneutique du commencement.

Dans l'histoire des concepts, le délai de la parousie est d'abord une réalité théologique[4]. Il n'est certes pas illicite d'en faire une question philosophique, car la question de la présence, et de ses modalités, figure parmi les interrogations maîtresses du philosophe — il faut en croire Heidegger sur ce point. Mais si nous rendons à ce problème son horizon théorique et expérientiel natif, nous percevons encore un peu mieux les variations du concept de présence — pour le bénéfice de l'un et de l'autre savoir. Deux données théologiques demandent donc à être interprétées : *a* / le délai selon lequel le présent n'est pas le temps d'une présence définitive de l'Absolu à l'homme, et *b* / l'anticipation par laquelle l'Absolu, en s'étant manifesté dans la contingence d'une histoire, assigne à celle-ci le droit de

---

4. Cf. *e.g.*, *DBS*, 6, 1331-1419, s.v. Parousie (A. Feuillet).

mesurer toute manifestation qui se réclame d'une autorité transcendante. Il n'est pas nécessaire de commenter ce qui a constitué le premier problème théologique vraiment dramatique des chrétiens, c'est-à-dire le retrait du Dieu qui s'était manifesté parmi les hommes, dont l'intronisation pascale n'a pas amené le ciel sur la terre, ni élevé la terre jusqu'aux cieux, et dont l'absence rend aujourd'hui l'homme à une histoire désenchantée. Il faut cependant en énoncer les conséquences. Le passage de Dieu laisse apparemment l'histoire intacte. (Les paradoxes ontologiques posés par la théologie des sacrements n'ont pas à nous retenir ici, car l'ordre sacramentel est totalement dépendant de celui de la mémoire.) Et en une histoire visiblement inaltérée, l'homme qui oublierait que Dieu lui a dit son dernier mot serait reconduit à la différence de la présence et de la parousie comme au secret historique de la manifestation. L'Absolu, pour raisons aprioriques exposées plus haut, ne lui serait pas absent. Il lui serait simplement présent selon l'ordre historique et non parousiaque de la présence. Et nul n'échappe en termes métaphysiques à la différence de la présence et de la parousie. En revanche, le passage de Dieu dans l'histoire autorise la conscience croyante à faire mémoire d'une présence qui ne soit pas excédée par une parousie. La conscience croyante sait (et si elle ne le sait pas, il faut le lui apprendre) qu'autre est la présence de Dieu dans les jours qui le mènent humainement à sa mort, autre la présence glorieuse du Christ ressuscité. Elle sait que le Dieu révélé demeure un Dieu caché. Mais elle sait aussi percevoir sur le visage du ressuscité la plénitude de la divinité habitant corporellement parmi les hommes. Dès lors, la parousie ne se laisse pas penser comme irruption eschatologique d'un Dieu inconnu, mais comme *retour* et comme institution de ce qui a déjà eu lieu précairement dans l'histoire humaine de Jésus. Le philosophe n'a pas tort de penser que la question de la présence se décide aujourd'hui pour lui : il n'est ni l'archéologue ni le prophète du sens de l'être. La présence lui importe plus que la parousie, à condition que celle-là ne soit pas identifiée à celle-ci. Mais pour la conscience croyante en acte de mémoire, la sphère de la présence, et jusqu'à sa dimension théologique, sont suspendues à l'anticipation historique de la parousie. La théologie n'accomplit ainsi sa tâche qu'en se désintéressant du champ actuel de la présence : l'Absolu n'est pas ici, mais là. Et la question du délai de la parousie n'est donc formulable de façon précise que si la présence définitive dont le désir habite le cœur du croyant a déjà été inaugurée, s'il est en amont du présent de nos histoires un espace anticipé d'accomplissement. Autre est évidemment le régime de la présence et autre celui de la re-présentation.

Rien n'est peut-être plus fragile que de suspendre ce qui est à ce qui n'est plus. La théologie ne peut cependant rien contre la logique qui lui est imposée ; elle ne peut accéder à la présence, comprise comme parousie et promesse de parousie, qu'à partir de la mémoire.

L'historique se trouve ainsi mis hors jeu. Les raisons qui le meuvent nous apprennent que nul savoir ne réduit l'écart de la présence et de la parousie, d'une part, et que le sens — de ce que nous sommes, du monde auquel nous sommes présents — se dévoile et se décide aujourd'hui : la philosophie ne peut vivre du souvenir d'une manifestation qui n'a plus lieu, ou ne vivre qu'en l'attente d'une donation éventuelle. Or, le lieu théologique de la décision, de la *krisis*, est extérieur au champ immédiat de la présence. L'acte de mémoire écarte les ontophanies dont l'histoire du monde prétend — avec raison — être le champ. Et dans l'attente de l'ultime manifestation, où rien de plus ne sera montré que ce qui a été dévoilé à Pâques, mais où ce qui sera montré sera simultanément institué, tout présent se trouve alors qualifié pour recueillir dans le ressouvenir les paroles ultimes qui viennent du Dieu jadis passé parmi les hommes. La constitution théologique de l'historialité est donc de façon équivalente une critique de l'historialité. L'actualité historique est ce qui n'importe pas à la manifestation des réalités et des significations définitives. Si le poids de toute économie de révélation repose aujourd'hui encore sur le Dieu qui a parlé, s'est dévoilé et nous a dévoilé notre humanité, alors l'histoire d'où il est empiriquement absent, et où il ne parle plus en personne, n'est rien d'autre *a priori* que l'espace vide dans lequel résonne l'écho de ses paroles.

72 - EXISTENCE ET HISTOIRE

La figure étrange d'une historialité dans laquelle l'histoire n'est plus que l'abri d'une mémoire affecte les liens de l'existence et de l'histoire, et affecte la logique intrinsèque de l'existence. On perçoit que si la conscience croyante est porteuse d'une intention claire et distincte (à tort ou à raison, selon que l'Absolu s'est effectivement donné lieu dans la contingence d'une histoire passée ou non), celle-ci réside dans un affranchissement : l'ego en acte de mémoire est cette figure de la conscience pour laquelle l'histoire n'est que le domaine d'une présence non parousiaque, et dont elle se détourne. La mémoire marginalise donc le croyant par rapport à l'histoire. Et elle semble ainsi accorder un net privilège à ce que l'on peut nommer l' « existence », en entendant par là les dispositions ou prédispositions aprioriques selon lesquelles tout moi fait face à tout monde. Ce privilège est réel. Rien de ce qui est advenu, entre le jour où le Dieu fait homme s'est retiré du milieu des hommes et le jour présent, ne saurait importer ni peser sur les enjeux définitifs de l'expérience. Les discontinuités de l'histoire font que je ne suis pas vraiment le semblable de l'homme du Moyen Age ou du Romain du Bas Empire. Nous ne parlons pas vraiment la même langue. Nous ne donnons pas le même poids de sens aux mots les plus fondamentaux : être, vie, essence. Nous ne posons pas les mêmes questions, ni au monde ni à nous-mêmes. Or, ces discontinuités, et avec elles tous les problèmes de la connaissance historique, et de l'identité de l'homme dans la différence des histoires, sont frappées de non-pertinence lorsque la conscience fait théologiquement acte de mémoire. La mémoire en effet accomplit toujours et en tout lieu la même œuvre, par laquelle les distances historiques sont abolies (dans la conscience) et le présent s'offre à son investissement par un passé plus lourd de sens que tout présent. Et l'on se retrouve ainsi reconduit aux dimensions transcendantales de notre humanité. Nos langages, nos cultures, les histoires qui ont fait de nous, de façon non intégrale mais non inessentielle, ce que nous *sommes* aujourd'hui, cèdent le pas à la disposition apriorique, universelle, qui nous permet d'être des êtres de mémoire, et d'organiser à partir de la mémoire notre relation à l'Absolu. L'homme a pu exister dans le royaume des logiques historiques, tant que l'Absolu lui était seulement promis, tant que lui étaient adressées des paroles pénultièmes, et qu'il lui fallait veiller, et interpréter la facticité des événements, dans l'attente d'un dernier mot. Mais si l'Absolu nous a précédé dans le monde, alors nous n'avons plus à attendre, ni que l'histoire nous fasse, ni qu'elle nous donne un Dieu. En nous contentant de faire acte de mémoire, nous ne désertons pas le lieu d'une décision. On ne perdra pas de vue le fait que nos interprétations portent sur l'expérience chrétienne, et que celle-ci ne manifeste pas toute sa réalité dans l'œuvre de la mémoire. Mais l'on doit percevoir que c'est vraiment le fondamental que la mémoire met en jeu et dévoile. Et que le sens de l'existence se prouve donc en disqualifiant tout enjeu métaphysique de l'historialité. Le mode même sur lequel nous entrons dans le champ catégorial de l'alliance nous contraint à abolir les altérités dont l'histoire est le domaine devant l'identité d'une prédisposition.

Les enjeux transcendantaux de l'expérience peuvent passer pour fondamentaux. Mais si la réalité concrète et catégoriale de l'alliance excède bien sa réalité transcendantale, c'est donc là, dans la mémoire de l'Absolu apparu en histoire, que nous atteignons et manifestons le fond même de ce que nous sommes. Le fondamental ne consiste plus dans notre confrontation présente avec une présence énigmatique, il ne relève plus du gouvernement de l' « expérience transcendantale » ; ce sont des faits, et non pas des lois, qui régissent le travail de la mémoire. Mais alors même que nous prenons congé du transcendantal, notre simple disposition à laisser la mémoire prendre possession du présent prouve elle-même une nouvelle transcendantalité. Celle-ci, toutefois, prétend avec raison parvenir aux tréfonds de notre être : car aucune manifestation ne saurait récuser la mémoire, et la présence eschatologique de Dieu ne fera que la confirmer. Il reste cependant que le privilège de l'existence par rapport à l'histoire introduit dans une économie surprenante de celle-là. Si par « existence » on entend la réalité multiforme selon laquelle s'attestent les prédispositions qui nous définissent, on verra sa logique se déployer au gré de plus d'une conceptualisation. Les philosophes ne s'entendent pas sur l'identité des dispositions fondamentales qui définissent toujours et partout une existence d'homme. Quoi qu'il en soit, exister consiste en une prédisposition à la joie comme à l'angoisse, au désir comme au souci, à l'ennui comme à la hâte. Et quelque organisation que nous reconnaissions à nos prédispositions, une remarque obvie s'impose : alors même qu'elle prétend prouver le fondamental, la mémoire ne fait pas seulement abstraction de l'histoire, mais encore du plus commun de l'existence. Nous sommes des êtres de mémoire, et cela n'a pas qu'une signification théologique. Notre être ne s'épuise pourtant pas, par impossible, dans le travail ou les spontanéités de la mémoire. Nous ne constituons donc le temps sur le mode du ressouvenir qu'en faisant violence à ce que nous sommes. Puisque le fondamental n'est pas en nous, puisqu'il n'est pas immédiatement le secret du temps présent, il faut payer le prix d'un accès. Les prétentions de la mémoire doivent apparaître comme exorbitantes. Le passé auquel le souvenir nous donne accès n'est pas le monde où nous vivons (même s'il doit nous devenir clair, mais c'est un autre problème, que le monde du souvenir est lui-même un monde habitable). Et le monde où nous vivons nous est inoubliable. Nul ne peut toutefois faire l'économie d'une réduction de l'expérience à la mémoire, si celle-ci commande notre commerce avec les réalités définitives. L'existence que l'Absolu préoccupe trahirait-elle un appauvrissement ? Exister face à Dieu reviendrait-il à moins être ? D'autres expériences que celle de la mémoire pourraient inciter à en former l'hypothèse — l'inutilité mondaine de la prière en fournirait un bon exemple. Nul n'a jamais suggéré qu'il fût concrètement aisé de croire. Les limites de l'aisance sont pour nous celles de notre présence au monde. Mais si la foi est ardue, elle n'en possède pas moins la rigueur d'une logique. Même les conditions d'une mémoire heureuse (et on a admis axiomatiquement, sous réserve d'en préciser les raisons, que l'Eglise en était le lieu) ne sauraient être les conditions de toute une existence. Le fondamental, de toute façon, n'est pas tout le réel. Marginaliser les dispositions originaires qui nous permettent d'exister, qui sont la logique intime de l'existence, ne vise pas à plus qu'à conduire aux raisons ultimes celui qui existe ici et maintenant dans l'ambiguïté de la présence, et pour qui la parousie a lui par anticipation en amont du temps présent. Il faudra apprendre aussi à exister, non pas dans le seul élément de la mémoire, mais dans son horizon.

73 - DÉMESSIANISATION DU TEMPS

L'histoire de l'exégèse biblique contemporaine est presque intégralement une histoire du problème eschatologique : celle-ci commence avec le livre de Weiss sur *La prédication du Royaume par Jésus* puis les thèses de Schweitzer sur l'eschatologie « conséquente » de Jésus, se poursuit avec l'eschatologie « existentielle » de Bultmann, avec l'eschatologie « réalisée » de Dodd, avec l'historicisation de l'*eschaton* chez Cullmann, et encore avec les controverses soulevées par les post-bultmanniens (Käsemann, Conzelmann, Vielhauer) à propos de la « proto-catholicisation » *(Frühkatholizismus)* dont témoigneraient des couches tardives du Nouveau Testament[5]. Le problème eschatologique a connu d'autre part un important traitement philosophique : les œuvres de H. U. von Balthasar, de J. Taubes, de K. Löwith, et de W. Kamlah en balisent l'histoire[6]. Le rapport théologique

---

5. J. Weiss, *Die Predigt Jesu vom Reiche Gottes*, (1) 1892, (2) 1900 ; A. Schweitzer, *Vom Reimarus zu Wrede*, 1906 (= *Geschichte der Leben-Jesu-Forschung*, 1913) ; de Bultmann, par exemple les *Gifford Lectures, Geschichte und Eschatologie*, Tübingen, (2) 1964 ; de Cullmann, *Christus und die Zeit*, Zürich, (3) 1962, et *Heil als Geschichte*, Tübingen, 1965 ; de Käsemann, par exemple, Eine Apologie der urchristlichen Eschatologie, in *Exegetische Versuche und Besinnungen*, Göttingen, (6) 1970, I, p. 137-157 ; H. Conzelmann, *Die Mitte der Zeit — Studien zur Theologie des Lukas*, Tübingen, (6) 1977 ; Ph. Vielhauer, Zum Paulinismus der Apostelgeschichte, *Ev. Theol.*, 10 (1950), 1-15 ; W. G. Kümmel, Futurische und präsentische Eschatologie im ältesten Urchristentum, in *Heilsgeschehen und Geschichte, Gesammelte Aufsätze 1933-1964*, Marburg, 1965, p. 351-363.
6. H. U. von Balthasar, *Apokalypse der deutschen Seele. Studien zu einer Lehre der letzten Haltungen*, Salzbourg-Leipzig, 1937-1939 ; J. Taubes, *Abendländische Eschatologie*, Beiträge

de l'histoire et de l'*eschaton* a enfin été l'objet d'importantes études récentes[7]. Les présentes recherches ne sont consacrées qu'à une élucidation conceptuelle, et ne présupposent à ce titre que les données immanentes de la conscience et les certitudes élémentaires propres à la foi. Nous n'avons donc à exposer qu'une conséquence. Si l'Absolu a dit son dernier mot en amont de nous, qu'en est-il en première interprétation du temps (de l'histoire) auquel donne forme l'écho de ses paroles ?

Nous n'avons jamais affaire au temps, mais à des réalités temporelles. Ces réalités sont douées de signification : ce qui est « veut » toujours « dire » quelque chose. Nous sommes de plus dans le monde et le temps ceux qui s'interrogent sur la possibilité, ou la réalité, de significations ultimes, définitives. Le problème eschatologique est le plus humain de tous — ce qui ne préjuge évidemment pas de la cohérence de ses solutions. Nous sommes autrement dit dans le champ de la présence ceux qui s'inquiètent d'une possible parousie. L'Absolu certes n'est pas nécessairement absent. Le monde n'est pas seulement la *regio dissimilitudinis* dans laquelle toute identité s'est perdue. Il nous est présent et intelligible. Nous y sommes présents, et ne sommes pas qu'une énigme à nous-mêmes. La pensée veut toutefois le tout, et veut penser dans l'élément de l'accomplissement. Or, le tout ne nous est pas disponible. Les certitudes de la conscience habitant sa sphère d'immanence ne constituent pas un savoir eschatologique. Et s'il nous est possible, par exemple, de prédire l'avenir (thermodynamique) du cosmos, nous ne pouvons saisir par avance celui du monde : la critique du présent par l'avenir, et du sens déjà donné par le sens encore celé, affecte de façon essentielle toute volonté de savoir que préoccupent les réalités définitives. Seules les vérités logiques valent aujourd'hui de façon définitive.

Notre inaccomplissement, celui du monde et celui de notre savoir, ne peut alors que nous rendre l'histoire fascinante. La pensée, ou plus précisément la philosophie, n'a pris acte que fort tard de l'existence de l'histoire, et des enjeux gnoséologiques de l'historicité (mais il est vrai que le travail de la pensée n'a pas plus de deux mille cinq cents ans...). L'essentiel vient

---

zur Soziologie und Sozialphilosophie, 3, Zürich, 1947 ; K. Löwith, *Weltgeschichte und Heilsgeschehen, die theologischen Voraussetzungen der Geschichtsphilosophie*, Stuttgart, 1953 ; W. Kamlah, *Christentum und Geschichtlichkeit. Untersuchungen zur Entstehung des Christentums und zu Augustins « Bürgerschaft Gottes »*, Stuttgart-Cologne, (2) 1951.

7. Deux ouvrages peuvent donner accès à une (très volumineuse) littérature : G. Sauter, *Zukunft und Verheissung, Das Problem der Zukunft in der gegenwärtigen theologischen und philosophischen Diskussion*, Zürich, 1965, et D. Wiederkehr, *Perspektiven der Eschatologie*, Zürich-Einsiedeln-Cologne, 1974.

parfois tard à la conscience. Si donc le dernier mot n'est pas au-dedans de nous, attendant la réflexivité enfin rigoureuse qui parviendra jusqu'à lui ; s'il n'est pas avoué non plus au regard enfin purifié qui aperçoit les choses telles qu'elles sont et le monde tel qu'il est : alors il faut attendre parmi les réalités commencées qu'une dernière instance et un dernier point de vue nous soient concédés. Ce point de vue peut être offert à une conscience qui a de bonnes raisons de se croire contemporaine d'un accomplissement des temps et de l'histoire. Il peut aussi n'être que l'instance critique qui nous interdit de clore aujourd'hui la totalité du savoir. Les certitudes définitives apparaissent en tout cas comme contestation et comme confirmation des réalités provisoires, le tout ratifie l'existence du fragment tout en la critiquant. L'histoire en tout cas nous maintient à distance du dernier mot, alors même qu'elle est seule à pouvoir nous le transmettre.

On a coutume d'attribuer à la tradition biblique un intérêt pour l'histoire qui fait incontestablement défaut à l'hellénisme et à l'Orient ancien. Et il est clair d'autre part que l'histoire, dont la philosophie ne se saisit pas avant Voltaire (qui fournit l'expression de « philosophie de l'histoire ») et Vico (qui élabora la première philosophie de l'histoire)[8], fut d'abord une réalité théologique. L'on en perçoit aisément les raisons. L'avenir ne pose problème qu'à celui à qui son présent ne fournit pas une pleine satisfaction théorique. Or, présent et présence satisfirent longtemps le philosophe : s'il ne lui offrait pas toujours la parousie, il lui en offrait toujours les conditions. L'avenir ne promettait alors rien : car la plénitude manifestable du temps étant accessible, il ne recelait plus que des menaces. L'expérience biblique s'inaugure au contraire par la notion d'un temps auquel des promesses donnent forme, et donc par l'aveu d'une « réserve eschatologique ». Le secret de l'histoire est un avènement ou une donation. Ce n'est pas de l'histoire que l'homme espère quelque chose, mais du Dieu qui se démontre lui-même dans l'histoire. Mais la parole et la théophanie ont bien lieu dans l'histoire. C'est à ce titre que le temps présent bascule en direction de l'avenir, et l'être en direction de l'être qui n'est pas encore. Mais s'il s'avère que l'Absolu ne soit pas pour nous en acte de manifestation, et qu'il nous soit manifeste, que le temps de sa manifestation soit achevé, il paraît alors que l'histoire ne possède pas de réalité théologique univoque ici et là. Le philosophe attend que l'histoire lui confie le mot de la fin (ou confesse qu'un tel mot ne sera jamais proférable). La foi et l'espérance attendaient, par-delà

---

8. La *Scienza nuova* de Vico parut en 1725, et l'*Essai sur les mœurs* de Voltaire en 1756.

les paroles inaugurantes ou pénultièmes de Dieu, que celui-ci inscrive une fois pour toutes ses promesses dans le cours concret des choses, de façon insurpassable. Et c'est ce que la foi n'attend plus : car si elle vit dans le monde et non dans le Royaume (ou si le Royaume ne détient ici nulle réalité qui ne soit prise à titre de sacrement dans le train du monde), elle n'attend rien de plus de l'avenir que l'institution de ce qui a déjà eu lieu. Il existe une théologie négative, pour nous rappeler l'incompréhensibilité du Dieu néanmoins connaissable, et pour lier dialectiquement connaissance et inconnaissance. Seule une éternité peut être le champ d'une connaissance de Dieu qui soit à la mesure de Dieu, et qui soit donc une éternelle inchoation. Le statut historique du futur n'entre pourtant pas dans la constitution de la théologie négative, pour autant que l'avenir, après Pâques, n'est plus le domaine de l'inédit. Rien n'adviendra qui ne soit déjà advenu. Seule changera la modalité de cet avent, qui a revêtu le caractère de l'anticipation, et qui à la fin « des temps » revêtira celui d'une réalisation.

L'hypothèse d'une démessianisation théologique du temps doit apparaître comme hautement paradoxale à ceux qui savent de quelles relances messianiques l'histoire a pu être l'objet entre les mains de ceux-là mêmes qui se recommandaient des derniers mots de Dieu. Malgré Joachim de Flore et sa postérité (et malgré ce que la théologie la moins suspecte d'hétérodoxie concéda à Joachim — Bonaventure, par exemple[9]), cette hypothèse semble pourtant seule pouvoir rendre raison de la césure qui distingue le temps pré-pascal de l'espérance du temps post-pascal de la mémoire (sur la dimension pascale de l'espérance, on reviendra). Ce n'est pas peu que le présent et l'avenir soient pour nous le lieu (ecclésial) de l'expérience chrétienne ; et la « pratique contemplative »[10] qui meut celle-ci est tout, sauf un oubli des responsabilités historiques de l'homme. Mais c'est dans une histoire démythologisée que s'inscrit le souci de l'avenir que nourrit la mémoire. Espace pur d'une identique mémoire, et d'une identique expérience structurant à travers les temps la communauté des croyants, l'histoire se poursuit après Pâques sous le régime fondamental (quoique évidemment non exclusif) de la répétition. Entendons par là une redéfinition du statut de l'avenir. Philosophiquement et théologiquement, l'avenir détient un statut transcendantal. Pour celui qui existe sur le mode du commencement

---

9. Voir H. de Lubac, _La postérité spirituelle de Joachim de Flore_, t. 1, Paris-Namur, 1978, p. 123-139.

10. J'emprunte cette (belle) expression à N. Lash, _Easter in Ordinary_, Londres, 1988.

et qui le sait, l'avenir conditionne et critique tout accomplissement, et toute idée d'accomplissement. Et pour celui à qui l'Absolu se manifeste comme un Dieu de promesse, l'avenir constitue le lieu de la vérification. Ces deux circonstances ne sont pas abolies dès lors que Dieu a prononcé des paroles définitives : nous existons toujours à l'ombre de la mort et dans l'élément du provisoire. Les promesses de Dieu ne sont pas évidemment réalisées dans notre chair, et seule la symbolique baptismale permet au croyant d'affirmer qu'il est déjà mort, et déjà ressuscité. Mais si seule une raison devenue folle peut nier la « réalité » de l'avenir (son statut ontologique), c'est au contraire une preuve de rationalité que de laisser le passage passé de Dieu parmi les hommes désenchanter l'avenir. Le lien phénoménologique de l'avenir et de l'inédit n'est pas rompu pour nous. Le lien théologique de l'avenir et de la réalisation de l'*eschaton* ne l'est pas plus. Mais les raisons de cet avenir se manifestent à partir du passé. La *tautologie* est ainsi le premier sens théologique d'une histoire démystifiée.

74 - MOI HORS DE MOI : SENS CHRISTOLOGIQUE DE L'EXPÉRIENCE

Le travail de la mémoire nous permet de laisser retentir aujourd'hui les paroles prononcées jadis et qui sont pour nous le dernier mot de Dieu. Raison et mémoire veulent l'essentiel, ou le plus important, ou le définitif : savoir ce qu'il en est de Dieu, et ce qu'il en est de l'homme. Sur ces questions, les horizons et les conditions présentes de la conscience ne nous vouent assurément pas à une stricte nescience. Alors même que son essence est de différer de la création, le monde ne peut effacer toute trace de l'Absolu. Et l'identité de l'ego se dévoile suffisamment à nous, dans la sphère d'immanence de la conscience et ailleurs, pour que nous sachions qui nous sommes. Cela étant, l'humanité de l'homme nous est apparue comme un problème eschatologique, d'une part, et nous admettons sans réserve, d'autre part, l'affirmation élémentaire de la foi reconnaissant dans l'histoire passée de Jésus de Nazareth le dévoilement historiquement insurpassable de Dieu par Dieu. Il revient à l'homme d'être promis à Dieu et d'exister par mode de vocation. Il appartient à l'histoire de ne pouvoir enregistrer que l'inaccomplissement de cette promesse, qui surplombe énigmatiquement les situations dans lesquelles l'homme croit détenir un accomplissement — même lorsque la Gloire de Dieu prend possession du Temple, la terre promise n'est pas le Royaume, mais une demeure que l'homme peut perdre, et dans laquelle il reste pris entre création et monde. L'*eschaton* ne se peut instituer en nulle histoire — et cela vaut de la présence même de Dieu, car il ne se donne un être-là dans le monde qu'en assumant un être-vers-la-mort, qui maintient le porteur de cette présence à l'écart d'une existence définitive. L'Absolu seul détient les raisons et les modes de notre avenir absolu. Promesse et vocation ne demeurent pas pour autant dans l'indétermination. Se manifestant comme homme, Dieu manifeste aussi l'homme à lui-même ; et dès lors, les deux questions qui nous importent (qu'en est-il de Dieu, qu'en est-il de l'homme ?) ne peuvent que recevoir une réponse solidaire. On peut parler ainsi d'une *périchorèse* christologique des questions, pour définir la monstration réciproque de l'homme par Dieu et de Dieu par l'homme. C'est dans un champ concret d'analogie que Dieu et l'homme nous sont accessibles en Christ. L'anthropophanie est inséparable de la théophanie.

La christologie n'est pas le premier mot de la théologie, sauf sur un mode implicite, comme christologie de la création. Elle est le secret de l'alliance. L'union personnelle de Dieu et de l'homme en Jésus de Nazareth est parachèvement de l'alliance. Et cela veut dire que la définition théologique de mon être (l'être-en-alliance qui met entre parenthèses mon être-dans-le-monde) me déporte hors de moi : l'humanité de l'homme n'est pas un problème que l'homme puisse résoudre de façon spéculaire, car ce n'est pas en lui-même, mais en un autre que lui-même, qu'il peut apercevoir la figure distincte d'une existence définitive, eschatologique. Il ne nous est évidemment pas insensé de former ici et maintenant le projet d'une fidélité à notre humanité, et de prétendre nous connaître : les réalités inaccomplies ne sont pas pour autant irréelles. Ce ne sera cependant jamais sur mon visage, mais sur celui de l'homme de Nazareth, que je pourrai appréhender les enjeux ultimes de ma propre humanité. La réalité ultime du moi est extérieure au moi. L'eschatologie est une fonction de la christologie.

De l'épure formelle de la christologie, les présentes recherches doivent retenir un double problème : *b* / l'investissement du provisoire par le définitif dans le temps qui conduit Dieu à sa mort humaine, et *a* / le retrait pascal par lequel le ressuscité se rend indisponible aux hommes.

a / La rupture pascale des connaissances pré-christologiques peut s'exprimer, on l'a dit, sous la forme suivante : l'être-vers-la-mort cesse à Pâques de détenir le dernier secret de l'être. Et pour autant que l'événement de Pâques doit s'interpréter comme promesse, l'hapax absolu de la résurrection s'entend comme prolepse : le sort de tous est en cause dans le sort d'un seul. Mais de ce que l'événement de Pâques règle la *quaestio de homine*, nous ne pouvons conclure à une connaissabilité des réalités définitives qui soit univoque à la connaissabilité des réalités provisoires. Sur la résurrection de Jésus, la théologie tient certes un langage cognitif. La croix n'est pas la limite absolue du fait. La résurrection n'est pas un événement méta-historique. La réalité du fait ne peut toutefois nous masquer que les conditions sous lesquelles le ressuscité se montre accessible, dans le temps qui sépare Pâques de l'Ascension, redistribuent toute l'économie de l'expérience. La chair est désormais franche d'objectivité : nul ne voit le ressuscité, si celui-ci ne se laisse voir. La présence n'est pas un être-là, mais un don de présence. La raison descriptive est mise hors jeu. Une présence par mode de condescendance rythme le temps des apparitions, le Dieu qui a assumé l'humanité n'entre pas à son insu dans la visée d'une conscience, l'homme ne le rencontre que par grâce. La foi sait que Jésus est ressuscité, et que la résurrection n'est pas une réalité d'ordre sémantique (par exemple le « sens salvifique de la croix »), mais un événement pris dans l'histoire alors même qu'il en brise la logique. Elle sait d'autre part ce qu'il en est de la résurrection : d'un salut pour l'homme selon toutes les dimensions de son esprit et de sa chair, d'une existence définitive à laquelle tout l'homme a vocation. Mais son savoir se borne là, et si elle ne sait pas peu, elle ne dispose pas d'un point de vue apocalyptique sur les réalités accomplies. Non seulement nous apprenons à Pâques que le Royaume de Dieu n'a pas de *réalité* mondaine (il ne possède dans le monde que des *anticipations*), mais encore nous y découvrons les limites de tout compte rendu du Royaume — nous ne savons rien d'autre, sur la réalité plénière de l'existence définitive, que ce que les récits de Pâques nous permettent d'appréhender. Le plus haut savoir que nous détenions sur nous-mêmes ne nous permettra jamais d'être les témoins de l'éternité du Christ, ni à plus forte raison de la nôtre.

b / L'impossibilité d'une connaissance descriptive des réalités ultimes, ou si l'on veut d'une phénoménologie de l'*eschaton*, ne signifie pourtant pas l'interdiction de toute herméneutique eschatologique de ce que nous sommes : interpréter théologiquement est interpréter eschatologiquement, et nous n'avons pas à attendre Pâques pour interpréter théologiquement. Nous avons traité, sous le chiffre de l'alliance, du sens théologique de notre ipséité. Il nous faut apporter ici les précisions que l'existence pré-pascale de Jésus permet de nommer. Nous n'avons plus à apprendre que la lumière de Pâques baigne de bout en bout les textes normatifs de la foi, de telle sorte que nos textes présupposent toujours en filigrane l'irruption pascale de l'*eschaton*. Nous n'avons cependant plus à apprendre non plus — depuis

Käsemann — que l'histoire pré-pascale de Jésus n'est pas tout entière recouverte par son interprétation post-pascale[11]. Continuité et discontinuité règnent entre le temps qui conduit Jésus de Nazareth à sa mort et le « temps » qui s'ouvre à Pâques. Il y a discontinuité : l'événement de Pâques crée un hiatus entre la présence divine qui obéit aux conditions du monde et celle qui les brise ; ni la réalité du temps ni celle de la chair ne peuvent s'entendre univoquement avant et après Pâques. Mais il y a continuité : car ce n'est pas au jour de sa résurrection que Jésus reçoit l'onction messianique, car la christologie affirme dès avant Pâques ses lignes de force, car le ressuscité est le crucifié, et emporte dans la gloire de Dieu, dans sa chair et dans sa mémoire, les stigmates de sa passion. L'accès au Jésus « de l'histoire » a pu être naïf, mais nous savons désormais y accéder critiquement. Faudra-t-il dire alors que la présence pré-pascale de Jésus n'est que fait d'histoire, et que l'*eschaton* ne s'insinue qu'à Pâques ? Contre cette suggestion, affirmons que *la différence de l'ordre pré-pascal et de l'ordre pascal n'est pas équivalente à la différence de l'historique et de l'eschatologique*. On décrira désormais comme *préeschatologique* le statut des réalités définitives qui s'insinuent à l'ombre de la mort, et qui critiquent toute réduction de l'être à l'être-dans-le-monde et à l'être-vers-la-mort, alors même que leur réalité concrète est mesurée par monde et mort. Comme tel, l'*eschaton* nous est indisponible, il nous est pensable, mais sa pensée ne peut offrir que l'interprétation oblique de ce que nous sommes. Or, la question d'un sens christologique de l'expérience se pose après Pâques (parce que c'est seulement à Pâques que nous pouvons affirmer en pleine connaissance de cause la seigneurie du crucifié, et parce que sur les affaires de vie et de mort l'on ne peut décider qu'en pleine connaissance de cause), mais ce sens ne se déploie que dans le temps où moi-même et Jésus de Nazareth existons sur un mode univoque : dans le temps qui le conduisait à la mort, et dans le temps qui me conduit à la mort. L'alliance contredit l'histoire, mais nous sommes capables d'opter pour l'alliance et contre la toute-puissance du négatif. La christologie de même n'est pas le secret de l'ontologie (malgré Hegel), parce que la différence de la création et du monde traverse le sens même de l'être — mais comme figure plénière de l'alliance, l'expérience christologique, ou messianique, sait avoir lieu dans l'histoire. C'est ainsi les *confins* du monde et du

---

11. *E.g.* E. Käsemann, Das Problem des historischen Jesus, in *Exegetische Versuche und Besinnungen, op. cit.*, I, p. 187-214. Voir aussi J. M. Robinson, *A New Quest of the Historical Jesus*, Londres, 1959, 2ᵉ éd. (enrichie), Philadelphie, 1983.

Royaume que nous pensons sous le chiffre conceptuel du préeschatologique. Nous parlons de confins pour ne pas parler de frontière. La frontière distingue ce qui est ici de ce qui est là, et il n'est (topo)logiquement possible que d'être ici, ou d'être là. En revanche, les confins sont un domaine où deux ordres de réalité s'entrelacent, de telle sorte qu'il y est possible d'être l'un et l'autre à la fois, d'être déjà là tout en étant encore ici, de relever de deux gouvernements à la fois. La théologie est affaire de vie et de mort. La vie se laisse penser avant la théologie dans l'horizon de la mort. La mort se laisse penser à Pâques dans l'horizon de la vie. Il appartient donc à la théologie de déployer la logique d'une existence *vers* la mort qui ne soit pas un être *pour* la mort. C'est de toute façon le problème de l'alliance, mais il faut préciser que seul l'événement de Pâques nous autorise en dernière instance à laisser l'alliance critiquer le monde de manière non falsifiable. Ce n'est pas le seul problème que la christologie puisse résoudre. C'est en tout cas une question que nous ne pouvons poser précisément qu'en présupposant le renvoi dialectique qui nous conduit de la croix à la résurrection et de la résurrection à la croix. Parler d'un sens christologique de l'expérience nous est permis dès lors que l'Absolu, lorsqu'il s'intéresse aux affaires humaines, se montre capable d'humanité, et fait des confins du monde et du Royaume le lieu herméneutique de notre humanité. Il nous reste à interpréter, et d'abord à nommer, les modes fondamentaux d'une telle expérience.

75 - CONSCIENCE ET MISSION

Le premier concept sous lequel esquisser une interprétation christologique de la temporalité est celui de *mission*, et le premier concept dont il permette la critique est celui de *projet*.

Le temps est le fait de la conscience et l'horizon de son être. Mais il n'y a pas de pure conscience, l'homme est chair, et il est aux prises avec le monde. Dans le monde d'autre part, il ne survient pas à titre de spectateur : il intervient comme agent, et son activité fondamentale, a-t-on dit, est l'acte de présence dans lequel il constitue son temps. Le monde n'est pas ma représentation. J'y suis présent par mode d'appropriation. Le monde est mon monde. Le temps est mon temps. La question du statut égologique de l'avenir ne manque alors pas de se poser. L'avenir est ce dont je me soucie, c'est comme souci qu'il préoccupe originairement la conscience. Ce qui est se voit inquiéter par ce qui n'est pas encore. L'avenir est la perpétuelle remise en cause de tout présent ; ce qui n'existe pas exerce sur ce qui est une surprenante emprise. Or, nous avons pu affirmer déjà (§ 9) que l'inquiétante indétermination de l'avenir rencontre de la part de la conscience les stratégies d'appropriation du projet. Comment — selon quelle sémantique et selon quelle conceptualité — est-il possible de parler de « mon » avenir ? Comment ce qui semble ne posséder aucun poids ontologique, le pur futurible, saurait-il appartenir à qui que ce soit ? Le projet répond à ces questions en anticipant une prise de possession. Sous la forme qu'il revêt dans la protension, l'avenir entre de toute façon dans la constitution du présent : un présent qui n' « ait » pas d'avenir, si peu que ce soit, nous est impensable. Mais à la différence des spontanéités qui sont le mode de la protension, le projet trahit une volonté de maîtrise qui excède les limites de l'acte de présence. Ce que je projette n'est pas fait, et n'est pas à moi, parce que je décide de le faire. L'imprévu, le non-projeté, fait évidemment partie du commun de l'expérience. Le projet est un rêve possible ; et seul le présent est vraiment le champ de la mainmise. L'imprévu toutefois et toutes les anxiétés que cause dans le présent l'indétermination du temps à venir (ainsi que la menace de notre mort) précisent le statut du projet sans l'annuler. Qu'il s'agisse donc du plus modeste projet (par exemple, celui de sortir prendre le thé en ville à quatre heures) ou du plus ambitieux (par exemple, celui d'occuper l'année prochaine à écrire un bon livre), je ne puis habiter mon présent, sauf cas d'extrême abstraction, sans être déjà en avance sur moi-même, et sans tenter d'arraisonner ce qui n'est pas encore à ce qui est le cas. Prendre possession de ce dont le statut ontologique est de n'être la propriété de personne, sauf peut-être de Dieu, est une œuvre étrange. Il y a une démesure du projet. Ou plutôt, il y aurait démesure, si la conscience projettante oubliait que le réel ne se déduit jamais du possible. Le projet est de toute façon constitutif de la conscience : parce qu'il ne lui revient pas seulement d'être témoin du monde et d'elle-même, mais encore de porter la responsabilité de son être dans la discontinuité des temps. Quelque forme qu'il revête, le projet consiste à revendiquer comme nôtre le devenir que nous sommes. Il prouve notre volonté d'être. Il est un vouloir de puissance.

Le lien qui unit temporalité et projet n'est pas l'unique mode de notre rapport à l'avenir. L'avenir peut être requis par mon projet. Or, il est d'évidence triviale que mon avenir peut dépendre aussi bien du projet d'un autre. L'existence a ses contraintes, et les limites de notre être ne sont pas celles de notre vouloir-être. Et notre temps est nous-mêmes, et non quelque chose qui serait à notre disposition. Il est toutefois un point remarquable : si nous donnons l'impression de « faire usage » de notre temps (et en avons le droit, dans certaines limites), les conditions du projet nous sont donc données en même temps que celles d'une aliénation du temps. Le salarié, par exemple, n'accomplit pas son projet dans son travail (même s'il peut subsidiairement l'accomplir) : il a loué sa force de travail à un autre, il s'est dessaisi d'une partie de son temps, donc de son être. Le temps, qui peut s'approprier, peut donc aussi être désapproprié. Et s'il peut s'aliéner, c'est donc que la logique du projet n'était pas folle, c'est-à-dire que nous exerçons bien un droit de propriété sur notre avenir. L'immaîtrisable sans doute a toujours le dernier mot : l'hypothèse d'un avenir dont nous soyons intégralement les maîtres serait incohérente, car elle ferait simultanément de nous les maîtres du monde. Mais ce n'est pas par une aberration sémantique redoublée d'une naïveté philosophique que, tout en sachant que le temps n'est pas une chose, nous pouvons dire que nous « avons » du temps, que nous le « donnons », voire que nous le « vendons ». Il n'est pas de temporalité, en effet, que seul l'imprévu gouvernerait, et il n'y a pas de rapport au temps qui n'inclue essentiellement la dimension de l'anticipation. Le projet s'unit toujours au souci pour nous faire vivre proleptiquement. Comme au fond notre corps, notre temps ressortit du domaine de l'être et de celui de l'avoir. Il nous est d'autant plus crucial d' « avoir un avenir » que nous existons vis-à-vis de nous-mêmes sur le mode du commencement. Mais il ne s'ensuit pas que nous soyons seuls capables de donner un sens à notre avenir.

Ces repères peuvent permettre de percevoir le premier problème posé à une interrogation sur le temps qui se mène dans l'horizon de la christologie : à savoir, l'annulation du projet. L'être saurait-il s'affranchir du vouloir-être, et l'avenir saurait-il être pensable selon le seul ordre du don, donc de l'imprévu remis au soin d'un autre (ici, de celui que Jésus nomme son Père)? C'est ce que les textes évangéliques affirment. Ce n'est pas sa volonté, mais la volonté de celui qui l'a envoyé, que l'homme de Nazareth dit accomplir (Jean 5, 30, etc.). L'image quasiment seigneuriale de l'homme bâtissant son temps, et poussant la logique jusqu'à se donner prise sur son avenir, cède donc le pas à celle du serviteur ou de l'esclave. L'esclave est cet homme qui n'est plus personne, sujet réduit intégralement à l'objectivité de sa force de travail. L'ordre du projet lui est ôté (sauf en rêve). Son avenir est quelque chose qu'un autre possède à sa place. Il est certes des figures non dramatiques de l'aliénation du temps : tout temps que nous donnons en fournit l'exemple. Mais quelle qu'en soit l'ampleur, le problème d'un tel don est identique : le temps, qui se vit spontanément sur le mode de la possession, de l'affirmation de soi, ou de l'autoposition, se vit ici sur ceux de la dépossession et de l'abnégation. La christologie, sur ce point, ne recèle aucune ambiguïté : la non-possession apparaît bien comme modalité essentielle du rapport à l'avenir. La volonté vouée à faire la volonté d'un autre n'est pas une non-volonté. Mais elle est une volonté qui subordonne la logique du projet à celle d'une disponibilité. La question que tout homme pose à propos de tout homme, « d'où est-il ? », fut posée plus d'une fois à propos de l'homme de Nazareth[12]. Ce n'est pas ici la mention d'une patrie qui permet la réponse, mais celle d'une mission ; la conscience messianique de Jésus est fondamentalement conscience de mission[13]. L'aliénation du temps, en celui qui ne veut pas répondre lui-même de son être et de son temps, peut être un mode eschatologique de la temporalité.

76 - NESCIENCE MESSIANIQUE

Il est alors possible de répondre à la question posée par la *nescience messianique* de Jésus.

L'ordre du projet et celui du savoir sont totalement distincts : toute connaissance n'est pas dotée d'implications temporelles. Le projet recèle toutefois une prise de connaissance de l'avenir. Parce que je tente de m'approprier le temps qui n'est pas encore, j'en rends compte par avance. En anticipant, je me donne prise sur l'avenir. Je ne peux certes pas revendiquer une connaissance certaine des futurs contingents. Mais pour autant que je projette d'être la source de leur contingence, je ne peux que revendiquer une certaine mesure de prescience. Nous avons l'habitude de traiter avec l'avenir. Cela ne vaut pas du seul projet. Nos attentes, nos angoisses, nos impatiences — tout cela possède une dimension cognitive. Et si connaître l'avenir, être initié au secret des futurs contingents, relève apparemment d'une certaine magie, celle-ci est toujours à l'œuvre dans l'édification quotidienne de notre temps — même si nous savons que nos projets n'ont pas force de loi, l'avenir ne revêt pas seulement pour nous le visage de l'absolument inconnu.

12. Voir M.-J. Le Guillou, *Celui qui vient d'ailleurs, l'Innocent*, Paris, 1973, pour une problématique détaillée du « lieu » du Christ.
13. Voir ici H. U. von Balthasar, *Theodramatik*, II/2, *Die Personen in Christus*, Einsiedeln, 1978, p. 136-238.

On pourrait attendre (et la théologie classique n'y a pas manqué), s'il est aprioriquement peu contestable que l'omniscience soit un attribut essentiel de la divinité, qu'un peu de cette toute-connaissance rejaillisse sur l'homme en qui « habite charnellement la plénitude de la divinité ». C'est sans doute en partie le cas ; et pas plus qu'il ne serait prudent d'éliminer les miracles ou thaumaturgies de Jésus, il ne serait sage de lui refuser cette forme de prescience qui trouve sa forme la plus haute dans les prédictions de la Passion. Ces préconnaissances butent toutefois sur un aveu d'ignorance plus important encore : car c'est bien de sa parousie que le Fils ne sait pas les délais, pas plus que les anges dans le ciel, parce que seul le Père les sait (Matthieu 24, 36). Cela suffit à faire douter que l'omniscience divine se prouve elle-même dans la conscience du Christ. Nous n'avons pas à entrer ici dans un dossier exégétique long, et qui n'est pas nécessairement conclusif (le seul point exégétiquement admis par tous étant précisément l'aveu d'inconnaissance eschatologique). Autorisons-nous simplement à mettre brièvement en forme un argument : si le mode sur lequel Jésus de Nazareth vit son temps est primordialement celui de la mission, alors nous n'avons aucune raison christologique d'exiger de Jésus une prescience eschatologique complète, et l'ignorance peut être le mode insurpassable sur lequel vivre dans l'imminence du Royaume et dans la plus grande proximité possible par rapport à Dieu. Qu'attendent de la conscience et de la science du Christ ceux qui tentent de s'y donner accès ? Que faut-il savoir, que faut-il savoir que l'on sait, et qui faut-il savoir que l'on est, pour être dans le temps du monde celui qui réconcilie les hommes avec Dieu ? La seule réponse cohérente consiste à dire ici que l'identification christologique de l'être avec la mission doit disqualifier (non intégralement, mais en dernière instance) la question *de scientia Christi*. Convient-il au Messie de détenir tous les secrets des temps messianiques ? A plus forte raison, cela ne conviendrait-il pas par-dessus tout à un Messie qui soit lui-même Dieu rendu capable d'humanité ? L'auteur de l'épître aux Hébreux suggère une tout autre question, lorsqu'il affirme que, dans l'histoire divino-humaine de Jésus, c'est bien le Fils qui s'est montré capable d'obéissance (Hébreux 5, 8). Dieu saurait-il lui-même obéir à Dieu, et cela non d'une manière tautologique, mais selon une appropriation trinitaire qui réserverait au Père l'omniscience eschatologique, et au Fils la mission et l'inconnaissance dévolue au serviteur ? L'ignorance humaine de Jésus redoublerait-elle ainsi une ignorance, que l'on dirait kénotique, et qui serait bel et bien le propre du Verbe de Dieu dans le temps de sa mission ? Il serait dérisoire de faire plus que de laisser résonner ces questions. Mais il doit nous apparaître en toute évidence que le temps humain de Dieu, qui échappait à toutes les stratégies du projet, échappe aussi à l'ordre de l'anticipation cognitive. Il y a bien un dernier mot dont la connaissance n'est pas donnée à Jésus ; et pour autant qu'il s'agisse bien d'un dernier mot, et non pas d'une circonstance parmi toutes celles qu'un homme puisse ignorer, il s'agit bien là d'une ignorance qui appartient en propre au Messie : nescience messianique. Schweitzer, Loisy et d'autres affirmaient que sur les réalités ultimes Jésus s'était trompé : il attendait l'apocalypse, et l'histoire du monde a continué ; il attendait le Royaume, et c'est l'Eglise qui est venue. Il est probablement plus simple de laisser le *logion* transmis par Matthieu trancher la question : si le dernier mot est entre les mains du Père, alors il ne saurait y avoir une eschatologie qui appartienne à Jésus. La volonté du Père et son mystère surplombent la science du Fils présent parmi les hommes. La nescience messianique de Jésus est assurément celle de quelqu'un qui en sait beaucoup, et qui en sait assez sur lui-même pour que les affirmations du Christ johannique ne soient pas uniquement des projections, sur les jours d'avant Pâques, de la conscience post-pascale de Jésus. Il reste que le non-savoir prime le savoir. Et il faut dire que la nescience messianique de Jésus ne nie pas son identité, mais en est un mode fondamental. Obéissance, nescience et mission qualifient en effet l'humanité du Fils autant que sa divinité. En ignorant son heure, Jésus de Nazareth correspond donc au jeu trinitaire dans lequel le Père se réserve le savoir, et le Fils la disponibilité.

77 - L'URGENCE, L'INSOUCIANCE ET LA JOIE

C'est sous le chiffre primordial de l'*heure* que nous est pensable le temps humain de Dieu. Parce qu'elle appartient au Père seul, l'heure est cette réalité qui déjoue tout projet et toute anticipation : elle ne pourra qu'être accueillie, comme sera accueillie la « coupe » dans laquelle le messie boira la « colère de Dieu ». Il faut ajouter que l'heure déjoue également toute chronologie organisée selon la succession du présent (qui est là) et de l'avenir (qui n'est pas encore là), parce que le présent lui-même sait être investi par elle. Non seulement « l'heure vient », mais encore « elle est déjà là » (Jean 4, 23 ; 5, 25 ; 16, 32). Non seulement la réconciliation eschatologique de Dieu et des hommes est le secret conclusif de la mission de Jésus, mais encore il est son contenu inaugural ; le temps pré-pascal n'est pas seulement celui d'une vie cachée et le Jésus du ministère *se manifeste* aux hommes comme détenteur des signes du nouvel éon, et leur *est manifesté* comme tel. Les paroles prononcées alors, et les gestes posés alors, engagent (presque évidemment) la responsabilité de Dieu. Et ils sont les gestes suprêmement messianiques, qui permettent à Jésus de jouer une partition écrite par les prophètes d'Israël, et dont la théologie doit dire qu'ils l'ont écrite pour lui : « Les aveugles voient, les muets parlent, les sourds entendent, les boiteux marchent, et la bonne nouvelle est annoncée aux pauvres » (Matthieu 11, 5 ; Luc 7, 22). Cela nous reconduit donc au présent. Nous avons refusé d'entériner une contredistinction abstraite de l'historique et de l'eschatologique, au nom de cette région frontalière de l'expérience à laquelle nous avons réservé le qualificatif de préeschatologique. Les raisons en apparaissent un peu plus clairement encore ici.

Il ne faut pas beaucoup de théologie pour savoir que Jésus de Nazareth, dans le temps qui le conduit à la croix, n'est pas Dieu dans sa présence définitive aux hommes, mais Dieu « visitant » (le verbe hébraïque est superbe) les hommes. Nul n'est définitivement lui-même dans le temps qui le mène à la mort. Et le Dieu capable d'humanité n'assume pas une humanité sur laquelle serait dissipée l'ombre de la mort. Aussi Jésus est-il signe de contradiction et pierre de scandale. Comment être vraiment Dieu, si l'on est si vraiment homme ? Cette question un peu vague reçoit sa réponse lorsque l'on s'interroge sur la structure du temps du Christ. Le présent du ministère pré-pascal est ce temps dans lequel les réalités messianiques n'investissent pas le monde (et saurait-il appartenir au définitif d'investir un monde dans lequel la mort est l'*eschaton*?), mais s'y insinuent. L'accomplissement pré-pascal des promesses de Dieu devient lui-même promesse, si ce qui a été fait pour quelques-uns doit être fait pour tous ; le temps du ministère est ordonné au temps de Pâques et à ce que Luc nomme l'*exode* de Jésus (Luc 9, 31). Les derniers mots de Jésus ne seront prononcés qu'à la cène et sur la croix. Mais ses paroles pénultièmes sont des paroles de conclusion et d'inauguration à la fois. Elles sont prononcées aux confins de l'éon ancien et de l'éon nouveau. Comment donc l'expérience préeschatologique du présent s'organise-t-elle alors ? Nous répondrons en esquissant une dialectique de l'*urgence*, de l'*insouciance* et de la *joie*.

L'identification de l'être et de la mission, on l'a dit, est le secret de la conscience du Christ. L'avenir — l'avenir absolu représenté par l'heure du Père — préoccupe totalement cette conscience. Mais il n'est présent pour

elle que par mode d'inconnaissance. Et l'heure, d'autre part, « vient », et
« elle est déjà là ». Plus qu'une figure de rhétorique, posons qu'une telle
formule énonce le sens exact d'une situation préeschatologique. Le préeschatologique en effet n'est pas à l'écart de l'eschatologique, de telle sorte que
l'on puisse se réclamer des réalités pénultièmes en postulant l'éloignement
des réalités ultimes. Le pénultième, au contraire, est sis aux confins des
réalités provisoires et des réalités définitives de telle manière, on l'a dit,
que nous ne pouvons avoir l'un sans l'autre (§ 61-62). Il est alors compréhensible que l'urgence soit le mode propre d'une présence aux réalités
pénultièmes. Le temps préeschatologique du disciple sera celui pendant
lequel il ne faut pas dormir, car le maître vient de Dieu comme un voleur.
Le temps préeschatologique du Christ est celui où toute œuvre est subalternée à l'annonce du Royaume, puisque celui-ci est « proche ». L'urgence
presse dans le monde celui qui veut faire quelque chose, ou aller quelque
part, et dont les délais sont brefs. Par-delà les occasions triviales où nous
nous contentons d'être pressés, ou de nous presser, l'urgence qualifie plus
fondamentalement le rapport d'une responsabilité (je suis moi-même comme
devenant moi-même, et je porte la responsabilité morale de ce devenir)
au temps qui nous achemine à la mort. Autre est l'urgence messianique :
elle est le mode d'une parole pressée, car seule capable de dissiper le clair-
obscur du monde. Il est peut-être urgent de dire la vérité, parce que l'ignorance n'est pas une bonne chose, ni l'erreur. Mais le philosophe peut
temporiser et laisser à l'expression de la vérité les délais qui lui permettront
de mieux parler ou écrire. Or, l'urgence messianique est absolue. Les
paroles revêtues de l'autorisation de Dieu sont les plus urgentes de toutes.
Les gestes qui miment la sollicitude de Dieu pour l'homme sont affectés
d'une même urgence. L'urgence déjoue la logique du délai. Elle exclut
le délai, en fait, de la logique des réalités pénultièmes.

Ainsi thématisée, l'urgence ne contredirait-elle pas l'insouciance ?
Nous n'avons pas à tenter l'exercice, dont il n'est pas certain qu'il soit
théologiquement de très bon aloi, qui consiste à sonder la conscience du
Christ. Et si le souci, d'autre part, doit représenter une structure proprement
existentiale de l'expérience, nous ne pouvons prétendre qu'il ait été absent
de cette conscience. Mais en se démettant de tout projet, c'est aussi à une
critique du souci que procède le Christ. Le souci est préoccupation d'aujourd'hui par le lendemain. Or, l'urgence nie le lendemain : l'avenir n'est
plus que l'affaire du Père. Elle nie donc le souci. L'identification de l'être
et de la mission apparaît à la lumière de l'urgence comme identité de l'être

et du faire. Elle doit aussi nous apparaître, à la lumière de l'insouciance, comme critique du faire. C'est dans les lieux déserts où il se retire pour prier autant que dans les synagogues où il prêche que Jésus de Nazareth accomplit sa mission ; il existe donc une forme licite du délai (la prière). Il existe une ambiguïté du lendemain. Demain peut être le jour du Seigneur. Mais aujourd'hui peut être le jour du banquet messianique de Jésus avec les pécheurs. On dira certes que ce banquet-ci anticipe le temps eucharistique de l'Eglise, et que la Cène exerce ici une causalité sur le passé. Les faits sont en tout cas indiscutables. L'ambiguïté qu'ils manifestent est probablement celle de toute réalité eschatologique. La présence ne peut être le seul concept sous lequel penser le « règne » pré-pascal de Dieu, car cette présence n'est pas parousiaque. Nous ne pouvons toutefois nous laisser distraire de cette présence, lorsque Jésus de Nazareth interprète son passage parmi les hommes par la métaphore eschatologique du banquet, et met en œuvre cette métaphore. C'est donc la joie qui rend compte de l'insouciance en dernier ressort, et nous ne pouvons rendre compte de l'urgence sans prendre la joie en compte. L'urgence est joyeuse, parce que les nouvelles à annoncer sont bonnes. L'insouciance n'est pas frivolité, car elle jouit déjà de la présence anticipée du Royaume. Entre insouciance et urgence, la joie sert de terme médiateur.

78 - DÉPOSSESSION MESSIANIQUE

Nous avons déjà dit (§ 20) que l'élément du temps est essentiellement celui de la non-possession de soi. Comment m'appartiendrais-je à moi-même, s'il revient à mon être d'être un devenir, et si je ne suis à moi-même que le commencement de mon être ? Les vérités de la philosophie ne sont pas nécessairement les maximes qui guident l'action, ni les lois implicites qui commandent notre rapport à nous-mêmes. Et de même que c'est sur le mode d'une prise de possession (ne fût-ce que dans la seule visée de la conscience) que se construit notre rapport au monde, de même notre rapport à nous-mêmes s'accomplit-il en partie sur le mode de l'appropriation. Il y a certes ce que je ne pourrai jamais faire mien : « mon » inconscient, par exemple. Mais nulle exception ne peut nous cacher qu'une certitude gouverne le commerce de l'homme avec lui-même : cette certitude est celle de la réflexivité, et l'homme s'y trouve à la disposition de lui-même. Nous avons poussé plus loin l'analyse et thématisé sous le nom d'incurvation cette figure particulière de l'enstase dans laquelle le moi s'absout du non-moi, et fournit en quelque sorte une incarnation au concept de l'ego transcendantal (§ 63). Nous avons enfin discerné, dans le jeu d'altérités qui compose l'existence en alliance, l'espace où la conscience (l'homme, en fait : l'alliance n'est pas le fait des seules consciences) peut échapper à l'incurvation. Demandons alors si les modes christologiques fondamentaux de la temporalité ne permettent pas de préciser encore nos analyses.

Le lexique de la dépossession et de l'aliénation a été introduit plus haut pour qualifier la situation remarquable du sujet qui n' « a » plus d'avenir. Une telle dépossession est le propre de l'esclave ou du serviteur : n'étant plus l'instrument de son propre projet, sur lui-même ou sur le monde, il peut encore rêver d'un avenir, mais la réalité de celui-ci est entre les mains de son maître (§ 75). Les noms de serviteur et d'esclave (παῖς, δοῦλος, ʿeved) figurent très classiquement dans le vocabulaire de la christologie. Joignonsleur pour plus de précision celui de *fils*. Ce n'est pas d'un maître, en effet, que Jésus de Nazareth est le serviteur, mais d'un père. Cela vaut doublement, dans les termes de la théologie trinitaire et dans ceux de la christologie, de telle sorte que l'unique personne de Jésus prouve une double paternité et une double filialité : filialité du Fils engendré éternellement par le Père, filialité de l'homme que Dieu adopte comme son fils. Les présentes recherches présupposent le donné de la foi, elles présupposent donc cela. Qu'en est-il alors d'un temps humain que nous déterminerions à partir de la filialité ? L'expérience humaine de la paternité aurait ici des lettres de créance à présenter. Nous savons que les pères forment des projets pour leurs enfants, même si les enfants savent former leurs propres projets : dès les premières attentes et les premiers désirs de l'enfant, la dynamique du projet est inchoativement à l'œuvre. Nous savons, d'autre part, que paternité et filialité ne constituent pas des relations de dépendance : même si l'enfant doit longtemps dépendre de son père et de sa mère, la joie du père doit pouvoir être que son fils lui soit un jour un ami et un frère. L'enfance ne s'institue pas. Comment entendre aujourd'hui ma filialité ? Nous n'avons pas à répondre ici à cette question, sauf à remarquer que c'est nous-mêmes que nous oublierions, si nous oubliions que nous n'avons pas été à l'origine humaine de notre être. Il est en revanche une question à laquelle nous devons et pouvons répondre. Le temps de l'enfant est ce dont son père répond : l'enfant peut jouer aujourd'hui sans souci du lendemain. Le temps du serviteur est ce dont le maître répond : le serviteur saura les tâches qui lui seront assignées. Le temps humain du Fils est ce dont le Père répond : le Fils saura reconnaître l' « heure » du Père. De quelle manière Dieu répond-il de mon temps ? Nous dirons qu'il en répond en me permettant d'assumer sans malheur ma non-possession de moi-même, et donc de mon temps. Claude Bruaire a su bien dire que le propre de l'homme est d'être en dette de lui-même[14]. Je ne me reçois pas de moi-même, comme la *causa sui* de la théodicée baroque, mais d'un autre. L'altérité de cet autre se dédouble elle-même : je me reçois de mon père et de ma mère, et je me reçois de Dieu. Mes parents et Dieu marquent pour moi la limite absolue du souvenir. Il en est de même de mon rapport à l'avenir. Possédant « la dignité d'être cause », je suis assurément à l'origine de mon avenir. Mais le propre de la conscience filiale (mais dans son rapport à Dieu seul, cette fois-ci) est d'interpréter comme *don* ce qui la fait être, et d'entr'apercevoir en avant d'elle la même générosité qui l'a déjà précédée pour la faire être. L'incurvation nie la filialité ; la conscience incurvée revendique en fait une certaine forme d'aséité ; elle ne fait donc rien d'autre que de réaliser un contresens implicite sur son être. La conscience filiale propose alors de donner son agrément à sa non-possession de soi en interprétant de façon relationnelle cette non-possession. Je ne m'appartiens pas. Mais je ne suis pas là par hasard, comme la fleur dont il se trouve qu'elle est là. Je suis celui qui doit son être à d'autres que lui-même. Cela veut dire donc, sitôt que nous nous interrogeons sur l'avenir, et plus précisément sur notre avenir *absolu*, qu'un autre que moi détient les raisons de ce que je suis, et peut répondre de moi. La filialité de l'homme qui existe face à Dieu s'inclut donc l'enfance[15].

Il doit donc nous apparaître un fait important : si le temps est l'élément de la non-possession, et si la non-possession n'est pas une donnée ontologique brute, mais la conséquence du don qui nous a fait être, et qui nous promet encore à l'être, alors l'*eschaton* peut cesser d'être un sujet de spéculation. Nous ne savons pas ce qu'il en serait pour nous d'une existence définitive. Mais nous savons ce qu'il en est préeschatologiquement, pour l'homme de Nazareth, d'exister dans la plus grande proximité qui soit par rapport à l'Absolu auquel il donne le nom de Père. Nous n'avons donc pas à prendre possession de nous-mêmes, ni à produire l'*eschaton*. Plus encore, nous apprenons ici à critiquer les visages que nous prêtons volontiers à l'homme véritablement égal à lui-même : ce sont ici le serviteur et l'enfant

14. *L'être et l'esprit*, Paris, 1983, p. 9-83.
15. Sur ce point, voir F. Ulrich, *Der Mensch als Anfang, Zur philosophischen Anthropologie der Kindheit*, Einsiedeln, 1970, et G. Siewerth, *Metaphysik der Kindheit*, Einsiedeln, 1957.

qui remplissent une fonction paradigmatique, parce qu'ils ne sont pas à eux-mêmes leur propre providence. Le temps est négativement l'espace de la non-possession. Il est positivement, toutefois, celui de la relation. Je ne suis pas seul dans mon temps. Et de même que la dépossession messianique de Jésus ne mutile pas son humanité, de même ma non-appartenance à moi-même ne constitue-t-elle pas un déficit ontologique, mais le sens théologique de mon ipséité. On a dit déjà que le « soi-même » est un problème eschatologique. Nous savons désormais un peu mieux comment les termes de ce problème se posent lorsqu'on lui donne l'horizon de la christologie.

79 - DIEU ET SA MORT, LA RELATION DANS L'ABOLITION DE LA RELATION

S'il est quelque peu exagéré de dire avec Wrede que les Evangiles sont des récits de la passion précédés de longues introductions, il est toutefois patent qu'en se donnant du temps pour l'homme, l'Absolu choisit de se donner une mort humaine, et superpose à la nécessité ontique et ontologique de celle-ci une nécessité proprement théologique. Alors donc que ma mort représente la limite absolue de ma liberté, la mort humaine de Dieu est un acte de liberté ; alors que ma mort est l'ultime preuve de ma non-appartenance à moi-même, la mort de Dieu constitue un destin que Dieu lui-même impose à Dieu. Dans les annonces de la passion (Matthieu 16, 21 et par.), un $\delta\epsilon\tilde{\iota}$ solennel ($\check{\epsilon}\pi\rho\epsilon\pi\epsilon\nu$ en Hébreux 2, 10, $\check{\omega}\phi\epsilon\iota\lambda\epsilon\nu$ en Hébreux 2, 17) énonce la nécessité que l'Absolu fait peser sur lui-même (et dont il serait radicalement faux de croire qu'elle ne pèse que sur l'humanité du Christ). Il faut que le Fils soit livré aux mains des hommes. La mort humaine de Dieu fera nombre sans doute avec toute mort. Mais à la différence de tout autre, cette mort, dès lors qu'elle est comprise comme ratification du pardon divin, se subalterne une vie qui n'est plus que son préambule. Nous pouvons exprimer le redoublement des nécessités ontiques et ontologiques par la nécessité théologique de la manière suivante : la mort humaine de Dieu se comprend comme être *pour* la mort ; la distinction de l'être *vers* la mort et de l'être *pour* la mort, nécessaire à l'interprétation de toute expérience humaine, ne vaut pas ici. Ma mort est pour moi le signe ontique du destin. Je peux peut-être choisir de mourir aujourd'hui plutôt que demain, pour une cause plutôt que par accident. Je peux tenter l'appropriation heideggerienne de la mort, et vouloir que la mort soit pour moi l'eschatologie du sens — nous avons déjà dit quelles difficultés théoriques une telle position rencontre. Mais je ne peux choisir d'être mortel. Mon temps ne se vit pas sur la seule modalité du destin ; ma liberté est sous condition (conditions du monde, du temps, de la chair, etc.), mais ses conditions ne l'annulent pas. Je ne suis pas plus une pure liberté que je ne suis une pure conscience ; mais je ne sanctionne pas les contraintes qui pèsent sur moi sans détenir aussi le statut de cause non causée. Il reste que ma mort, et non pas ma liberté, décide de moi en dernière instance. Or, la nécessité qui pèse sur le Dieu venu dans le temps est une nécessité dont il est maître, une nécessité dérivée de sa liberté, et qui ne contredit pas cette liberté. Le destin de mort qui pèse sur Dieu n'est pas un dieu plus puissant que lui encore. Nul autre que Dieu n'impose à Dieu de mourir (pas même un démon qui exigerait la mort de Dieu en rançon pour nos fautes). Il nous faut donc parler d'*autodestination* divine. Selon l'esquisse de logique trinitaire que nous avons déjà indiquée, il nous faut alors dire que Dieu (le Fils) est dans le temps celui qui va à la mort non comme au terme de sa volonté, mais comme à celui de la volonté de Dieu (le Père). Et c'est selon la même logique qu'il faut penser la dernière dépossession de l'homme de Nazareth : il existe pour sa mort dans la même mesure où Dieu veut dans le temps exister pour sa mort.

Choisir l'identité de l'être et de l'être vers la mort est privilège divin, et Dieu seul peut-être peut définir l'être vers la mort comme être pour la mort. La « parole de la croix » (1 Corinthiens 1, 18) n'est certes pas la seule qui nous vienne du Dieu né pour mourir ; la vie et la prédication de Jésus de Nazareth composent de toute façon l'événement préeschatologique dans lequel se manifeste une proximité inédite de l'Absolu. La croix représente toutefois un dernier mot, et la clef herméneutique de toute parole antérieure : car elle est la parole de pardon, ou d'absolution, que des hommes avaient déjà reçue du Dieu présent comme homme parmi eux, mais dont il fallait que tout homme la reçoive. On peut supposer sans doute qu'une vie d'homme qui ne soit pas vécue dans l'horizon de la mort ne serait pas une vie humaine. Le paradoxe sotériologique veut toutefois que la mort de Dieu ne survienne pas comme conséquence de sa vie d'homme, et que cette vie soit en fait la conséquence de cette mort — que Dieu ne vive pas d'abord pour vivre, mais pour mourir. Ce n'est pas tout à fait un hasard si toute *vita Christi* est absente des symboles qui transmettent la foi chrétienne, et où nous apprenons seulement que l'Absolu est né comme homme, et qu'il souffrit sa passion sous Ponce Pilate. Plus que les signes anticipés de la gloire, la croix est le haut lieu paradoxal de la théophanie. Car Dieu n'est jamais plus *là* que lorsqu'il subit sa mort. Nous avons du temps pour vivre et pour mourir, pour parler et pour nous taire (Qohelet 3, 7). L'Absolu a d'abord du temps pour mourir. Et peut-être le mode le plus propre de sa présence n'est-il pas l'*action* mais la *passion*.

Le parallélisme des raisons christologiques et des raisons trinitaires nous permet alors d'interpréter le plus vif problème posé par la mort humaine de Dieu : la déréliction du serviteur que Dieu *abandonne* à la mort. Cette déréliction n'est pas le seul fait de l'humanité de Dieu ; Dieu n'abandonne pas Jésus à sa mort en se réservant pour lui-même la jouissance trinitaire de sa propre proximité. Au contraire. Car s'il faut prendre au sérieux l'union christologique de l'homme et de Dieu, qui nous contraint d'affirmer que Dieu meurt en Jésus de Nazareth, il faut tout aussi bien affirmer que sur la croix, l'agonie trouve une place dans l'Absolu lui-même. Rien ne peut sans doute séparer Dieu de Dieu, ni en dernier lieu séparer de Dieu l'homme qui a mis sa confiance en lui. Mais si Dieu se révèle capable de mourir, il nous faut probablement apprendre qu'il est intimement impliqué dans la déréliction du crucifié : comme Fils assumant jusque dans la solitude de la mort le destin auquel il a consenti, comme Père remettant le Fils à ce destin, et comme Esprit sauvegardant dans la plus extrême tension la communion du Père et du Fils. Dieu meurt donc comme s'il n'y avait pas de Dieu, et Jésus meurt confié à une seule proximité, celle du Fils qui peut toujours prononcer le nom du Père, mais pour qui le Père est d'abord l'absent. Les conséquences suivantes en découlent pour nous : *a* / De même que la désappropriation (le mode d'être *kénotique*) selon laquelle l'Absolu vit son existence d'homme infirme toutes nos logiques d'appropriation, de même le mode sur lequel Dieu vit sa mort infirme-t-il tout ce que nous attendrions d'une mort que Dieu revendique comme sienne. Le philosophe souhaite mourir comme Socrate, et non comme Jésus. Et même si notre vie a été médiocre, peut-être notre mort sera-t-elle notre haut fait. La mort humaine de Dieu nous prévient toutefois à l'encontre de tout *ars moriendi* trop sublime. La présence de Dieu à Dieu, la présence de Dieu à l'homme et la présence de l'homme à Dieu ne sont pas invulnérables à la mort. Et face à l'abandon du crucifié, il n'est pas vraiment certain que nous ayons à apprendre de Dieu comment mourir — c'est plutôt ce que Dieu lui-même a appris de l'homme ; *b* / La mort humaine de Dieu nous permet de penser la relation dans l'abolition de la relation. Dieu ne cesse pas d'être homme le temps de l'agonie de Jésus. La déréliction du crucifié ne rompt ni l'unité trinitaire de l'Absolu, ni l'unité théandrique de la personne du Christ. Mais la mort, dont nous avons déjà dit comment elle se tient entre Dieu et nous (§ 47), nous rappelle que nulle proximité n'est définitive dans les limites du monde, et que toute relation lui est suspendue. Non seulement le monde dans lequel Dieu est apparu porteur d'un visage d'homme ne devient pas le Royaume du seul fait de cette apparition, mais encore il revient à Dieu lui-même d'éprouver l'éloignement qui constitue le mode historique, mondain, sur lequel l'homme vit sa distance par rapport à Dieu. Même si la gloire pascale du ressuscité brille déjà avant Pâques d'un éclat anticipé, les réalités avant-dernières ont le monde comme lieu et la mort comme dernière condition ; c / Nous avions pu affirmer que l'esprit est mortel dans la chair (§ 13), nous pouvons désormais en dire un peu plus. L'être nous est vocation, et la mort nous est destin. Nous existons sur le mode du don et sur celui de la non-possession (et les deux d'ailleurs ne s'équivalent pas). La mort prouve celle-ci. Prouverait-elle aussi celui-là ? Nul ne peut se sauver soi-même, pas même le Dieu crucifié. En nous abandonnant à nous-mêmes, la mort (même si nous ne la vivons pas sur le mode christologique de la déréliction, que nul n'a à souhaiter pour lui-même ni pour personne) nous met à la merci d'un don. Si nous détenions l'être, de telle façon que notre ipséité soit distincte de la relation qui nous confie à nous-mêmes, peut-être pourrions-nous affronter seuls notre mort, forts d'un droit ontologique à la surmonter. Nous savons parler de la création comme du geste perpétuel par lequel Dieu maintient dans l'être le monde et tout ce qu'il convient, alors même que nous reconnaissons dans le monde d'autres causes que la causalité divine. Et il en est ainsi de nous-mêmes : donnés à nous-mêmes, nos actes ne sont pas seulement l'occasion à laquelle la puissance créatrice de Dieu s'exerce, mais nous y exerçons un authentique « acte d'être ». Or, notre mort nous confie purement à la générosité créatrice de Dieu. C'est donc à l'heure de notre mort que l'Absolu peut prouver que nous existons parce qu'il nous convie à l'être, et non parce que nous sommes capables d'être. La mort doit être la pure expérience de notre créaturité.

80 - « ANALOGIA ENTIS » CONCRÈTE ET TEMPORALITÉ PRÉESCHATOLOGIQUE DE DIEU

Nous pouvons dès lors apporter une ou deux précisions à une question déjà exposée. En une première approche du fait christologique (§ 35-36), nous avons pu parler d'une alliance du temps de l'homme et de l'éternité de Dieu, ou d'une mise en analogie de l'un et de l'autre. Apportons à cette thèse les qualifications suivantes.

a / Si tout ce qui se dit de Jésus de Nazareth est dit du Verbe du Dieu, alors tout ce qui se dit du temps humain de Dieu devra correspondre aux modes mêmes sur lesquels Dieu vit son éternité. La désappropriation, a-t-on dit, n'est pas seulement le fait de l'homme de Nazareth, mais aussi celui du Fils qui refuse de s'en tenir à sa divinité comme à quelque chose que l'on détient par la force, ἁρπαγμόν (Phil. 2, 6) — et qui ce faisant contrevient à la définition de l'éternité divine, chez Boèce, comme *possessio*. D'où une importante implication : ce n'est pas abstraitement avec l'éternité divine que le temps humain entre christologiquement en analogie, mais avec l'éternité de l'une des personnes divines ; avec l'éternité telle que le Fils la vit. Nous ne préjugeons pas ainsi des modalités, de nous parfaitement inconnues, qu'une éternité à la mesure de l'homme pourra revêtir. Mais nous pouvons suggérer par anticipation qu'elle ne trouvera pas son modèle dans l'éternité de l'*ousia* divine, mais dans le style sur lequel l'une des personnes divines personnalise celle-ci.

b / La symétrie des raisons anthropologiques, christologiques et trinitaires nous permet de prononcer en connaissance de cause le nom d'un théologoumène que nous avons tu jusqu'ici : celui de l'*imago Dei*. Peut-être fallait-il que Dieu existe dans le monde à l'image de l'homme, pour que l'on sache vraiment l'homme capable d'exister à l'image de Dieu. Il est en tout cas certain (c'est la première règle qui gouverne la grammaire des concepts christologiques) que la certitude ultime sur l'homme n'a pas d'autre lieu d'articulation que celui de la certitude ultime sur Dieu. Nous comprenons dans cette mesure qu'il puisse y avoir entre temporalité et éternité un rapport iconique qui représente plus qu'une pieuse exagération. Nous ne pouvons rendre compte d'une affinité entre l'humanité de l'homme et la divinité de Dieu — il doit y avoir des mondes possibles dans lesquels rien ni personne ne soit à l'image de Dieu. Mais nous pouvons en tirer les conséquences. D'une part donc, l'éternité cesse christologiquement d'être un concept négatif (l'autre que le temps, la non-temporalité ou supratemporalité de l'Absolu, etc.), et à défaut d'en détenir un savoir descriptif, nous pouvons au moins la penser, comme vie et comme relation, comme procès et non comme donnée de fait. Et d'autre part le temps, quoi qu'il en soit de la fonction focale que la mort remplit dans la temporalisation, cesse d'être d'abord pour nous l'index de l'écart infini qui sépare l'homme de Dieu.

— Si la mort elle-même peut avoir lieu dans l'éternité d'une personne divine, alors il n'est pas nécessaire que notre propre mort soit surmontée pour que nous existions à l'image de Dieu : les réalités *pré*eschatologiques sont bien pré*eschatologiques*.

c / Il n'est pas de certitude dogmatique qui dispense de prudence herméneutique. C'est non seulement après Pâques, mais encore d'après Pâques, que le fait christologique s'offre à l'interprétation. Le crucifié est toujours déjà le ressuscité (c'est en cela que notre expérience et celle du témoin ne coïncident absolument pas). Le statut de toute *imitatio Christi* s'en trouve donc éclairé. Dans le temps qui me conduit à la mort, je ne puis vouloir imiter un autre Dieu que celui qui s'achemine lui aussi vers sa mort ; le sens christologique de l'expérience chrétienne ne peut se déployer qu'à l'ombre de la croix. Mais malgré l'hiatus du Vendredi saint, c'est la continuité pré- et post-pascale d'une unique expérience qui se propose à la foi et à toute entreprise mimétique qui découle d'elle. On a dit qu'il fallait parler de la manifestation de l'Absolu, et de l'expérience qui s'en saisit, en termes de confins. Notre mort nous rappellera toujours où nous sommes. D'ici là, nous ne pouvons cependant rompre le cercle qui unit la croix et la résurrection, l'anticipation du Royaume et sa réalité. Le lieu de l'*imitatio Christi* est ainsi un *no man's land* philosophique. Le Dieu qu'elle dit imitable, en effet, se tient simultanément ici et là, dans un temps qui le mène à la mort et dans un temps qui lui postexiste. Il serait fâcheux de l'ignorer.

81 - LA MÉMOIRE COMME ESPÉRANCE

En nous rapportant à l'Absolu manifeste en ce temps-là, la mémoire ne fait pas œuvre archéologique. — Ou bien, si l'on veut, elle accomplit l'archéologie par excellence, l'accès insurpassable à l'ἀρχή, à l'origine, au principe. Nous divertissant de l'actualité historique, elle ne nous détourne pas de nous-mêmes, et de ce qui est en question en nous : il ne faut pas confondre diversion et divertissement, et il s'agit bien dans la mémoire du sens du présent ; non d'une nostalgie, mais d'un réalisme. Quelles raisons allons-nous chercher en amont de nous, sinon celles qui décident en dernier lieu de notre être ? Dieu certes est intéressant pour lui-même. Mais la structure christologique de sa manifestation veut qu'il ne nous découvre pas ce qu'il est sans nous découvrir aussi ce que nous sommes, ou plus exactement ce que nous avons vocation à être. Le secret d'une authenticité n'est donc pas vraiment en nous, mais face à nous, en un autre que nous dont l'expérience prétend à être assez vaste pour abriter toute particularité dans son universalité concrète. Comme nous pouvons le découvrir sitôt que nous feuilletons les archives de l'alliance, l'acte de parole dans lequel l'Absolu se manifeste et prouve son existence est d'abord un acte de promesse. Cette parole, dit la théologie, fait être et conserve dans l'être. Créé, avons-nous dit, l'homme est promis au Dieu à la merci duquel il se trouve. Et cela veut dire que la question d'un avenir absolu qui ne soit pas l'eschatologie empirique de la mort trouve alors un sens. Ce qui se joue dans la mémoire est donc le rapport de l'homme à l'homme, selon les médiations de la christologie, et le rapport de l'homme à son avenir. Nous avons peut-être des raisons non théologiques d'espérer (mais est-ce bien sûr ?). Nous ne pouvons exister sans que notre avenir ne mette en cause notre présent. C'est perpétuellement, d'autre part, que nous sommes reconduits à notre commencement — ou au commencement du peuple auquel nous appartenons — pour en répondre ou refuser d'en répondre. Il est enfin d'autres promesses que celles de Dieu — ou bien, il est d'autres dieux à qui nous attribuons des promesses, d'autres livres que la Bible qui font parvenir jusqu'à nous des paroles d'espoir. Il se trouve toutefois que les paroles dont se saisit théologiquement notre mémoire — disons notre *anamnèse* — promettent en réalisant (par voie d'anticipation) leur promesse. Peut-être ne ferions-nous pas l'effort d'entrer dans le jeu de diversion qui est celui de la mémoire, s'il ne nous était essentiel, non pas d'exercer un droit sur notre avenir, mais d'attendre confirmation du don, ou de la promesse, qui trame notre existence. La mémoire n'est pas le premier geste de la conscience qui s'intéresse à Dieu, à ce qu'il dit et à ce qu'il donne. A plus forte raison n'est-elle pas le mode sur lequel l'homme entretient ordinairement son commerce avec l'avenir. Les réalités espérées nous semblent n'avoir par essence pas de lieu dans le monde. Espérer est contredire, se prévaloir d'un sens malgré la violence des faits. La foi croit en revanche que l'espérance se fonde sur une contradiction des faits par les faits : c'est-à-dire que les raisons de l'espérance sont inscrites quelque part dans le tissu des faits et des événements. Elle affirme que l'espérance est une question de fait et non de droit. Et elle indique clairement les conditions de son éventuelle falsification : si le Christ n'est pas ressuscité, c'est en vain que l'homme espère.

82 - LE PRÉSENT DANS L'HISTOIRE ACCOMPLIE

Nous sommes désormais en mesure d'assigner plus précisément son contenu à l'expérience qui, au sein d'une histoire démessianisée, ressaisit en mémoire l'autocommunication de l'Absolu dans le temps. Le Dieu manifeste, avons-nous dit, fait diversion. Il n'est pas ici, dans le champ de la présence, mais là, dans un passé définitivement clos, et qui semble posséder tous les caractères du révolu. De ce que le présent n'est pas la parousie, et de ce que le passé détient toutes les raisons d'une épiphanie, il ne s'ensuit évidemment pas que nous soyons dégagés des responsabilités qui nous incombent à l'égard du présent et de l'avenir du monde. La mémoire sait les enjeux d'un avenir absolu. Elle nous avertit que nous ne serons jamais les artisans d'un tel avenir, car il appartient à Dieu seul de réfuter la mort de l'homme. Mais s'il est vrai que Dieu régnait déjà dans le temps qui conduisait son Fils à la croix, la mémoire nous apprend aussi que la cité bâtie par les hommes à l'ombre de la mort peut abriter un jour plus de justice et de paix — et qu'il nous revient d'en assumer la tâche. S'il est vrai cependant que nous avons beaucoup à faire dans l'histoire (parce qu'elle n'est pas finie), nous n'avons pourtant rien à en attendre qui ne nous soit déjà manifeste (parce qu'elle est accomplie). L'histoire, après Pâques, n'a plus de secret pour nous. Ce n'est pas pour autant qu'il nous est licite de jouir d'une contemplation qui nous dispense de toute praxis. C'est toutefois dans cette mesure que nous pouvons fonder une espérance qui ne relève pas de la logique du désir, mais de celle de la connaissance. L'écart qui nous force à la praxis (ou plus simplement soit dit à la morale), celui qui sépare l'accomplissement de la fin, ou l'anticipation de l'institution, est donc le même qui nous autorise à suspendre au passé le sens du présent. Cette suspension a plus d'une dimension. Elle est une condition de l'acte de foi, pour celui qui reconnaît la puissance de Dieu à l'œuvre dans le crucifié. Elle est une condition de la conversion. Elle est une condition de la contemporanéité paradoxale de celui qui se rend présent à la Parole dans l'acte où elle se profère. Elle implique en tous ces cas un même rapport au temps — le présent y apparaît toujours, non seulement comme espace de la mémoire et de l'espérance, mais comme leur fusion ou leur synthèse. Une formule, qui n'est pas dictée par un souci de préciosité, en indique le problème : le présent est construit alors comme *souvenir d'un avenir*. A une telle structure temporelle, nous donnerons le nom de *kairos*. Nous entendrons par là que la frontière de l'histoire et de l'eschatologie, dont l'événement Jésus-Christ nous fournit les coordonnées empiriques, passe aussi par notre présent. Nous avons bien dit que Dieu a parlé, une fois pour toutes, avant que nous ne soyons là. Et si nous n'avons pas à attendre que l'histoire abrite de nouvelles épiphanies, il faut bien entendre que son temps est régi profondément par ce que nous avons nommé (§ 73) la *tautologie*. Démythisée, désenchantée, l'histoire dans laquelle l'Absolu est apparu est rendue à elle-même. Nous avons tout à y faire, mais il n'est rien qu'elle veuille nous dire. Cela ne contredit pourtant pas la superposition ou le croisement du temps « kairologique » et du temps « chronologique ». Le premier et nécessaire visage que le temps nous offre est celui du *chronos* : celui d'un procès déterminé par la non-réitérabilité de ce qui s'y passe, et pris intégralement dans l'horizon de la mort (ou, cosmiquement, dans celui d'un point d'entropie maximale). Le *kairos*, d'autre part, ne s'enracine pas dans le temps présent. C'est jadis, et là-bas, que l'Absolu a annoncé la bonne nouvelle de sa condescendance. C'est jadis que coïncidèrent le présent et la présence de Dieu, pour fournir à lh'omme l' « occasion favorable » de mettre ses pas dans les pas d'un Dieu. C'est bien sûr à cela que contrevient l'anamnèse. Elle affirme qu'entre mémoire et espérance, le présent ne jouit d'aucun statut qui lui soit propre. Tout est donné au présent, sauf la conscience qui porte cette présence : passé et avenir, promesse et espérance. Par mode de métaphore, nous pourrions dire que le temps acquiert kairologiquement l'élasticité qui permet aujourd'hui à l'homme d'être le prochain du Dieu qui se manifestait hier dans la chair. Mais nous pouvons nous contenter de concepts. On dira donc que la réalité kairologique du présent redouble aujourd'hui la situation instaurée autrefois par l'Absolu en œuvre de manifestation. Le *kairos* est l'abolition des distances temporelles. Il est la réalité exclusivement théologique du temps. Le *kairos* n'est pas l'*eschaton*, puisqu'il ne déploie sa logique qu'à l'intérieur d'une histoire à laquelle il n'appartient pas de détenir quelque dernier mot que ce soit. La possibilité d'un présent intégralement préoccupé par le souvenir de Dieu, et l'espérance de sa parousie, ouvre pourtant ici et maintenant l'espace où le monde et les structures de la présence cessent de s'arroger le dernier mot. L'ordre kairologique rompt l'ordre chronologique en permettant que résonnent ici et maintenant les promesses de Dieu, et que l'homme puisse répondre à ce qui lui est dit.

83 - TEMPS ET DON

Prenons entre parenthèses le temps d'une remarque à caractère parfaitement analytique, ou, si l'on veut, qui ne porte que sur la « grammaire » des concepts : la dimension kairologique du présent ne saurait être pensée que dans l'ordre du don.

Il nous appartient d'être dans le monde, d'exister dans l'horizon du temps, d'édifier notre présent entre rétention et protension, entre souvenir et anticipation. Cela n'empêche pas qu'au fond de nous-mêmes nous soyons redevables de ce que nous sommes envers le Dieu qui crée, laisse être et maintient dans l'être. Cela signifie simplement que cette redevance n'interdit pas notre égalité avec nous-mêmes : nous existons comme nature et comme facticité. Et même si la première conséquence de notre temporalité est de nous interdire tout rapport à nous-mêmes par mode de possession, nous naissons pour une certaine logique de l'être, et elle peut être déployée de façon immanente sans que le nom de Dieu n'ait à être prononcé. Or la logique des réalités définitives, d'une part, et celle de notre accès à ces réalités, d'autre part, la logique donc de l'*eschaton* et celle du *kairos*, ne sont nulle part inscrites dans notre facticité, et ne se déploient que sous la protection du nom de Dieu. Nous pouvons certes, semble-t-il, *faire* mémoire de l'Absolu qui est passé parmi nous. Sa Parole, proférée une fois pour toutes, et sauvegardée en un livre disponible au milieu de tous les livres, semble nous appartenir. Nous savons toutefois les périls propres à la mémoire. Elle traite essentiellement de ce qui n'est plus, elle présuppose l'absence et les stratégies que nous mettons en œuvre pour la conjurer, elle est vouée au malheur autant qu'au bonheur. Les hasards de notre lecture et de notre philologie détiendraient-ils donc les conditions du *kairos*, du « temps favorable » ? Peut-être — l'Absolu ne se cache pas, mais se dévoile, dans les paroles qui nous sont transmises, sa révélation possède aussi une dimension exotérique. Mais sous réserve qu'un axiome soit admis : l'homme ne se souvient de Dieu qu'avec l'autorisation de Dieu ; les déterminations ultimes de la mémoire heureuse sont celles d'une grâce. Dieu et l'homme, la « nature » et la « grâce », ne font évidemment pas nombre. Le *kairos*, d'autre part, sera toujours pris dans l'espace du *chronos* ; nous pourrons donc toujours en rendre compte de façon non kairologique. Mais si nous croyions qu'il *appartient* à l'essence de notre temps d'être vécu à la croisée de la mémoire et de l'espérance, nous commettrions là une faute logique. Le *kairos* prouve en effet une initiative divine en dissipant le clair-obscur du monde. Kairo-logiquement, la mémoire accède à Jésus de Nazareth comme au prochain que les distances de l'histoire ne peuvent éloigner d'elle, et dont il lui est aujourd'hui possible de confesser qu'il est (aujourd'hui) Seigneur. Kairologi-quement, l'espérance dégage l'horizon des réalités ultimes de telle manière que la promesse appartienne pour elle à l'ordre de la certitude. Le *kairos* n'instaure sans doute pas le règne théologique d'une évidence que nul doute ne puisse atteindre, il ne donne pas au présent les couleurs de la parousie. Il est toutefois de sa définition d'être le temps que Dieu donne. L'anamnèse et l'espérance sont des actes humains. Mais ils excèdent les structures mondaines de la présence, et se rebellent contre toute intégration à la logique mondaine de l'évidence et de l'inévidence. Si la mémoire doit être plus que notre effort d'élucidation du passé, et si l'espérance doit être plus qu'une hypothèse, il faut que Dieu en détienne les conditions de possi-bilité. Nul n'instaure en lui-même les modes d'être qui mettent en cause notre être-dans-le-monde.

84 - L'ESPACE ECCLÉSIAL DE LA MÉMOIRE

Nous pouvons développer alors la thèse déjà annoncée (§ 68) selon laquelle la mémoire heureuse a dans le monde un lieu, qui est l'Eglise. Nous n'avons pas à organiser ici une ecclésiologie ; il s'agira des traits fonda-mentaux de l'être-en-Eglise, ou si l'on veut du sens existentiel de l'ecclé-sialité.

Où suis-je exactement, lorsque je fais mémoire des faits et dires de l'Absolu au milieu des hommes ? En répondant que j'habite alors l'Eglise (et que la proposition « le souvenir de Dieu a lieu en Eglise » est d'ailleurs une proposition purement analytique), je ne fais pas allusion à un lieu empirique qui aurait par rapport à tout autre le privilège de mettre l'homme face à Dieu. Ce n'est pas à un haut lieu que nous donnons le nom d'Eglise, mais à une manière d'être, ou si l'on veut à une définition du « lieu » par la manière d'être, ou encore à l'espace historique du présent gouverné par mémoire et espérance. L'Eglise met certes plus en jeu qu'un rapport au temps ; elle est par exemple le lieu de la charité fraternelle d'une façon tout aussi primordiale qu'elle est celui de la mémoire et de l'espérance. Mais il reste que l'homme ne peut lui appartenir sans qu'une temporali-sation bien précise ne constitue une note fondamentale de cette appartenance. Nous définirons cette temporalité comme accès à une histoire de part en part kairologique. Nul ne donne à son temps la dimension du *kairos*. Le *kairos*, d'autre part, est ce qui n'a pas de lieu en histoire, sinon par mode de subversion eschatologique (ainsi en est-il de la prédication de Jésus), et qui n'est à la mesure de nulle histoire. Or, l'histoire de l'Eglise n'est pas plus à la mesure de l'histoire, ou des histoires. Il y a certes une histoire événementielle de l'Eglise, connumérable à toute autre histoire. L'Eglise donne prise à l'historien, probablement aussi au philosophe. Il est toutefois un trait majeur de l'historialité qui semble ne pas affecter l'Eglise : la fragilité de la mémoire. L'actualité historique se construit toujours en prenant ses distances par rapport au passé. Le présent ecclésial, en revanche, se construit en niant cette distance. L'Eglise sans doute est assez dans le monde, et le sens théologique de l'historialité est assez pris dans les conditions mondaines de l'historialité, pour que cette négation ne soit pas sans poser question — on fournira une réponse. L'être-en-Eglise est-il d'abord un être-en-histoire ? Est-ce comme expérience de l'histoire que la conscience fait l'expérience de son ecclésialité ? C'est en partie certain, pour autant (mais pour autant seulement) que nulle temporalité ne s'absente vraiment de l'histoire. Nous voudrions toutefois suggérer que l'historial est ecclésialement subordonné au kairologique (mais non pas annulé par lui) : dans l'histoire accomplie, l'Eglise est peut-être sans histoire, ou n'a d'histoire qu'en un sens secondaire. Qu'entendrons-nous par là ? D'abord, que la *proximité* du Royaume constitue la situation ecclésiologique fondamentale, et que nulle diachronie ne l'affecte. Ensuite, que cette situation est concrètement celle d'un *acte de parole*, dans lequel la mémoire ecclésiale des faits et gestes de Dieu parmi les hommes abolit tout éloignement entre les origines prépascales et pascales de la foi et le présent de la mémoire. Enfin, que l'ordre *kérygmatique* selon lequel l'Eglise fait mémoire de Dieu est indissolublement un ordre *herméneutique*, que la mémoire est interprétation (et droite interprétation). Il sera ensuite possible d'interpréter le temps de l'Eglise comme celui d'un mode particulier de la *présence* de Dieu, et d'assigner à l'expérience eucharistique la fonction d'un foyer de temporalisation pour le temps de l'histoire accomplie. Il sera alors possible de jeter quelque lumière sur la logique de l'être-en-Eglise.

85 - LA PROXIMITÉ ET LA LIMITE

La dimension kairologique du temps de l'Eglise réside dans le jeu synthétique de la mémoire et de l'espérance. Ce jeu est présent. Il s'agit en lui d'une manière d'habiter le monde (au moins parce que tous nos actes sont, au sens le plus neutre, une manière d'habiter le monde). Mais il s'agit aussi d'une temporalité (pré)eschatologique. Nous en définirons le trait essentiel de façon brève : la frontière du monde et du règne de Dieu passe toujours par notre présent.

Dans l'histoire accomplie — mais non encore finie —, l'homme ne peut appartenir à la communauté qui fait mémoire du Dieu révélé sans se réclamer du règne de Dieu : car dans l'Eglise, Dieu règne. Il ne s'agit pourtant là que d'une proposition analytique de plus, et elle nous avertit en fait que les limites de l'Eglise nous sont finalement inconnues. Celle-ci détient certes une objectivité vérifiable. Mais il est possible (transcendantalement) de lui appartenir de manière cachée. Et il est évident que je puis lui appartenir empiriquement sans que Dieu ne règne en moi : la frontière de l'Eglise court aussi par le milieu de ce que je suis. Pas plus que nous ne pouvons nous saisir de Dieu, nous ne pouvons donc circonscrire son règne. Nous pouvons toutefois en connaître le problème. On a thématisé en son lieu la contestation eschatologique à laquelle procède l'homme existant entre création et monde, ou entre monde et Royaume, pour peu qu'il se veuille radicalement fidèle à la vocation qui constitue le fond de son être. Il faut en tirer une leçon, et ce qui vaut à propos de la création vaut à propos de l'Eglise : le Royaume est d'abord ce où je ne suis pas ; son ordre n'est pas celui de l'institution, mais celui de l'insinuation ; et la réalité instituée de l'Eglise est elle-même ordonnée à cette insinuation. Disons qu'en nous divertissant des présences dont le présent est unique horizon, le *kairos* nie que nous habitions ici et maintenant le Royaume, tout en nous offrant la grâce d'un accès.

J'existe en effet dans le monde avant d'exister dans l'Eglise ; l'Eglise, d'autre part, n'est pas un lieu connumérable à tout autre lieu ; et ma présence dans l'Eglise, enfin, ne m'absente ni de la totalité phénoménologique dont le « monde » est le nom philosophique, ni même du champ de négativité et de péché dont le « monde » est le nom théologique. Ma mort et mon péché, chacun en son ordre, me maintiennent à l'écart de Dieu. Cet écart pourrait passer inaperçu. La conscience croyante pourrait se méprendre sur elle-même, et penser qu'elle habite le Royaume de façon essentielle, et le monde de façon accidentelle. Or, le secret kairologique du temps de l'Eglise gît en fait dans le rappel — et la dénonciation — de notre mondanité. Le « temps favorable » de la mémoire et de l'espérance est identiquement celui de la conversion. Et si celle-ci n'est pas un geste posé un jour une fois pour toutes, mais une tâche à accomplir perpétuellement, c'est bien parce que nous ne cessons jamais, tant que nous habitons la réalité phénoménologique du monde, d'en ratifier aussi le sens théologique. L'Eglise, ici et maintenant, n'est pas le Royaume eschatologique où Dieu sera tout en tous ; Dieu y règne sous la condition du monde ; nous sommes pris concrètement dans la différence de l'Eglise et du monde, du lieu où Dieu règne et de celui où la mort mesure toute existence. Et s'il est vrai, à plus forte raison dans l'histoire accomplie, que les réalités provisoires sont aussi pour nous l'abri du définitif, il reste que le définitif n'appartient jamais à l'ordre de l'acquis et du donné de fait. L'appartenance à l'Eglise n'est pas une facticité. Et le concept d'un temps kairologique doit donc nous mettre en garde, s'il est besoin, contre tout goût immodéré de l'eschatologie réalisée. Pour parler des réalités pénultièmes, nous avons parlé de *confins* (§ 74). Utilisons ici le premier trait que la prédication de Jésus attribue au règne de Dieu : la *proximité*. Celle-ci, par définition, ne désigne ni une simple présence, ni une simple absence. Ce qui est proche est peut-être « déjà là », mais n'est pas vraiment en présence. Mais ce n'est pas non plus absent, puisqu'il lui revient de venir en présence, d'être non pas là mais presque là. Toute attente nous apprend ce qu'il en est de la proximité, et selon quels modes le futur (proche) y prend possession du présent. L'imminence du Royaume a toutefois ceci en propre, que la proximité ne saurait se résoudre intégralement dans la présence. L'Eglise n'est pas la parousie. Et entre la proximité et la présence totale demeure le double écart de notre péché et de notre mort. L'objection théorique constituée par notre mort est certes résolue à Pâques — mais par anticipation. L'objection théorique constituée par notre péché possède elle aussi sa résolution (il est d'ores et déjà possible que l'homme vive en adoptant les mœurs de Dieu, et du Christ) — mais la sainteté des saints n'est pas à la mesure du monde, et ne représente qu'une marge de son histoire.

Notre salut nous précède. L'ordre de la mémoire et la diversion qu'elle représente nous sont donc imposés et font violence à notre pratique native du temps. Mais de ce qu'un passé préoccupe radicalement le présent, il n'y a pas à conclure que ce présent y perde toute densité propre — la perpétuation ecclésiale d'une temporalité kairologique réintroduit (comment pourrait-il en être autrement ?) une nouvelle centralité du présent. Nous avons déjà pu penser une temporalité qui s'organise dans le primat du présent en prononçant le nom de l'exigence morale (§ 51). L'emprise exercée sur tout temps par la Parole qui s'y trouve remémorée correspond sans doute (sur le mode catégorial) aux requêtes transcendantales de l'éthique. Il nous fautes certes, pour gagner des raisons d'espérer, le délai de la mémoire et de l'interprétation : car ces raisons ne sont pas revêtues d'une évidence si grande qu'elles forment un horizon nécessaire de notre présence au monde. Mais la mémoire et l'espérance ne nous divertissent cependant du présent, du domaine dans lequel présent et présence s'entre-définissent, que pour nous rendre à l'immédiateté. Il est paradoxal, mais vrai, que *le mode le plus fondamental de l'être-en-Eglise consiste, non dans l'anticipation mondaine des réalités ultimes, mais dans la conscience toujours plus vive de notre mondanité.* Le croyant aurait tort, s'il s'imaginait avoir empiété sur un au-delà du monde de telle manière qu'il n'aurait plus à accéder au Royaume de Dieu. Et s'il faut entendre le jeu de la mémoire et de l'espérance comme crise eschatologique de notre être-dans-le-monde, il nous faut savoir que prononcé à Pâques de façon irréversible, et une fois pour toutes, le jugement de Dieu trame aussi tout présent. L'imminence du Règne de Dieu doit s'entendre au présent. Mémoire et espérance mettent tout présent en crise. Elles ne laissent pas intact le présent dont elles nous divertissent, et qui constitue alors les confins du monde et du Royaume.

Le caractère préeschatologique du *kairos* — de la mémoire et de l'espérance — nous apparaît alors clairement. Dieu ne règne pas seulement sur l'au-delà de la mort. Mais alors même qu'il peut régner sur l'homme dans l'en-deçà de sa mort, le mode propre de notre rapport à son règne demeure l'optatif. La mémoire n'est affectée de nulle nostalgie, puisqu'en recueillant une promesse elle est fondatrice d'espérance. Ni ce dont l'Eglise fait mémoire, ni ce qu'elle espère, ne nous est pourtant patent aujourd'hui. Mémoire et espérance mettent en cause notre rapport natif au monde, mais ne mettent à notre disposition aucun autre monde. L'homme ne jouit pas de la proximité de Dieu sans qu'il ne lui soit rappelé qu'il existe d'abord à l'écart de ce Dieu. Il ne peut non plus hâter la venue de son règne. Mais il peut laisser les paroles prononcées en ce temps-là retentir dans son présent et en porter le sens. On peut définir l'ordre des choses avant-dernières, entre autres, comme celui où la mémoire est médiatrice de la proximité.

86 - HISTOIRE ET ESPRIT

Nous n'espérons pas immémorialement : il ne nous appartient pas d'espérer dans l'unique mesure où nous sommes. Les raisons de l'espérance, d'autre part, ne sont pas inscrites dans notre présent : il faut y trouver accès par le travail de la mémoire. Des gestes et des paroles d'homme, enfin, ne suffiraient pas à nous faire espérer : aussi bien est-ce de la geste de Dieu parmi les hommes, et de sa Parole, que la foi fait mémoire. Cette geste toutefois et ces paroles ne nous manifestent leur évidence qu'à l'intérieur du monde ; et elles sont donc affectées du clair-obscur dans lequel le monde maintient tout ce qui est pris dans son histoire. Comment donc une mémoire saurait-elle nous transmettre une proximité ? Nous ne pouvons nous en donner à nous-mêmes la garantie, parce que nous ne pouvons nous porter garants que de nous-mêmes et de nos efforts d'intelligence. Les écarts historiques ne nous condamnent pas nécessairement à un agnosticisme et un malheur de la mémoire. De ce dont nous *faisons* (au sens strict) mémoire, nous ne pourrons jamais faire le fondement d'une espérance ; la mémoire traite de ce qui n'est plus ; elle peut fournir des conduites pour l'avenir ; mais elle ne peut s'introduire dans une logique des fins dernières, et d'un accès que nous y trouvions. Il nous faut donc la précision suivante : le temps (« vide », « démessianisé ») de l'Eglise abrite la mémoire d'un salut et nous permet de concevoir la mémoire comme élément d'une proximité si, et seulement si, ce temps est celui où Dieu garantit lui-même une telle mémoire.

Nous ne pouvons en effet abstraire les événements de Pâques (et plus largement tout l' « événement Jésus-Christ », et sa préhistoire) de l'événement qui conditionne leur juste recueil par la mémoire : Pentecôte. Si nous faisions mémoire de Dieu en l'absence de Dieu, et avions à parcourir nous-mêmes la distance qui nous sépare de sa manifestation et de sa prise de parole, les limites de notre souvenir seraient celles de notre science historique et de notre philologie — et à supposer qu'elles nous permettent d'affirmer en sûreté de conscience que l'Absolu s'est bel et bien donné un lieu là-bas, et en ce temps-là, elles n'institueraient pour nous nulle proximité — le Dieu qui a parlé et agi comme homme parmi les hommes serait donc un Dieu lointain s'il ne nous concédait, alors même qu'il se retire du monde, les conditions d'une mémoire totalement heureuse. Le don et la présence de l'Esprit constituent une telle concession ; et ils doivent être compris dans ses limites. Ce n'est pas à lui-même, en effet, que l'Esprit intéresse l'Eglise depuis Pentecôte. Il ne lui revient pas de se manifester lui-même après que le Fils se soit manifesté. Il ne lui incombe pas non plus de s'acquitter de spectaculaires charges historiques. Il remplit en fait une fonction que l'on peut dire transcendantale[6] : en autorisant la confession de foi selon laquelle Jésus est le Christ, il détient les conditions de l'interprétation droite ; et son nom est invoqué sur l'Eglise pour que la mémoire, au lieu d'être distincte de la manifestation, lui appartienne. De la sorte, la mémoire nous instruit moins d'une absence à déjouer que d'une nouvelle économie de la présence. Autre est la toute-présence métaphysique de Dieu (son ubiquité), autre l'être-là qu'il se donne en Jésus de Nazareth, autre encore la présence de l'Esprit. Celle-ci est la présence du Dieu qui donne accès à Dieu ; l'Esprit est présent à l'Eglise pour qu'elle n'existe pas en l'absence de celui qui siège à la droite du Père.

Tout temps serait-il donc équidistant du Dieu manifesté dans la vie, la mort et la résurrection de Jésus ? Si l'Esprit est d'abord celui qui ôte à l'histoire continuée après Pâques le pouvoir d'éloigner de l'homme le Dieu qui s'est donné visage, il nous faut l'accorder. La mémoire n'est pas une victoire que le croyant remporterait sur l'oubli, nous ne conférons pas à notre temps la dimension du *kairos*. On a dit de l'histoire d'où l'Absolu s'est retiré, et dont le délai de la parousie est le secret, qu'elle est vide : vide pour pouvoir être investie aujourd'hui par les paroles définitives prononcées hier. La plupart des paroles restent toutefois sans écho dans le monde, et même les promesses s'oublient, lorsqu'elles manquent à s'accomplir apodictiquement. La mémoire croyante ne peut se décharger sur l'Esprit des tâches qui lui reviennent : si Dieu a pris rang parmi les faits, l'anamnèse ne peut être indifférente à la connaissance historique. Mais l'œuvre patiente et ascétique de la mémoire n'est plus une dernière instance là où l'histoire cesse de nous dérober ce qui a eu lieu en son milieu. Il faut dire que le temps de l'Eglise est celui de la distance niée ou réfutée. L'Esprit gouverne pour nous le champ de la mémoire. C'est à sa condition qu'il nous est donc possible d'être présents à la Parole sans que la diachronie ne mette cette présence en danger. Car l'Esprit fait œuvre de contemporanéité.

---

16. Cf. mon étude La théologie et l'Esprit, *NRTh*, 109 (1987), 660-671.

87 - HISTOIRE ET SACREMENT

Encore nous faut-il savoir exactement à quelle « présence » nous sommes remis. La théophanie paradoxale du Dieu apparu comme serviteur est passée ; et si nous espérons une présence plénière et la jouissance eschatologique d'un Absolu absolument proche, nous ne cessons pas, dans le présent que qualifie kairologiquement la fusion de la mémoire et de l'espérance, d'être confiés à l'ordre provisoire du monde. Le Fils ne nous est plus visible comme aux jours de sa mission ; le Père habite une « lumière inaccessible » (1 Timothée 6, 16) ; l'Esprit enfin est accès de l'homme à Dieu. Les hommes ont pu contempler (ou plutôt méconnaître) le visage d'homme de l'Absolu. Ils ont alors pu croire que le retrait de ce visage les laissait sans Dieu dans le monde, ou bien qu'il les laissait au bord de la parousie. Or, l'histoire accomplie qu'habite la foi n'est pas le Royaume, et elle n'est pas non plus abandonnée de Dieu. Entre la parousie et l'absence, nous avons vu comment la proximité qualifie l'emprise des réalités définitives sur les réalités provisoires. Il faut ajouter que la proximité détient un foyer mondain dans le temps de la mémoire et de l'espérance : c'est à partir du sacrement que nous pouvons savoir quelle présence se déploie pour nous sous la caution de l'Esprit.

Nous pouvons définir le sacrement, de la façon la plus générale qui soit, comme frontière, faite geste, faite chose, faite mots, des réalités historiques et des réalités eschatologiques. Il s'agit dans le sacrement d'un être-là continué : l'Absolu n'y prouve pas sa toute-présence, mais s'y inclut dans le monde, s'y donne lieu, comme il y avait lieu dans la personne de Jésus de Nazareth. Cette inclusion est toutefois médiatisée. Les gestes mêmes de Dieu, la « réalité » de sa présence, sont la vérité eschatologique du sacrement. Mais elle nous est accessible hors des signes mondains par lesquels, ou sous lesquels, elle se confie à l'homme. Ici encore, la notion de confins se révèle importante. Nous pouvons en effet distinguer le *sacramentum* de sa *res*, le signe mondain du don eschatologique qui advient en lui. Mais dans l'intégralité de son rite, le sacrement donne sans séparation la chose ou le mot qui nous alertent sur le « là » de Dieu, et cet être-là lui-même. Il serait pourtant vain — bien sûr — de croire que Dieu est là comme est là, par exemple, ma machine à écrire, ou comme est là le visage ami qui me fait face, ou même comme Dieu était là en Jésus de Nazareth, dans les jours de sa mission. Selon la logique du sacrement, le réel n'est précisément pas ce que l'on touche et voit — il est l'invisible et intouchable qui nous est codonné lorsque nous voyons et touchons les indices de sa disponibilité. Il n'est pas non plus ce dont le visible est image, ou icône — alors que la logique christologique, malgré l'incognito kierkegaardien[17], est une logique de manifestation, la logique sacramentelle est une logique de dissimulation, qui cache l'eschatologique sous les « espèces » du non eschatologique. Notre expérience du sacrement est donc pré-pascale. Ce n'est que pour les mortels que Dieu est présent en quelques mots, et en un peu d'eau, de pain et de vin. Mais s'il confirme l'existence du monde, le sacrement confirme simultanément que nous avons d'ores et déjà excédé ce monde. Nous n'en sommes pas affranchis, mais nous n'existons plus dans ses seules limites ; nous habitons les confins du monde et du Royaume. L'*anticipation* eschatologique ne nie pas la *réserve* eschatologique du Dieu toujours plus grand. Mais entre le créateur et la créature, il ne saurait sacramentellement y avoir de distance, sans que ne joue une proximité plus grande encore.

Nous avions déjà pu avancer, dans le seul cadre d'une théorie de la création, que l'homme est essentiellement un être de limites et d'entre-deux (§ 57). L'expérience sacramentelle en fournit la preuve la plus précise qui soit. Les raisons de toute espérance appartiennent à notre passé. Mais le présent n'est pas pour nous le temps d'un renfermement du monde sur lui-même et sur ses raisons immanentes. L'ordre sacramentel nous apprend simplement à ne pas associer sans réfléchir présent et présence. L'Esprit fait de notre présent le *kairos* qui nous permet de décider de ce que nous sommes. L'Esprit ne dit rien cependant, ne montre rien, ne donne rien, dans l'histoire accomplie, que les raisons (christologiques) de cet accomplissement. Le *kairos* est préoccupation du présent par le passé auquel l'espérance s'origine ; et la logique du sacramentel est elle-même une kairo-logique, une suspension des écarts de l'histoire au bénéfice d'une unique expérience fondatrice. Par la médiation de l'Esprit, la présence qui nous console des violences de l'histoire déjoue donc les règles de l'historialité.

---

17. Textes, entre autres, dans les *Miettes philosophiques*, *OC*, vol. 7, Paris, 1973 (*Philosofiske Smuler*, sv (3), vol. 6).

88 - HISTOIRE ET EUCHARISTIE

La réalité paradoxale d'une expérience constituée comme non-historia-lité, ou d'une historialité constituée en négation des écarts historiques, nous est manifestée avec un peu plus de netteté encore — s'il le faut — par la théologie de l'eucharistie. C'est peut-être un rêve invétéré de l'homme que de vouloir se libérer de l'histoire, et l'anthropologie du rite connaît les tactiques qui permettent de bâtir un temps qui conteste l'irréversibilité des processus historiques. Mais l'anamnèse engage d'abord la responsabilité de Dieu. La conscience croyante ne choisit pas de faire acte de mémoire, mais y est contrainte. Et elle ne fait pas de son ressouvenir l'abri d'une proximité : car cela aussi lui est concédé. Il nous reste à préciser le mode temporel de cette proximité, et le mode sur lequel elle permet la mise entre parenthèses des réalités non eschatologiques.

a / La conscience naturelle croit à l'interdéfinition du présent et de la présence. Elle sait évidemment que la présence n'est pas univoque : autre est celle de ce qui (quoi ou qui que ce soit) me fait face, autre la re-présen-tation qui constitue le travail du souvenir. Mais entre la présence présente (et ses « impressions originaires ») et le ressouvenir, faut-il choisir dilemma-tiquement ? L'expérience sacramentelle, et plus précisément eucharistique, d'une présence qui n'appartient pas au présent qu'elle investit, tout en ne relevant pas de l'ordre de la re-présentation, permet théologiquement d'en écarter la proposition. La re-présentation parcourt la distance qui sépare le moi d'un passé qu'il ressuscite dans la conscience (et il n'est certes pas interdit à la foi de faire aussi œuvre de re-présentation : la « composition du lieu » ignacienne en est un bon exemple[18]). Mais de ce que je me rende aujourd'hui présent à un passé, ou de ce que le présent retienne toujours du passé, il ne s'ensuit pas que ce passé soit maintenant plus qu'un objet intentionnel, dont l'existence présente est limitée au domaine d'immanence de la conscience remémorante. La présence sacramentelle, en revanche, échappe aux lois de la re-présentation. Ce n'est certes pas sur un mode extrinsèque qu'une présence est liée à un acte de mémoire, lui-même orga-nisé comme récit. La mémoire n'est pas la cause occasionnelle d'une pré-

---

18. Ignace n'a incorporé aux *Exercices spirituels* aucune définition de la composition du lieu. Aussi bien s'agit-il d'un exercice élémentaire d'imagination. Cf. § 47, 65, 91, 103, 112, 138, etc. Voir *DSAM*, s.v. *composition du lieu* (II, 1321-1326) (M. Olphe-Gaillard).

sence dont rendraient compte, en fait, la concession au ressuscité d'un peu de l'ubiquité divine et la condescendance présente de Dieu. Dieu n'est sans doute pas seulement celui qui était. Il est celui qui est, et qui vient. Il reste que la présence eucharistique provient du passé, et que son accueil, s'il ne nous divertit pas du présent (puisqu'il n'y a pas d'anamnèse sans un présent structuré comme épiclèse), opère un considérable décentrement. Au lieu que nous nous re-présentions un passé, il faut bien dire que ce passé s'apprésente. Au lieu d'être une relation que la conscience (qui est) entretienne avec quelque chose qui n'est plus, la mémoire balise le champ dans lequel l'originaire vient en présence. Il en découle donc que la présence y distend ses liens avec le présent. La mémoire va à l'essentiel, puisqu'elle perçoit seule les horizons temporels à partir desquels l'Absolu perpétue dans le monde un être-là. Au présent de la conscience répond l'être en présence du passé.

b / Si la même présence garantit une identique mémoire, nous comprenons bien que l'expérience eucharistique radicalise les enjeux du temps de l'Eglise : le dernier sens théologique de l'être-dans-le-monde apparaît comme un jeu liturgique dont il est permis de se demander s'il a quelque signification historiale que ce soit. La continuité de la mémoire et l'identique louange d'une identique présence n'abolissent certes pas la discontinuité des temps. Ce qui est mis entre parenthèses n'est pas annulé pour autant. Mais alors que l'histoire est le domaine de la particularité et du fragment, c'est du tout qu'il s'agit dans l'eucharistie. Plus précisément : du tout en sa réalité eschatologique. L'assemblée eucharistique concrète se situe en effet à l'intersection de deux communions : communion des vivants entre eux, communion des vivants et des morts. Il n'est donc rien, ou plutôt il n'est personne, qui appartienne à l'Eglise et qui soit absent de la liturgie eucharistique. Celle-ci n'est pas la louange eschatologique des hommes et des anges devant la face de Dieu. La totalité définitive de l'Eglise n'y est pas visible, et sa totalité empirique en est absente. C'est pourtant bien la totalité qui donne son sens à toute assemblée particulière. Les hommes qui s'assemblent pour faire mémoire de l'alliance scellée au Golgotha ne peuvent s'absoudre de toute particularité et de toute histoire, pour représenter un universel abstrait et exsangue. L'histoire est le terrain de nos différences, et de nos différents, et ceux-ci nous paraissent inoubliables. L'assemblée liturgique (à l'intérieur de ses limites, qui sont celles de l'anticipation et de la signification, du vouloir dire) se propose toutefois comme lieu mondain de la *récapitulation*, ou si l'on veut comme icône historique d'une totalité eschatologique. La particularité vaut toujours, de façon simultanée, comme exclusion et comme abri de la totalité. Il n'y a pas de particularité absolue et inintégrable à un tout, sinon l'eccéité, et celle-ci est ineffable. Et la totalité renvoie symétriquement aux particularités qui n'y renoncent pas à elles-mêmes sans affirmer qu'elles ne lui sont pas réductibles. Or, la logique de lieutenance et de communion qui abolit différences et différents, lorsque les hommes ne sont rassemblés qu'au lieu que l'Absolu se donne dans le monde, nous fournit le modèle d'une particularité qui n'appauvrit pas le tout qu'elle prétend représenter, et d'une totalité qui ne transcende pas les particularités qui y entrent. Toute liturgie se déroule dans le monde et à l'ombre de la mort. Elle prouve cependant les conditions auxquelles le monde, la mort et l'histoire peuvent le temps de quelques gestes et de quelques silences cesser d'être. Tout sacrement nous maintient à distance de l'*eschaton* dont il est le lieu dans l'histoire accomplie. Mais tout sacrement nous permet aussi la *réduction eschatologique* dans laquelle ne transparaît plus, du réel, que sa réalité définitive. L'expérience eucharistique est au plus haut point celle d'une semblable réduction. Nous disposons désormais de l'appareil conceptuel nécessaire à la résolution des apories, philosophique et théologique, qui marquent l'expérience du temps.

89 - TEMPORALITÉ ET ESCHATOLOGIE (REPRISE)

Nous nous heurtons à la mort comme à la seule eschatologie qui ait une réalité ontique, et pouvons être tentés de l'interpréter comme eschatologie du sens. Nous disions que les enjeux du sens débordent en fait les conditions auxquelles, à l'ombre de la mort, nous avons du temps (§ 29). Mais cette protestation de la raison nue ne peut comme telle s'instituer ; c'est sur un mode paradoxal que le sens a raison à l'encontre du fait ; et l'on doit trouver étrange le postulat de significations que nul fait, de quelque ordre que soit sa factualité, ne pourrait avérer. Nous parvenions toutefois à une coïncidence du fait et du sens (et donc à la résolution théologique d'une aporie philosophique) sitôt que la raison théologique pouvait faire état d'une relance de l'expérience. Et il nous était christologiquement possible de récuser l'équivalence du temps et de l'être-dans-le-monde, c'est-à-dire du temps et de l'être-vers-la mort. Cela n'a pas à être redit (§ 32-35). Et l'ordre christologique n'étant pas seulement celui d'un fait, mais aussi celui d'une promesse, c'est bien d'une dernière précision apportée à la *quaestio de homine* que nous disposons après Pâques. La mort n'est donc pas le dernier secret du temps. La nature de l'homme réside ultimement en une vocation, et celle-ci explique que le temps de l'homme ne soit pas contredit par l'éternité de Dieu, mais qu'il puisse entrer en analogie avec elle, à la fois dans le monde et par-delà le monde. L'être ne nous appartient pas, l'existence se déploie perpétuellement selon une logique du commencement, un don définit ce que nous sommes ; et si l'événement de Pâques ne constitue pas la première parole de promesse qui nous vienne de Dieu, c'est cette parole, et nulle autre, qui détient la réponse aux questions que nous sommes.

Il ne s'ensuit évidemment pas que toute interrogation trouve ici son terme, il est beaucoup plus probable que nous n'y gagnons que l'horizon dans lequel poser de bonnes questions. La promesse d'une éternité à ma mesure ne m'ôte pas au jeu mondain de l'être ; l'alliance « nouvelle et éternelle » a déjà un lieu dans le monde ; et si le temps qui nous mène à la mort n'est pas le dernier, mais l'avant-dernier temps, c'est donc bien dans l'élément des réalités pénultièmes, et selon sa logique, que nous pouvons nous approprier le dernier mot qui élucide notre avenir absolu. Il faut assurément la certitude d'une eschatologie pour former la notion d'un ordre préeschatologique. Mais cet ordre constitue en tout cas celui de l'existence concrète, pour laquelle la lumière de Pâques brille déjà dans le temps qui achemine à la mort — mais pour laquelle la mort ne cesse de préoccuper la relation de l'homme à son être et à son temps. A nulle espérance il n'appartient d'abolir la mort. L'espérance, d'autre part, ne saurait être l'unique modalité d'un temps : nul ne peut faire rien d'autre que d'espérer. Comment donc le temps s'ordonne-t-il à l'*eschaton* ? La christologie nous a fourni des éléments de réponse, qu'il s'agit de souligner encore, et de rassembler.

90 - DE LA VOLONTÉ DE PUISSANCE A LA FILIALITÉ

Notre appartenance au monde, entendu comme différant de la création, nous vouerait-elle, sinon à n'avoir d'autre vouloir qu'un vouloir de puissance, du moins à ne pouvoir éviter que l'ombre de la volonté de puissance plane au-dessus de toute volonté ? On nous permettra d'avancer la thèse, et l'hypothèse symétrique selon laquelle la filialité, telle que la christologie permet de la penser, rend eschatologiquement le vouloir à lui-même.

L'enjeu de toute volonté est celui d'un rapport à l'avenir. Il n'est évidemment pas de volonté, parce qu'il n'est pas de conscience, qui n'engage que l'instant présent d'une volition, seule la velléité n'est que l'investissement fugitif du présent par un vouloir qui restera sans conséquences, et la velléité elle-même abrite un projet, et constitue un rapport (malheureux) à l'avenir. Sitôt que je veux, c'est sur ce qui n'est pas encore que je donne prise. Vouloir est anticiper. Or, ni notre temps ni — donc — notre être ne sont à notre disposition. Notre temps nous contraint à avouer que le problème de notre ipséité est un problème eschatologique, que nous sommes comme tels à distance de nous-mêmes, et ne pouvons entrer avec ce que nous sommes en un rapport de possession. La continuité de notre acte de présence dans la discontinuité des moments fait certes que, lorsque nous parlons de l'avenir, il s'agit toujours déjà d'une sorte de présent : à l'inaccessibilité de ce qui n'est pas encore le cas, nous avons toujours déjà répondu par avance, du simple fait que l'existence temporelle n'est pas une succession d'instants présents discrets, mais une synthèse « vivante ». Il y a toutefois un paradoxe de la volonté et du projet, et il consiste, sinon à maîtriser l'immaîtrisable, du moins à habiter dès maintenant notre avenir. Nous ne saurions pas exister, si nous ne savions réquisitionner l'avenir pour confectionner notre présent. Cette réquisition nous est spontanée, et elle nous est essentielle. Elle est déjà à l'œuvre dans l'acte de la protension, elle est à l'œuvre dans le projet le plus mince (celui d'aller tout à l'heure à la banque, par exemple) comme dans l'habitude la plus ténue (celle de boire une tasse de thé à quatre heures, par exemple), ou comme dans la prédiction la plus triviale (le soleil se couchera ce soir et se lèvera demain matin, par exemple), et elle ne réclame pas pour être patente (et pour constituer un problème philosophique) que toute notre vie à venir, par impossible, ne soit qu'un seul projet que nous formerions maintenant. Nous sommes temps, mais le temps est forme de la liberté et de l'acte délibéré. Et si nous n' « avons » pas d'avenir, au sens strict, nous ne sommes pas emmurés dans le présent, même dans un présent « vivant » ; l'avenir n'est pas seulement ce dont nous serons peut-être les témoins ; il sera (en partie) ce dont nous avons décidé qu'il serait ; il n'est pas l'autre abstrait du présent, mais y possède le lieu de son anticipation.

La réquisition de l'avenir par le projet et la volonté présente n'est pourtant pas aussi innocente qu'il apparaît. Car en se donnant maintenant un avenir, la conscience projetante court le risque de ne plus concevoir l'avenir — et même l'avenir absolu — qu'en termes de projet, et de l'appréhender comme milieu d'un pouvoir exercé par l'homme sur l'être qui n'est pas encore. Il semble alors que vouloir et projet détiennent le sens de l'avenir. L'avenir demeure certes l'instance critique de tout projet. Mais face à cette critique, le vouloir ne peut précisément s'affirmer qu'en s'identifiant avec un pouvoir-faire. Nous dirons donc que le vouloir affecte la formalité du vouloir de puissance quand son rapport au monde et à l'être se structure comme « rapport de production », ou de position de soi par mode de mainmise. La volonté de puissance agit en fait avec le temps comme on agit avec un espace, une terre, dont l'on prend possession. Les paradoxes de l'anticipation se résolvent en logique d'appropriation. Et il est compréhensible que celle-ci conduise la volonté de puissance, après qu'elle s'est rendue maîtresse de son temps, à exercer aussi son emprise sur son avenir absolu — sur l'*eschaton*. Le temps cesse donc d'être l'élément de l'être par mode de devenir : il devient celui du déploiement d'un unique projet, d'une unique affirmation. Le devenir cesse donc de détenir (historiquement et eschatologiquement) les mesures de l'être : rien ne peut inquiéter le présent dans lequel la conscience veut être à elle-même son propre avenir. C'est sur ce point que la volonté de puissance se distingue des anticipations et des projets qui trament nécessairement le rapport de la conscience à l'avenir, c'est peut-être aussi sur ce point qu'elle accomplit leur secret. Toute volonté n'est pas évidemment un geste d'autoposition et d'arraisonnement — la conscience morale, par exemple, ne se dupe pas lorsqu'elle veut le bien, il faut en tout cas maintenir (pour des raisons qui tiennent d'abord au maintien transcendantal de l'alliance au milieu de l'histoire) que nous pouvons faire le bien par amour du bien. Le vouloir de puissance est toutefois le secret de l'homme pour qui vouloir est se vouloir. Elle est à ce titre le visage le plus mondain de la volonté.

La contestation christologique du vouloir de puissance ne souffre d'aucune ambiguïté. Face aux problèmes (exégétiquement insolubles, probablement) suscités par le conflit néo-testamentaire des eschatologies, nous avons remarqué (§ 76) qu'il n'est en fait aucune eschatologie, aucun projet eschatologique, qui appartienne à Jésus de Nazareth : l'horizon de l'*eschaton* est pour lui celui de la volonté paternelle de Dieu. Cela devrait nous permettre de critiquer la réduction du vouloir à un vouloir de puissance. Nous ne pouvons certes imaginer une conscience humaine qui n'exercerait aucune prérogative sur l'avenir — et ce n'est pas d'une telle conscience que la christologie interprète la logique. Mais nous pouvons penser une conscience devant laquelle l'avenir se déploie comme ce dont elle ne peut ni ne veut être maîtresse, et qui accepte que les limites du sens ne soient pas celles de son pouvoir-faire. La filialité serait ainsi cette modalité de la conscience qui se démet de toute prétention à s'assujettir l'avenir, et à plus forte raison l'avenir absolu — on pourrait le dire autrement : elle est cette conscience qui refuse le plus évidemment le jeu de l'incurvation (§ 63). Les ambitions eschatologiques de la volonté de puissance sont claires. Elle ne saurait en effet renoncer à ce que le terme de son vouloir vaille définitivement ; et elle ne saurait accepter qu'une instance existe, qui critique tout ce dont le vouloir se rend maître : la volonté de puissance veut par essence le dernier mot, et elle ne saurait entretenir avec un autre vouloir (fût-ce la volonté de Dieu) une relation autre que d'opposition violente. Pour autant qu'il veut, l'autre (et à plus forte raison l'Autre) édicte les limites de mon vouloir. Je ne puis vouloir que ma volonté, et non celle d'un autre. C'est ici qu'il faut percevoir la provocation dont la conscience filiale est responsable. En habitant dans le monde non pour y subir un destin, mais pour y accomplir un dessein dont elle n'est pas l'origine, elle ne cesse pas de poser les actes qui lui sont les plus propres. Et c'est en fait parce que l'*eschaton* n'est pas son projet qu'elle peut n'être pas étrangère à son avènement. Faut-il alors avancer que le temps ne peut s'ordonner à l'eschatologie que dans la mesure où l'homme ôte à *son* temps, à *sa* temporalisation, toute ambition eschatologique ? Seul celui qui refuse d'avoir prise sur son temps pourra en apercevoir la dimension kairologique. Seul celui qui refuse de se donner prise sur un avenir absolu évitera de confondre celui-ci avec une apocalypse faite de main d'homme. Et c'est ainsi que l'avenir cesse de peser sur le présent comme une menace, et apparaît comme un champ de promesse.

91 - FILIALITÉ ET INSOUCIANCE,
    NOUVEAUX ÉLÉMENTS D'UNE CRITIQUE THÉOLOGIQUE DU SOUCI

L'on perçoit alors les raisons pour lesquelles l'insouciance n'est ni tout à fait impensable ni tout à fait étrangère à la logique concrète de l'existence. Nous ne pourrions assurément exclure le souci de celle-ci sans sombrer dans l'incohérence et la pseudo-pensée ; et sous le chiffre d'une insouciance établie, d'une transgression du souci définitivement acquise, nous penserions peut-être une humanité définitivement égale à elle-même, par-delà monde et histoire — mais nous perdrions tout droit à rendre compte par concepts de notre facticité, en son sens philosophique et en son sens théologique. Le souci détermine radicalement notre temporalité ; et il n'en est pas un mode parmi d'autres, mais une tonalité primordiale. S'il faut alors thématiser l'insouciance, l'ἀμεριμνιά, à partir de la christologie, il faudra donc entendre par là un mode d'être eschatologique, qui préeschatologiquement, dans le temps qui conduit l'homme à la mort, ne saurait être institué. Même du temps pré-pascal du Christ, le souci n'est pas absent ; et nous savons qu'à la veille de sa passion l'angoisse non plus n'en est pas absente. Cela ne suffit pas à disqualifier l'idée d'insouciance, mais nous permet de préciser sa situation théorique. Son ordre n'est pas celui du fait — la facticité de l'existence nous renvoie toujours au souci, en dernière instance. C'est celui des marges de la facticité, ou des conséquences paradoxales entraînées par le sens kairologique du présent. Si en effet le temps se trouve déterminé comme *kairos* et si d'autre part la volonté se refuse à toute prise de pouvoir, alors une transgression du souci doit être possible. Elle ne se défera pas de l'entrelacs préeschatologique du Royaume et du monde. Mais ce n'est pas là un argument à l'encontre de son concept, et ne fait que préciser son statut. L'insouciance doit être pensée (et voulue), car elle seule peut vérifier existentiellement l'affirmation que Dieu seul suffit, et que le *kairos* peut préoccuper notre présent de telle manière qu'il nous soit l'esquisse de la temporalité (purement eschatologique) de l'homme totalement tourné vers Dieu. Elle ne peut cependant perdre la condition précaire qui est dans le monde celle des anticipations eschatologiques. C'est seulement dans la mesure où notre être est être-dans-le-monde que le souci nous détermine essentiellement ; et la logique des réalités mondaines ne préjuge pas des réalités définitives dont l'espérance nous est impartie. Mais il est en tout cas certain qu'entre nous et les réalités définitives le monde s'interpose nécessairement. La récurrence du souci nous le remet en mémoire : nous sommes ici et maintenant ceux à qui la présence de Dieu n'est pas immémoriale, à qui la présence à Dieu n'est pas spontanée, et pour qui l'une et l'autre présence ne dissipent pas les ambiguïtés qui sont dans le monde le propre de la subjectivité. La filialité ne restitue le vouloir à lui-même, par-delà la volonté de puissance, que sur un mode préeschatologique ; il en est de même de l'insouciance, et nous n'aurons jamais accès — dans les limites de notre présence au monde — à un au-delà du souci. On dira si l'on veut que l'insouciance a un lieu, qui est l'Eglise (et la même chose pourrait être dite de la *joie*). Celle-ci déploie liturgiquement un temps où l'avenir n'assume que le visage de la promesse, et où la promesse est elle-même déjà réalisée : rejoint ici et maintenant par son avenir absolu, l'homme n'a donc plus à prendre sur lui-même cette avance qui a pour nom souci. Mais il faudra dire aussi que l'ordre sacramentel nous maintient à distance de la parousie et que cette distance, en constituant l'élément de la foi, confirme les revendications que le monde exerce sur nous. Le croyant est pris dans la différence sacramentelle comme il est pris entre monde et Royaume. Et le rejaillissement du souci sur l'inquiétude, dans les termes d'une théorie de la création (§ 42-46, 52), ou sur l'insouciance filiale, dans les termes de la christologie, n'est donc pas vraiment aporétique : il est problématique, en manifestant la double appartenance qui nous définit préeschatologiquement. Ici encore, nous apprenons que nous ne sommes ni simplement « ici », dans le monde, ni simplement « là », dans le Royaume, et que nous habitons des confins. Filialité et insouciance n'ont lieu que sous la condition du monde.

92 - DE L'ÊTRE-VERS-LA-MORT A L'HORIZON DE LA CROIX

Il nous est alors possible de répondre à la question que pose après Pâques l'intangible facticité de notre mort. Nous existons préeschatologiquement — mais notre mort confesse notre appartenance à un monde où les réalités définitives sont toujours masquées par les réalités provisoires. Une herméneutique théologique de la facticité (§ 43) doit-elle donc buter sur la mort comme sur ce qui ne se laisse interpréter qu'en termes mondains, et qui interprète toute réalité mondaine ? L'immutabilité ontique des faits et l'absence d'une redéfinition pascale de la facticité sont si patentes qu'il serait oiseux de les commenter. La mort demeure après Pâques la seule eschatologie qui se puisse vérifier. Seul le Christ est ressuscité. Suggérons toutefois qu'elle subit ce que, d'un terme qui eut son heure de faveur dans la théologie de l'eucharistie, on nommera une *transsignification*. On entendra par là une dépossession théorique : la mort et la résurrection de Jésus de Nazareth ôtent à la mort le privilège d'être une dernière instance ; le champ sur lequel elle règne n'est pas celui des réalités ultimes. Elle reste le secret mondain de toute vie. Mais elle n'est plus l'eschatologie, ou la récapitulation, du sens : l'atotalité qu'elle sanctionne (§ 23) n'est plus interprétable que dans la présupposition d'un accomplissement, dont la promesse a été faite avec une autorité suffisante pour que nous la croyions. Nous ne pouvons certes pas nous saisir des réalités définitives. Le Christ ressuscité nous est indisponible. Et s'il est vrai que nous pouvons nous saisir du corps et du sang sacramentellement donnés à l'Eglise, nous sommes pourtant priés de ne pas oublier que ce n'est pas sur le monde que brille eucharistiquement la lumière de Pâques, mais sur l'expérience théologale, sur l'Eglise. La foi affirme donc la falsification des revendications eschatologiques formulées par la mort. Mais elle sait que ses affirmations ne se vérifient pas ici et maintenant (seule les vérifie, en amont de nous, la parole de promesse énoncée à Pâques), et que l'*eschaton* est invérifiable, tant que le monde constitue l'élément de la vérification. La mort est la sanction du transit mondain qui constitue ce que nous sommes. Elle n'a pas le dernier mot. Elle n'est pas le lieu paradoxal du sens. Mais si elle n'est pas l'*eschaton*, elle reste ce sans quoi nous ne pouvons penser l'*eschaton*. On définira donc la transsignification pascale de la mort en disant qu'après Pâques l'*être-vers-la-mort* doit être pensé comme *existence pré-pascale* ; que l'ombre de la mort est en fait celle de la croix. L'interprétation n'ajoute rien au fait. La mort humaine de Dieu en Jésus de Nazareth fut semblable à toute mort — tout au plus fut-elle apparemment un peu moins digne que d'autres d'être la mort de Dieu lui-même... Notre mort ne nous sera pas moins sérieuse lorsque nous l'aurons dépouillée (ou plutôt depuis que l'Absolu l'a dépouillée) de toute signification eschatologique. Nous saurons au moins une chose : que les promesses de Dieu ne sont pas mesurées par les limites du monde, et que la mort, expérience humaine partagée par Dieu lui-même, dans la personne du Fils, constitue en fait une réalité pénultième.

Il faut dire plus : car le temps qui nous mène à la mort est aussi un temps dans lequel nous habitons aux confins du monde et du Royaume, de telle sorte que les réalités avant-dernières anticipent déjà une certaine fruition des dernières choses. L'expérience sacramentelle permet de percevoir ce qui se joue ici. De même que notre mort nous apprend que nous sommes à distance de Dieu, de même le sacrement confirme-t-il que nous habitons le monde — seuls les mortels sont pris dans la différence du *sacramentum* (les « espèces » mondaines du sacrement) et de la *res* (la présence eschatologique de Dieu). Mais l'économie sacramentelle ne nous renvoie à notre mort qu'en montrant que, d'une certaine manière, nous sommes déjà participants d'une durée dont notre mort n'est pas le secret. Peut-on exister à la fois en deçà et au-delà de sa mort? Délogée de sa fonction d'arbitre du sens, la mort n'est pas transfigurée à Pâques. Ce n'est plus pour elle que nous existons, mais ce n'est pas sans elle. Elle demeure inoubliable, et nos liturgies ne donnent l'anticipation d'une parousie qu'en nous rappelant aussi qu'elles sont une manière d'habiter monde et temps. Elle n'est pourtant plus ni la fin, ni l'accomplissement. Face à elle, la conscience croyante ne jouit certes d'aucun privilège existentiel. La promesse d'une éternité n'effacera jamais la gravité de la mort. Il reste que l'expérience sacramentelle, ou ecclésiale, nous offre le lieu précis où appréhender la mort en vérité — et qu'elle y est aussi ce que nous avons déjà transgressé, car les réalités définitives nous sont déjà données dans le temps pré-pascal de la foi. Nous ne pouvons pas vraiment nous distraire de notre mort pour jouir de la présence qui nous est donnée. Cette présence, d'autre part, avoue elle-même le mode provisoire sur lequel elle nous est donnée : le sacrement manifeste simultanément l'au-delà et l'en-deçà de la mort, sa structure fondamentale est pascale et préeschatologique. Mais dans le provisoire, c'est bien la réalité définitive de l'Eglise qu'il suscite. Il faut donc convenir que notre être-vers-la-mort y est nié autant qu'il y est confirmé. Cela n'altère en rien notre facticité. Mais cela précise un mode sur lequel notre être excède, par vocation, notre être-dans-le-monde.

La filialité peut alors nous offrir la figure d'une conscience capable d'habiter le monde sur un mode pré-pascal, sans résignation, mais sans se prévaloir d'un droit à une autre eschatologie que la mort. Le paradoxe veut que nous ne soyons pas aujourd'hui en possession définitive de ce que nous sommes, que la non-possession soit la note exacte de notre identité. Sur nous-mêmes, et de nous-mêmes, nous ne pouvons répondre jusqu'au bout. Ce serait donc une faute grossière de *grammaire* théologique que de nous croire détenteurs d'une réfutation de notre mort. La logique du projet et de l'appropriation se brise sur la mort comme sur le dernier mot d'une dépossession. Ma mort n'est pas à moi. Nul ne se substituera (peut-être) à moi pour l'affronter. Mais pas plus que je ne suis ici et maintenant propriétaire de mon être et de mon devenir, je ne le serai à l'heure de ma mort. Lorsque nous abordons les confins du monde et du Royaume, l'Absolu ne nous est débiteur que des promesses qu'il nous a faites. Les raisons de la foi et de l'espérance transsignifient le présent : la croix du Christ interprète la mort, et la résurrection du Christ interprète sa passion. Mais la foi et l'espérance ne transsubstantient pas notre mort.

93 - NOUVEAUX ÉLÉMENTS D'UNE CRITIQUE DE L'ÊTRE-DANS-LE-MONDE

On a dit (§ 58) que l'homme est dans le monde celui qui transgresse les mesures de son être-dans-le-monde. Cette transgression doit désormais nous apparaître avec plus de netteté. La totalité eucharistique de l'Eglise constitue le lieu herméneutique de l'expérience chrétienne (§ 88) ; et ce lieu, où ne se recueille aucun sacré qui soit indigène dans le monde, n'entretient avec le monde nulle relation d'appartenance (sauf d'appartenance ontique) ; le Royaume peut être présent dans le monde, il peut y être représenté, mais il en est essentiellement différent. La mort est toutefois inoubliable, et constitue l'index sans équivoque de notre être-dans-le-monde. Dans le temps qui nous mène à la mort, comment donc affirmer que notre lien au monde puisse être défait, ou que notre mondanité soit comme la superficie de notre être ? On répondra en remarquant un paradoxe fécond de l'eschatologie, qui tient en ce que l'on peut nommer une unité dialectique de l'en deçà et de l'au-delà. Si la première tâche de la philosophie « purement rationnelle », selon Schelling, est de mettre en œuvre la première demande du *Pater*, « que ton nom soit sanctifié »[19], la première tâche de l'expérience chrétienne est certainement d'en énoncer la seconde : « que ton règne vienne ». Mais de même que l'Absolu se tient déjà entre notre mort et nous (§ 48) lorsque nous nous intéressons à lui, de même l'en deçà de la mort n'est-il pas exclusivement le royaume de la mort. Nous avons dit que le jeu liturgique n'est pas un divertissement auquel l'Absolu nous permettrait de prendre part ; c'est d'une mort, la mort humaine de Dieu, que nous faisons là mémoire ; et le sérieux de notre propre mort ne saurait donc en être absent. Mais même si la frontière de l'Eglise « visible » et de l'Eglise « invisible » passe aussi par notre mort, c'est bien l'au-delà de la mort qui constitue l'instance à partir de laquelle nos liturgies sont interprétables, c'est bien la parousie qu'elles miment. L'au-delà ne se résout certes pas, dans nos liturgies, en un en deçà gorgé de tout sens et de toute présence, tel que malgré notre mort l'*eschaton* serait ici et maintenant réalisé. Mais l'en deçà n'est pas non plus le domaine d'une Eglise à qui il reviendrait de n'être jamais qu'une réalité provisoire. L'en deçà

---

19. « Sanctifier, en hébreu, ne veut absolument rien dire d'autre à l'origine que mettre à part, ce que montre le second commandement : tu dois sanctifier le sabbat, c'est-à-dire le traiter comme un jour mis à part des autres, et qui n'a rien en commun avec eux. La science donc qui ne s'occupe de rien d'autre que de retrancher ou d'élaguer tout ce qu'il y a de matériel et de potentiel que la pensée immédiate associe au premier concept de Dieu, conçu comme être général, afin que Dieu soit connaissable dans la pureté de son être — il est bien possible que cette science mette à exécution et accomplisse vraiment, dans le domaine de la pensée, la seconde demande du Pater : que ton nom soit sanctifié — *agiasthèto = choristhèto* » (*Philosophie der Mythologie*, 16ᵉ leçon, rééd., Darmstadt, 1976, p. 373).

participe déjà à la logique de l'au-delà ; l'au-delà luit déjà dans l'en deçà ; le monde et la mort perdent donc leur centralité herméneutique.

« Où suis-je ? » Il n'est pas de réponse théologique simple à cette question, ni probablement de manière simple de la poser. Proposons, à défaut de mieux, une convention terminologique : on dira de l'homme qu'il est *dans* le monde, mais qu'il n'est pas *au* monde, c'est-à-dire qu'il ne lui appartient pas. Que notre inhérence au monde ne soit pas tout à fait une *demeure*, un « être chez soi », le Philosophe lui-même (Heidegger, en l'occurrence) en convient : « Le n'être-pas-chez-soi *(das Un-zuhause)* doit être compris, de façon existentiale-ontologique, comme le plus originaire des phénomènes. »[20] En niant que nous soyons (théologiquement) *au* monde, nous ne nions pas que nous y soyons, ontiquement, ni que notre accès à l'être soit une fonction de notre être-dans-le-monde. Mais de même que le soi-même nous apparaissait comme un problème eschatologique, de même la question de notre « lieu » met-elle aussi en jeu les raisons eschatologiques. Elle n'y recourt pas comme à une rationalité ou une suprarationalité absolument autre, et à des lois qui régiraient un au-delà dont nous ne pourrions parler qu'apophatiquement — elle fait au contraire appel à ce qui constitue déjà un foyer d'expérience, paradoxal mais doué d'une évidence propre. Les limites de nos liturgies ne sont certainement pas les limites de toute expérience, ou de toute signification, préeschatologique, elles ne sont pas les limites du Royaume dans le monde. La liturgie ouvre toutefois le champ exemplaire d'une temporalité qui contredise le temps déployé comme habitation du monde. (Et s'il est d'autres conduites humaines (la bienveillance morale, au premier chef) que le jeu liturgique pour faire allusion au règne de Dieu, il convient peut-être, on l'a dit (§ 51), de leur reconnaître un caractère liturgique, d'une manière qui n'est pas seulement verbale : le caractère de ce qui, par essence, se fait devant la face de Dieu.) La question de notre patrie est une question eschatologique. Mais il ne s'ensuit pas que nous soyons sans lieu dans le monde : l'Eglise est déjà présente dans l'en deçà de la mort, et pour le coup nous *appartenons* à l'Eglise.

On peut alors se demander si le lieu de la plus haute transgression, celui où l'homme s'absout radicalement de tout être-au-monde, n'est pas sa confrontation à la présence eucharistique. Le sacrement, on l'a dit, ratifie et prouve notre être-dans-le-monde. Mais la présence qu'il médiatise nous autorise à être dans le monde ceux que nul intérêt ontique et ontologique ne

---

20. *Sein und Zeit*, éd. Niemeyer, 189.

régit plus, et que leur mondanité cesse de définir. Il ne faut pas se hâter d'affirmer que le croyant existe moins dans le monde qu'il n'existe devant Dieu. Il ne faut pas plus se hâter de croire que les modes mondains de la temporalisation (enstase, souci, *memoria sui*, etc.) s'abolissent le temps d'un rite, ou d'une adoration, au bénéfice d'un présent qui soit pure extase, et inauguration d'une relation à laquelle soit promis un avenir éternel. Il n'est pourtant pas possible d'en ignorer la proposition. La croisée eucharistique de la mémoire et de l'espérance s'accomplit à une profondeur qui n'est ni ontique ni ontologique, dans le don d'une présence qui n'est ni ontique ni ontologique. Elle met donc le monde entre parenthèses — à la seule exception de la conscience. Et l'on pourrait même dire qu'elle met entre parenthèses la toute-présence, l'ubiquité, du Dieu qui soutient le monde dans son être, pour remettre l'homme — l'espace d'un acte de présence qu'il pose — à la proximité eschatologique de l'Absolu en Jésus de Nazareth. Dieu m'intéresse à lui à partir des hauts faits et hauts dits dont je fais mémoire, et à partir du don de présence que le monde héberge comme ce dont il ne permet absolument pas de rendre compte. Le pur exercice de cet intérêt est bien l'excès de notre être sur notre être-dans-le-monde.

94 - VIOLENCE ET ESCHATOLOGIE

L'on ne se réclame pas impunément de l'*eschaton*, et des liturgies qui anticipent entre les temps une parousie. Celles-ci certes ne sont pas un divertissement, mais une diversion. Et la diversion (dont d'ailleurs nous ne prenons pas l'initiative) ne nous attire pas dans un arrière-monde, mais détient les conditions auxquelles interpréter le monde — et le cas échéant le transformer. La liturgie prouve l'irréductibilité de notre être à notre être-dans-le-monde et son jeu met en jeu notre inscription dans le monde. — *Mais cet excès constitue notre manière la plus juste d'habiter le monde, et non une manière de le fuir.* On peut et doit répondre alors à toute contestation de la raison liturgique. Notre participation au jeu de la mémoire et de l'espérance nous rendrait-elle sourds au cri des malheureux ? Et en prenant distance par rapport au monde, n'encourt-on pas le risque d'immoralité ? Le trait primitif de notre mondanité est peut-être l'*Un-zuhause* heideggerien : nous n'avons pas d'autre lieu que le monde, dit le Philosophe, et pourtant nous n'y sommes pas vraiment chez nous. Nous ne pouvons pourtant pas nous dérober à ce qu'exige de nous le simple fait d'y être, puisque nous sommes ceux qui y détiennent la raison et la conscience (morale), et qui se demandent quelle vie vaut la peine d'être vécue, quelle vie est la bonne. Face aux violences continuées de l'histoire, nous ne pouvons trop vite nous réfugier dans l'eschatologie. Et si le monde est ce que nous pouvons mettre entre parenthèses, nous y portons la responsabilité du bien, et c'est de notre humanité que nous fournissons la preuve lorsque nous exerçons cette responsabilité. On a thématisé comme « temps vide » l'histoire qui poursuit son cours après Pentecôte (§ 71). Elle n'est plus grosse d'aucun secret théologique, nous n'avons pas à y veiller sur l'accouchement d'un « monde nouveau », et nous y sommes tard venus, après que l'Absolu y a dit son dernier mot. Ce n'est pas notre présence au monde présent, mais le recueil par la mémoire des raisons de l'espérance, qui balise le champ de notre être-dans-le-monde. Mais le temps vide qu'elles investissent n'est pourtant pas un temps où seul le sacrement aurait à charge de nous donner une présence dont l'Absolu soit garant : car, à défaut d'un Dieu dont nous apercevrions encore le visage d'homme, il ne manque pas de visages pour nous adresser ici et maintenant d'urgentes requêtes. Le sacrement commet à la médiation. La mémoire est un délai. L'immédiateté n'est cependant pas franche de sens théologique. C'est en effet sans délai qu'il nous faut vouloir le bien. L'éthique, d'autre part, sait elle aussi requérir une eschatologie : pour elle aussi, son œuvre n'est pas vraiment à la mesure du temps dont elle dispose dans le monde, ni à la mesure d'un homme que ne secourrait pas la grâce d'un Dieu. Elle constitue en tout cas, vis-à-vis de la raison liturgique, une instance critique privilégiée. L'amoralisme pieux est probablement le plus odieux. Devant les brutalités et les conflits qui font l'histoire, il nous faut donc acquiescer à une évidence première : nul ne se souvient du Dieu présent en Jésus de Nazareth sans être reconduit de ses joies pré-eschatologiques à ses responsabilités historiques. — Ou, si l'on veut, nul ne peut participer à la logique de diversion qui est celle de la mémoire et du sacrement, sans y apprendre que son prochain possède lui aussi une analogue dignité sacramentelle. L'éthique porte par définition la marque de l'*eschaton*, dès qu'il s'agit de vouloir le bien radicalement (§ 23). Mais l'hypothèse philosophique d'une eschatologie de la conscience morale s'aiguise, sitôt que la « dangereuse mémoire de Jésus » nous propose l'idée d'un temps, donc d'une vie, vécue comme l'Absolu lui-même a vécu son temps et sa vie d'homme. Nous ne pouvons en effet discerner dans la filialité, l'insouciance, la dépossession et la marche à la croix des modes profonds d'une temporalité christique sans admettre que, si le temps est la forme de la vie morale, l'*imitatio (temporis) Christi* doive être le dernier mot de notre temporalité. Celle-ci pose des problèmes herméneutiques que nous n'avons pas à traiter ici. Il peut nous suffire que dans l'ordre de l'immédiateté (celui, si l'on veut, où présence et présent s'équivalent) le prochain nous apparaisse comme lieutenant de l'Absolu dans le monde. Notre temps entrera en analogie avec le temps humain de Dieu, et donc avec l'éternité divine, à une condition bien précise : si nous acceptons d'exister préeschatologiquement dans le service « liturgique » de Dieu et de notre prochain.

95 - PAR-DELA LES APORIES

Notre mort, disions-nous, n'est pas à nous. Quelques vers après ceux que nous citions plus haut au § 24, Rilke poursuit :

> Denn dieses macht das Sterben fremd und schwer,
> dass es nicht *unser* Tod ist ; einer der
> uns endlich nimmt, nur weil wir keinen reifen.
> Drum geht ein Sturm, uns alle abzustreifen[21].

Or nous percevons mieux, désormais, pourquoi la non-possession, jusqu'à l'heure de la mort, peut résoudre les apories du temps. La frontière qui sépare l'en deçà et l'au-delà ne passe pas vraiment par notre mort : de même que Dieu a su se donner du temps pour l'homme, de même l'*eschaton* a-t-il aussi un lieu dans le monde — ma mort ne se tient pas totalement entre les réalités ultimes et moi. Ma mort n'interprète pas ce que je suis en dernière instance ; il faut au contraire qu'elle soit interprétée, par la croix qu'interprète elle-même la résurrection. Elle nous définit certes, comme le monde nous définit. Mais si nous sommes dans le monde ceux dont le monde n'est pas la maison, mais la demeure provisoire, nous sommes aussi, dans le temps qui nous conduit à la mort, les destinataires d'une promesse digne de foi. Existons-nous donc à l'ombre de la mort ou dans la lumière de Pâques ? Le monde n'est pas l'élément essentiel de l'affirmation, ni d'ailleurs celui de la négation, mais celui de la question. La « grande question » que l'homme représente pour lui-même reste ouverte, dans le clair-obscur du monde, où seul l'événement de Pâques vérifie la promesse

---

21. *Sämtliche Werke*, I, *op. cit.*, p. 348.

qui nous est faite. Le sens théologique de notre être, et de notre temps, n'est pas une facticité. Il doit être gagné sur des significations plus ou autrement évidentes. Y ayant accédé, ce n'est pas pour autant que nous existerons définitivement. Nous pouvons assurément faire œuvre définitive : faire le bien, créer le beau. Nous pouvons même laisser naître en nous des modes d'être qui vaillent définitivement : le saint accepte d'exister à l'image de Dieu, et l'existence à l'image de Dieu ne saurait avoir un sens seulement provisoire. Nos œuvres n'empêchent pourtant pas que nous ne soyons pas à la disposition de nous-mêmes et que, puisqu'une promesse est le tissu théologique de ce que nous sommes, nous ne puissions saisir de nous-mêmes que ce qui passe. Le déploiement extatique du présent, comme mémoire et comme espérance, dissipe l'ombre portée par notre mort. Nous ne sommes pas sans Dieu sans le temps. Mais c'est pré-pascalement que nous existons. Donnés à nous-mêmes à l'origine, nous espérons être rendus à nous-mêmes, par-delà la plus haute négation qui puisse nous frapper. Nous existons sur le mode du commencement, et rêvons d'exister en plénitude. L'expérience ecclésiale et sacramentelle nous fournit aujourd'hui l'esquisse d'une telle plénitude. L'*eschaton* surplombe le temps de l'histoire, mais l'emprise des réalités définitives est déjà sensible dans l'histoire, ou dans les marges (ecclésiales, sacramentelles) de l'histoire. L'anamnèse eucharistique, au centre exact de l'expérience chrétienne, nous révèle quel est l'écart de la présence sacramentelle et de la parousie. Espérer est attendre. Nous ne savons ni le jour ni l'heure. Mais jusqu'à l'heure de notre mort, nous pouvons veiller, et prier.

Index des noms propres

Aristote, 13 ss., 17, 24, 27, 30.
Augustin saint, 18, 21, 24, 30, 58, 67, 97.

Barth K., 85 ss.
Balthasar H. U. von, 37, 79, 161, 172.
Bernard de Clairvaux saint, 134.
Bloch E., 42.
Boèce, 26, 109, 184.
Bonaventure saint, 164.
Bruaire C., 179.
Bultmann R., 94, 161.

Conzelmann H., 161.
Cullmann O., 161.

Descartes R., 38 s.

Feuillet A., 156.
Fichte J. G., 152.
Fink E., 22.

Grégoire de Nysse saint, 62.
Gundissalinus D., 37.

Hartshorne C., 37.
Hegel G. W. F., 43, 46, 47 ss., 62, 67, 107, 125, 168.
Heidegger M., 21 s., 25 s., 41 s., 48 ss., 56 ss., 67, 94, 96, 105, 181, 211 s.
Herrmann F. W. von, 18.
Husserl E., 14 s., 17 s., 22-25, 28, 42, 46 s., 49, 96, 135.

Ignace de Loyola saint, 199.

Jean de la Croix saint, 117.
Joachim de Flore, 164.

Käsemann E., 161, 168.
Kamlah W., 161.
Kant I., 17, 54 s., 62, 111.
Kierkegaard S., 67, 198.
Kümmel W. G., 161.

Lash N., 164.
Le Guillou M.-J., 172.
Levinas E., 50, 52, 111 s.
Loisy A., 174.
Löwith K., 161.
Lubac H. de, 164.
Luther M., 134.

Marx K., 32.
Mieth D., 154.

Olphe-Gaillard M., 199.

Parménide, 41.
Platon, 30.
Plotin, 18, 30, 67.
Polanyi M., 19.

Rahner K., 81, 145.
Rilke R. M., 59, 214.
Robinson J. M., 168.

Sauter G., 162.
Schelling F. W., 210.
Schiller F., 132.
Schweitzer A., 161, 174.
Siewerth G., 179.
Sorabji R., 16, 27.
Spinoza B., 21, 92, 110.
Stein E., 28.
Steinhoff M., 17.
[les Stoïciens], 114.

Taubes J., 161.
Theunissen M., 55.
Thomas d'Aquin saint, 24, 36.

Ulrich F., 179.

Vico G. B., 163.
Vielhauer Ph., 161.
Vladimir, 153.
Voltaire, 163.

Weiss J., 161.
Whitehead A. N., 37.
Wiederkehr D., 162.
Wiplinger F., 22.
Wittgenstein L., 46.
Wrede W., 180.

Index des passages bibliques

Genèse 3, 1-8, 95 ; 3, 5, 109 ; 4, 3-8, 95.
Deutéronome 5, 32 s., 118.
Qoheleth 3, 7, 182.
Matthieu 11, 5, 175 ; 16, 21, 180 ; 24, 36, 173.
Luc 7, 22 ; 9, 31, 175.
Jean 4, 23 ; 5, 25, 174 ; 5, 30, 171 ; 16, 32, 174.

1 Corinthiens 1, 18, 181.
Ephésiens 1, 3-14, 85.
Philippiens 2, 6, 184.
Colossiens 1, 3-20, 85.
1 Timothée 6, 16, 197.
Hébreux 2, 10, 17, 180 ; 5, 8, 173.

Index des concepts

[Nous ajoutons ici au sommaire, qui permet déjà un repérage assez fin, les références des passages où certains concepts-clés interviennent, et surtout de ceux où ils sont introduits pour la première fois].

acte de présence, 16.
adséité, 83, 88, 133.
atotalité, 156.
autodestination, 181.

confins, 168 s.

dans le monde / au monde, 211.
diacritique, 96.

entre-deux, 97.
éternité (mauvaise), 67.
étirement, 69.
exposition, 115.

futurité, 34.

historialité, 116.

inchoation, 122.
incurvation, 134.
insouciance, 100.
interobjectivité, 57.

jeu, 125.

kairologique, 155.
kairos, 187 s.

œuvre d'art, 93, 113.

périchorèse christologique des questions, 166.
prière, 101.
projet, 170.

réduction eschatologique, 201.
réduction théologique, 122.
relance (de l'expérience), 69, 74, 118, 201.

tautologie, 165.
transsignification, 207.

vigilance, 117.
vocation, 109.

Imprimé en France
Imprimerie des Presses Universitaires de France
73, avenue Ronsard, 41100 Vendôme
Février 1990 — N° 35 432